Luto por perdas não legitimadas na atualidade

CIP-BRASIL. CATALOGAÇÃO NA PUBLICAÇÃO
SINDICATO NACIONAL DOS EDITORES DE LIVROS, RJ

L991

Luto por perdas não legitimadas na atualidade / organização Gabriela Casellato. - São Paulo : Summus, 2020.
264 p.

Inclui bibliografia
ISBN 978-65-5549-007-7

1. Luto - Aspectos psicológicos. 2. Perda (Psicologia). 3. Morte - Aspectos psicológicos. 4. Comportamento de apego. I. Casellato, Gabriela.

20-65820
CDD: 155.937
CDU: 159.942:393.7

Camila Donis Hartmann - Bibliotecária - CRB-7/6472

www.summus.com.br

Compre em lugar de fotocopiar.
Cada real que você dá por um livro recompensa seus autores
e os convida a produzir mais sobre o tema;
incentiva seus editores a encomendar, traduzir e publicar
outras obras sobre o assunto;
e paga aos livreiros por estocar e levar até você livros
para a sua informação e o seu entretenimento.
Cada real que você dá pela fotocópia não autorizada de um livro
financia o crime
e ajuda a matar a produção intelectual de seu país.

Luto por perdas não legitimadas na atualidade

GABRIELA CASELLATO (ORG.)

summus editorial

LUTO POR PERDAS NÃO LEGITIMADAS NA ATUALIDADE
Copyright © 2020 by autores
Direitos desta edição reservados por Summus Editorial

Editora executiva: **Soraia Bini Cury**
Assistente editorial: **Michelle Campos**
Capa: **Alberto Mateus**
Imagem de capa: **Ekaterina Khudina/Shutterstock**
Projeto gráfico e diagramação: **Crayon Editorial**

Summus Editorial
Departamento editorial
Rua Itapicuru, 613 – 7º andar
05006-000 – São Paulo – SP
Fone: (11) 3872-3322
Fax: (11) 3872-7476
http://www.summus.com.br
e-mail: summus@summus.com.br

Atendimento ao consumidor
Summus Editorial
Fone: (11) 3865-9890

Vendas por atacado
Fone: (11) 3873-8638
Fax: (11) 3872-7476
e-mail: vendas@summus.com.br

Impresso no Brasil

*Dedico à minha amada mãe,
ser humano fabuloso
que tanto me ensina.
Pequena de tamanho,
mas de força descomunal.
Ensinou-me, por meio do exemplo,
o sabor e o valor
de achar recursos diante da dor.
Minha eterna gratidão.*

Gabriela Casellato

Sumário

PREFÁCIO 9
Maria Julia Kovács

INTRODUÇÃO 15
Gabriela Casellato

1 LUTO E IDENTIDADE 25
Gabriela Casellato

LUTOS DO SER
2 O LUTO PELA PERDA DE UM IRMÃO 38
Luciana Mazorra e Valéria Tinoco

3 LUTO MASCULINO 54
Rafael Stein

4 O LUTO EM FAMÍLIAS DE INDIVÍDUOS QUE FOGEM
AOS PADRÕES HETERONORMATIVOS 58
Vinicius Schumaher de Almeida e Viviane D'Andretta e Silva

5 ANJO AZUL 73
Joelma Avrela de Oliveira

6 O LUTO NO AUTISMO: VISÃO DE UM PAI 84
Marcelo Roberto de Oliveira

7 A PERCEPÇÃO DA MORTE E DO LUTO POR UMA ADULTA
PORTADORA DA SÍNDROME DE DOWN 91
Gabriela Casellato e Elisa Costa Barros Silva

8 SOBRE ELISA 102
Vera Lúcia Cabral Costa

LUTOS DO ESTAR

9 LUTO DOS IMIGRANTES 108
Aparecida Nazaré de Paula Jacobucci e Paula Abaurre Leverone de Carvalho

10 A VIDA POR UM FIO: LUTO NO ADOECIMENTO PELO CÂNCER 120
Elisa Maria Perina e Alessandra Oliveira Ciccone

LUTOS DO CUIDAR

11 QUANDO SE NEGA A DOR POR CAUSA DA FÉ: MORTE E
LUTO NA VIDA DE UM SACERDOTE CATÓLICO 144
Francisco de Assis Carvalho

12 LUTO DA EQUIPE DE CUIDADOS PALIATIVOS 167
Daniela Achette, Paula da Silva Kioroglo Reine e Ingrid Maria (Mia) Olsén de Almeida

13 ÓRFÃO DE TERAPEUTA: COMO LIDAR COM ESSA PERDA 177
Claudia Petlik Fischer

14 O LUTO DO CUIDADOR INFORMAL DO PORTADOR DE ALZHEIMER .. 188
Vera Anita Bifulco

ENGAJAMENTO SOCIAL: DO SILÊNCIO À AÇÃO

15 DO LUTO AO INFINITO 198
Tom Almeida

16 VAMOS FALAR SOBRE O LUTO? 205
Cynthia de Almeida

17 LUTO NA INFERTILIDADE APÓS TENTATIVAS
SUCESSIVAS DE TRATAMENTO 215
Eliane Souza Ferreira da Silva, Hélia Regina Caixeta, Juliana Sales Correia e Simone Maria de Santa Rita Soares

POSFÁCIO – OS LUTOS DE UMA PANDEMIA 231
Gabriela Casellato

Prefácio

O PROCESSO DE LUTO se inicia em situações em que há perdas significativas por morte ou em circunstâncias em que, mesmo que não haja uma morte concreta, o impacto é o mesmo do que se houvesse. A pergunta que se ouve frequentemente é: o enlutado tem direito de sentir o que está sentindo? Em boa parte das vezes, ele é estigmatizado porque está à margem de fronteiras estabelecidas pela sociedade. Valem mais as convenções sociais do que os sentimentos das pessoas em sofrimento.

A dor da perda é o preço que se paga pelo amor, afirma o especialista em luto Colin Murray Parkes (1998) em suas reflexões sobre crises e emergências. Tais situações envolvem acontecimentos graves e geram incertezas; nelas, não sabemos como vamos continuar a viver – nem se voltaremos à "normalidade". Anestesiar esse processo oferece alívio rápido, mas a anestesia da consciência não favorece a elaboração das perdas. Parkes ressalta que o medo está ligado à perda do mundo conhecido, seguro e confiável – o mundo presumido. A pandemia da Covid-19 é um exemplo disso. O planeta, a nossa casa, a rua, o contato com amigos, tudo mudou radicalmente, de forma abrupta, deixando incertezas sobre o futuro em todas as dimensões da vida. Valores básicos, como a saúde, ficaram seriamente ameaçados. O medo de morrer assola a todos; cada tosse, espirro, calafrio ou alteração respiratória traz angústia. Convive-se com o terror de ser contaminado sem que haja vagas no serviço de saúde. E, quando morre alguém, ficamos impedidos, pois perdemos o direito de velar a pessoa querida, de garantir rituais respeitosos, de fazer as despedidas no velório. Todos, inclusive profissionais de saúde, estão assustados: ninguém sabe como cuidar de outrem sem colocar em risco a própria vida.

Esse grande temor diante das perdas pode levar ao não envolvimento como forma de proteção, o preço para não sofrer. Só que assim se blinda também a vida. A elaboração da perda acarreta sofrimento, mas também novas adaptações e reorganizações, que ajudam a rever sentimentos. Para Franco (2010), a crise das perdas implica um desequilíbrio entre as demandas e os recursos existentes para lidar com a situação.

Os profissionais que escrevem neste livro trazem experiências de escuta atenta, em que se suspendem julgamentos, avaliações, classificações e diagnósticos. A escuta valoriza a empatia e a compaixão, e seu trabalho com enlutados os ajuda a elaborar suas experiências.

O luto é uma experiência universal. Todos já vivemos perdas significativas cuja elaboração não se encerra: vai se transformando. Os primeiros lutos são vividos na infância, quando aprendemos a duras penas que a morte é irreversível, que as pessoas que morrem não mais existirão de forma presencial. Isso ocorre mesmo em situações em que não houve morte, como separações, mudanças de país, de cidade, de escola – ou qualquer outra que implique alterações significativas da vida.

Vários autores embasam os conhecimentos atuais sobre luto, os quais passaram por vários paradigmas, envolvendo fases, sintomas, questões psicossociais e culturais, assim como outros aspectos relevantes. Uma das referências presentes em diversos capítulos é Kenneth Doka (2002), que se referiu aos processos de luto que, mesmo com todo o sofrimento da perda, não eram reconhecidos nem legitimados, causando sofrimento adicional. Lembremos que os lutos ocorrem em uma sociedade, cultura e época, que dão os contornos a uma experiência singular. Falar de seus sofrimentos para uma pessoa atenta é experienciado pelo enlutado como essencial. Escrever sobre as perdas e sua elaboração permite ressignificações importantes tanto para o autor quanto para o leitor.

Para Colin Parkes (1998), a ruptura do entorno confiável e a perda das figuras de apego é o que mais assusta. Há os que sentem que praticamente morreram também, os que desejam se reunir com a pessoa amada e aqueles que acham que não conseguirão viver sem ela. Uma nova identidade precisa ser constituída, sendo necessária a adaptação à existência sem a pessoa, num ambiente desconhecido e inseguro. A vida do enlutado não é fácil, principalmente numa sociedade que exige eficiência, força, pragmatismo e felicidade a todo custo. O luto não elaborado pode gerar várias formas de adoecimento, desejo de morrer, comportamentos autodestrutivos e suicídio. O não reconhecimento desses movimentos psíquicos causa sofrimento adicional quando se exigem mudanças, superação e força. O processo de luto necessita de tempo, reclusão, introspecção; porém, a sociedade demanda rapidez e sentimentos positivos, forçando uma situação capaz de criar grandes conflitos, sobretudo no ambiente de trabalho. Cabe ressaltar que, em nosso país, não temos leis nem políticas públicas para os enlutados.

Um grande problema desta época é entender o luto como doença. Houve grandes discussões quando a quinta edição do Manual Diagnóstico e Estatístico de Transtornos Mentais (DSM-5), sistema de organização das doenças psiquiátricas, considerou o tempo de luto um elemento para o diagnóstico de depressão. O luto tem, para cada um, seu tempo de elaboração e formas singulares de expressão. As pessoas enlutadas devem ser cuidadas de acordo com o nível de desorganização e desequilíbrio que uma perda significativa provoca nelas. O luto é uma crise de grande intensidade, mas não se caracteriza como doença. Afirmá-lo como patologia pode ser uma forma de distanciamento do sofrimento – por meio de medicação ou internação –, o que traz mais dificuldades para aqueles que já estão estigmatizados por várias condições de vulnerabilidade e fragilidade.

O luto não autorizado não é aceito nem reconhecido publicamente. Nesse não reconhecimento observa-se a falta de empatia, que precisa ser resgatada, como afirma Gabriela Casellato (2013, 2015), autora e organizadora desta obra. A dor é silenciosa, mas também silenciada. A validação do sofrimento é essencial; precisa ser realizada com a escuta atenta e acolhedora de pessoas próximas e também pelos terapeutas, principalmente quando o reconhecimento não ocorre nem mesmo pelo enlutado. Às vezes, são valores e crenças familiares que dificultam o processo de aceitação.

O processo de luto é moldado pelo entorno da sociedade. No seu extremo, resulta em um padrão ou "etiqueta social". Para esse padrão, que pode e deve ser questionado, propõe-se certa intensidade de choro; se for demorado, será criticado ou julgado. Os enlutados que parecem fortes são valorizados. Os padrões sociais desconsideram as singularidades, tão importantes no processo de luto. O que importa é ver as características adaptativas de cada pessoa, que a auxiliam na crise que uma perda significativa provoca. Divergências de padrões estabelecidos podem levar a diagnosticar formas singulares de elaboração do luto como patológicas ou disfuncionais. Num país como o Brasil, com sua extensão e suas características regionais, não há como pensar em um modo brasileiro de expressão do luto. Há diferenças também se considerarmos ambientes urbanos e rurais, classes sociais, gênero e questões familiares. Um exemplo clássico é o de que "homens não choram"; nessa situação, eles podem adoecer, porque acreditam que não devem expressar seus sentimentos, sendo os primeiros convocados a tomar providências quando ocorre o óbito e a assumir a responsabilidade pela reestruturação da vida. A síndrome do coração partido e distúrbios cardíacos por vezes são resultado dessa falta de cuidado.

O processo dual do luto demanda cuidar dos sentimentos diante da perda e engendrar esforços para reestruturar a vida sem a pessoa querida. É preciso favorecer os dois caminhos. Os cuidados psicológicos devem levar em conta se a elaboração dos sentimentos e os esforços para a retomada da vida têm espaços equivalentes. O exagero em uma dessas dimensões pode dar aos emotivos a ideia de que são frágeis e vulneráveis; e aos que buscam a reestruturação após a perda, de que são frios e insensíveis. Cada polaridade tem sua importância; ambas são complementares e precisam ser reconhecidas. Entre casais, amigos, pai, mãe e filhos, mais do que contestação, a compreensão é necessária.

Este livro ressalta as situações em que as perdas são consideradas ambíguas porque não fica claro o que está sendo perdido. Não se trata somente de perdas ligadas à morte, mas daquelas que envolvem aspectos significativos para cada pessoa e, justamente por isso, levam ao luto – muitas vezes, infelizmente, não reconhecido. A falta de reconhecimento torna a ajuda ainda mais necessária. Um exemplo expressivo dessas perdas ocorre quando um indivíduo desaparece e seu corpo não é encontrado. Observamos essa situação nos crimes ambientais como os de Mariana e Brumadinho e também em acidentes aéreos, enchentes e outros desastres coletivos. Ela foi frequente nos tempos da ditadura; até que a morte dos desaparecidos fosse confirmada, os enlutados oscilavam entre o choro pela perda e a esperança do reencontro.

O luto não autorizado é o exemplo do fracasso da empatia, como apontam vários capítulos desta obra, e começa pela própria pessoa, quando não se autoriza ao sofrimento. O luto pode não ser autorizado por vergonha, por um estilo de evitação ou para não provocar um confronto com a sociedade e os familiares, que em muitos casos não respeitam o processo de cada um dos seus membros. Refletir sobre essas situações é muito importante para alargar o que se entende por luto, já que não é só a morte concreta que leva a esse processo. Não se trata de buscar classificações ou diagnósticos para evidenciar patologias, mas de legitimar o sofrimento daqueles que vivem perdas – para que sejam cuidados e, assim, tenham sua dor amenizada.

A obra ressalta a importância de ampliar a reflexão sobre o luto, sobre quem se enluta, sobre as questões que devem ser levadas em conta em cada caso. São apresentadas opções de cuidado em várias modalidades, o que pode inspirar profissionais e voluntários na criação de novas ações em hospitais, escolas, universidades e templos, entre outros. Tais iniciativas abrem espaço em sites, blogues, teatros e outros locais para que mais pessoas possam se reunir para conversar, compartilhar, compreender e cuidar.

Parabéns a todos os autores que se expuseram, trazendo suas experiências pessoais e suas formas de ação. Profissionais, terapeutas e professores compartilharam aqui conhecimentos teóricos, reflexões e ações de cuidado em várias esferas. E parabéns, Gabriela Casellato, pela organização deste livro, que conta com temas relevantes por vezes desconhecidos e não autorizados, ampliando de forma significativa os estudos sobre o luto. Como digo sempre, um bom mestre aprende com seus discípulos, e mais uma vez é o que acontece. Muito aprendi lendo estas linhas e assim espero que aconteça com cada leitor.

Maria Julia Kovács
Professora livre-docente sênior do Instituto de Psicologia da USP
Abril de 2020, de quarentena pela Covid-19

REFERÊNCIAS

Casellato, G. (org.). *Dor silenciosa ou dor silenciada: perdas e lutos não reconhecidos*. São Paulo: Polo Books, 2013.

_____ (org.). *O resgate da empatia: suporte psicológico ao luto não reconhecido*. São Paulo: Summus, 2015.

Doka, K. *Disenfranchised grief: new directions challenges and strategies for practice*. Illinois: Research Press, 2002.

Franco, M. H. P. "Por que estudar o luto na atualidade". In: Franco, M. H. P. (org.). *Formação e rompimento de vínculos: o dilema das perdas na atualidade*. São Paulo: Summus, 2010.

Parkes, C. M. *Luto: estudos sobre a perda na vida adulta*. São Paulo: Summus, 1998.

Introdução

ESTA OBRA, A TERCEIRA que organizo sobre o tema do luto não reconhecido e suas implicações, envolveu um processo extremamente rico e comovente de aprendizado com os meus colaboradores, entre eles alguns amigos, colegas de profissão e outras tantas pessoas incrivelmente bonitas com as quais minha trajetória profissional me presenteou. Trata-se de uma obra permeada de relatos profundos e sinceros de pessoas que dividiram suas histórias de vida e de perdas. Histórias que nos ensinam sobre o enfrentamento, na maioria dos casos aqui citados, solitário. Tais relatos são entremeados com textos de profissionais muitíssimo competentes que acumularam experiência prática, sobretudo em clínica e hospital, no suporte aos indivíduos que encontraram na escuta formal um acolhimento significativo para seus lutos e uma oportunidade de reconstrução para suas narrativas. Este livro é um convite a refletir sobre nossa impermanência, as mudanças da vida e os lutos necessários aos ajustamentos das transições normativas ou não, concretas ou simbólicas, experimentadas ao longo de nossa existência. Em especial, aborda como as perdas silenciosas e não validadas são enfrentadas por tantas pessoas diariamente.

Depois de quase duas décadas mergulhada no tema dos lutos não reconhecidos (a primeira edição da primeira das obras que organizei a respeito foi publicada em 2005), constato com satisfação que o cenário brasileiro acerca das intervenções de suporte aos enlutados teve um desenvolvimento significativo de serviços especializados espalhados por todo o país, com profissionais capacitados oferecendo diferentes níveis de suporte, da prevenção ao tratamento, presencial e on-line. Entre os serviços, observo dezenas deles dedicados ao cuidado de perdas simbólicas e/ou ambíguas, gerando um senso de pertencimento efetivo para aqueles que até então sofriam em silêncio.

Ainda há muito por desenvolver, mas a mudança desse cenário se deve a diversos fatores, entre eles a informação que visa à desestigmatização. Se as três obras que organizei nesse intervalo e com a ajuda imprescindível de tantos e excelentes colaboradores puderam contribuir para tais mudanças, sinto a paz e o senso de realização de um propósito cumprido.

Ao terminar esta leitura, o leitor entenderá que, quando tudo muda, muda tudo, mesmo que tal processo seja invisível aos olhos ou deslegitimado socialmente.

UM PANORAMA DA OBRA

Diante do primeiro esboço do livro, percebi que havia uma sutil mas importante categorização dos temas abordados, os quais foram definidos a partir do cenário contemporâneo social. Atualmente, reflexões e debates desafiadores acerca de questões negligenciadas ou estigmatizadas que sustentam alguns dos vínculos citados nesta obra – como a homossexualidade, o autismo ou até mesmo as questões culturais contemporâneas referentes ao gênero – precisam também ser discutidos no que tange à ruptura desses elos e seus consequentes lutos. Enquanto isso, outros vínculos aqui mencionados – como a relação paciente-terapeuta, sacerdotes e comunidade, infertilidade, imigrantes e cuidadores formais e informais – ainda são absolutamente ignorados socialmente, inclusive pelos próprios enlutados.

Por essa razão, o livro começa com um capítulo que discute o papel da identidade social no enfrentamento dos lutos e como esta é afetada quando experimentamos um luto não reconhecido. Assim como outros conceitos relacionados com esse assunto e explorados nas obras anteriores (Casellato, 2005; 2015), entender o papel da identidade é essencial para compreender os tipos de luto aqui discutidos, bem como para desenvolver estratégias eficientes de intervenção psicossocial com a população enlutada.

Assim, os temas foram surgindo e, quando organizamos a estrutura do livro, visualizamos certa categorização acerca das diferentes naturezas dos lutos não reconhecidos. Os assuntos foram divididos nas categorias que apresento a seguir.

LUTOS DO SER

Muitos são os lutos relacionados com as perdas experimentadas desde o início da vida do indivíduo ou da pessoa amada. Diante de tantos desejos, expectativas, fantasias e projeções parentais acerca dos filhos, muitos são os lutos vividos de forma silenciosa quando um indivíduo nasce com características diferentes das esperadas pelo seu contexto familiar e cultural. O silêncio que dita a não validação das diferenças silencia também a dor desses enlutados.

No Capítulo 2, minhas queridas parceiras de vida e de projetos Valéria Tinoco e Luciana Mazorra, com as quais tenho imenso orgulho de compartilhar a direção do 4 Estações Instituto de Psicologia, apresentam uma revisão impecável sobre o luto fraterno, tão negligenciado em relação ao luto parental diante da perda de crianças, adolescentes e adultos. Em nossa experiência clínica, observamos uma enorme dificuldade de validação não só das famílias mas da comunidade em geral, incluindo os profissionais de educação e da saúde mental, que tendem a minimizar o impacto do luto no desenvolvimento global de irmãos.

Em seguida, com seu depoimento, Rafael Stein nos permite compartilhar de suas reflexões acerca do luto pela viuvez precoce, após a qual assumiu o cuidado exclusivo de dois filhos pequenos. Cheio de sensibilidade e amorosidade, ele nos toca o coração e nos permite conhecer melhor o impacto do isolamento diante das expressões masculinas do luto – o que nos dá a oportunidade de descontruir ideias preconcebidas acerca do modo de expressar do homem, bem como de questionar nossa tendência de minimizar sua dor em razão do seu estilo de expressão, que se deve muito mais às regras culturais impostas à identidade masculina do que ao sofrimento psíquico gerado pela perda. Vale destacar que o próprio Rafael, mergulhado em seu sofrimento, pôde se questionar sobre o impacto de tais "regras" sociais em seu dia a dia como enlutado.

No quarto capítulo, Vinicius Schumaher de Almeida e Viviane D'Andretta e Silva corajosamente abordam o luto pelo rompimento da heteronormatividade vivenciado pela população LGBTQIA+ e seus familiares. Em tempos de lutas sociais e políticas pela validação social dessas pessoas, torna-se fundamental apontar que o estigma e o preconceito vividos em torno dessa questão ainda estão muito amarrados na dificuldade das famílias para lidar com o luto inerente à quebra dessa heteronormatividade. São muitas as dimensões que fomentam tais dificuldades, mas todas implicam a elaboração diante do que se perde quando se constata que um membro da família não corresponde a tudo que ele mesmo e seus familiares esperam dele, expondo todos os envolvidos às reações de julgamento e preconceito com relação à não heterossexualidade.

Entre os tantos presentes que a profissão me deu, o encontro com Joelma Avrela de Oliveira é, sem dúvida, um dos mais marcantes. Nós nos conhecemos num evento científico que abordava o tema do luto. Minha palestra versava sobre o luto não reconhecido, e na ocasião eu procurava ansiosamente por uma família que aceitasse compartilhar sua experiência diante da chegada de um filho portador de autismo. Eu conhecia muitas que vivenciavam essa situação, mas nenhuma se mostrava disposta a escrever sobre o assunto. Os espaços de informação e troca de experiências que hoje existem, sejam presenciais ou virtuais, são mais orientados para favorecer o ajustamento da família às especificidades impostas pela síndrome. O que chama atenção é que um efetivo ajustamento não é possível se não houver um tempo e um espaço (psicológico e social) para o luto do filho idealizado, inerente a todo e qualquer processo de preparação para a paternidade e a maternidade. Ao fim da palestra, Joelma se aproximou de mim, apresentou-se com toda sua doçura e me fez seu relato, totalmente tocada pela constatação de que se tratava de uma longa e solitária história de luto. Ali mesmo o convite para escrever o capítulo nasceu, sem nenhuma dúvida de que ela e o marido, Marcelo Roberto de Oliveira, que nos presenteia com o Capítulo 6, teriam muito a agregar a esta obra e a tantos outros pais que vivenciam o mesmo processo solitariamente. Sou eternamente grata por esse encontro.

Vera Lúcia Cabral Costa é dona de uma história desafiadora. Poucos teriam os recursos que ela encontrou para se ajustar ao diagnóstico de síndrome de Down no nascimento de sua filha mais velha e, anos depois, num intervalo de poucos meses, ao falecimento dos pais e da segunda filha. Quando cuidei de Vera, num processo psicoterapêutico logo após o falecimento de sua filha Helena, tive a honra de também aprender com ela. Vera não só encontrou recursos para enfrentar seus lutos como mostrou ser uma sustentação emocional fundamental para sua filha mais velha, Elisa, que teve espaço e validação para se enlutar pela irmã. Desse rico processo nasceu a ideia de dar voz à experiência dessa dupla incrível. O relato de Elisa Costa Barros Silva, no Capítulo 7, foi colhido por meio de entrevista e, no capítulo seguinte, encontramos um lindo depoimento de Vera. Elisa nos presenteia com seu olhar para a morte da irmã e nos conta um pouco sobre suas percepções acerca dos recursos de enfrentamento que encontrou. Já Vera generosamente compartilha seu olhar acerca do luto de Elisa, entremeado com sua experiência de mãe enlutada.

LUTOS DO ESTAR
São inúmeros os lutos relacionados com perdas experimentadas por dada condição desenvolvida no transcorrer da vida.

Buscamos explorar nesta obra alguns temas que não foram abordados nas anteriores (Casellato, 2005, 2015), mas tendo a certeza de que muitos outros também deveriam ser contemplados.

As psicólogas Aparecida Nazaré de Paula Jacobucci e Paula Abaurre Leverone de Carvalho apresentam uma excelente revisão teórica dos tantos lutos concretos e simbólicos experimentados pelos imigrantes ao deixar para trás referências biográficas, relacionamentos e rotinas para se ajustar a um novo contexto, nem sempre por decisões deliberadas e motivações positivas. No texto, as autoras nos presenteiam com depoimentos fundamentais para a compreensão desse fenômeno.

No décimo capítulo, Elisa Maria Perina e Alessandra Oliveira Ciccone apresentam os lutos inerentes ao adoecimento por câncer. Elisa é uma psicóloga que carrega significativa experiência profissional acompanhando crianças e suas famílias durante a internação para tratamento em hospitais. Alessandra, psicóloga especialista em intervenções com enlutados, tem realizado lindas parcerias com Elisa no suporte psicológico a essas famílias. Nesse capítulo, encontramos uma revisão excelente do impacto da doença e de suas especificidades nas diferentes faixas etárias.

LUTOS DO CUIDAR

Sempre procurei dar voz ao luto de profissionais cuidadores formais e informais. Isso porque observamos em nossa prática uma grande desvalorização desse tipo de vínculo – e, consequentemente, dos lutos advindos da perda de pacientes, o que gera um impacto na saúde mental dos cuidadores. Torna-se, portanto, imperativo continuar validando esses lutos visando à prevenção da saúde, bem como gerando melhores condições para a promoção dos cuidados oferecidos por esses profissionais.

Porém, quando pensamos em cuidadores, raramente nos lembramos dos religiosos. Francisco de Assis Carvalho, sacerdote e psicólogo, apresenta um capítulo profundo e tocante sobre o enfrentamento da morte e o luto silencioso dos sacerdotes católicos. Quem tem fé não está imune à dor. Quem acolhe merece e precisa ser acolhido.

No capítulo 12, Daniela Achette, Paula da Silva Kioroglo Reine e Mia Olsén de Almeida, experientes psicólogas que preparam equipes multiprofissionais especialistas em cuidados paliativos, abordam com muita competência os lutos vividos por essas equipes e os possíveis caminhos de prevenção e de cuidado adotados em sua trajetória profissional.

E quando nosso terapeuta falece? Sim, nossos cuidadores são mortais e tanto eles como nós praticamente ignoramos essa condição. Claudia Petlik Fischer reflete sobre os órfãos de terapeutas e sobre como podemos nos preparar para oferecer ao paciente enlutado condições mais seguras e éticas de seguir seu luto, que precisa ser validado, bem como garantir cuidados éticos em torno do trabalho interrompido pela morte do terapeuta.

Em seguida, a psicóloga Vera Anita Bifulco aborda o luto do cuidador informal de pacientes portadores de Alzheimer. Cuidar de um ente querido que aos poucos vai sendo afetado por uma doença que lhe confere tantas perdas neurológicas é um desafio. Somado ao fato de serem cuidadores exclusivos e por longos anos, estamos falando de uma população que vive um longo e complexo luto antecipatório de forma solitária e sobrecarregada. Há anos Vera segue sensível à questão, oferecendo espaços de acolhimento psicossocial voluntário a esses cuidadores.

ENGAJAMENTO SOCIAL: DO SILÊNCIO À AÇÃO

Abriremos aqui espaço a capítulos relacionados a ações sociais desenvolvidas para dar voz aos lutos e enlutados estigmatizados e silenciados cuja dor não foi ouvida nem validada socialmente. Eles não só merecem um lugar no livro como recebem uma categoria específica. Foram apresentados três serviços com propostas completamente diferentes, mas que possuem algumas funções em comum:

1. criaram um espaço (físico ou virtual) para falar da perda;
2. favorecem a validação do luto e o compartilhamento de experiências;
3. promovem encaminhamentos e orientações de apoio ao enlutado.

O primeiro é o Festival inFINITO, idealizado por Tom Almeida, que, diante dos seus lutos pessoais, resolveu dar voz a milhares de pessoas. Acima de tudo, Tom escancara a morte de forma criativa, ética e multidisciplinar, levando o assunto até para a mesa de jantar das famílias brasileiras.

O segundo serviço apresentado é conduzido por uma equipe de pessoas que resolveram, a partir de seus lutos pessoais, dar voz aos de outras tantas por meio da narrativa. O Vamos Falar sobre o Luto é apresentado, no Capítulo 16, por uma de suas idealizadoras, a jornalista Cynthia de Almeida, que nos conta a trajetória do grupo e o processo de ouvir tantas histórias. Nesse caso, fica explícito que dar voz a um enlutado também nos permite ecoar nossos lutos e dores. A palavra, aqui, torna-se a grande ferramenta de libertação e transformação de muitos dos que por ali deixam suas histórias.

Por fim, com muito embasamento teórico e prático, uma equipe de especialistas fala sobre como é dedicar-se a acolher mulheres que enfrentam o luto pela infertilidade, depois de sucessivas tentativas de fertilização. Eliane Souza Ferreira da Silva, Hélia Regina Caixeta, Juliana Sales Correia e Simone Maria de Santa Rita Soares criaram o site Quando a Árvore Não Dá Fruto – Apoio à Infertilidade. Focado nesse público, sua finalidade é acolher, validar e apoiar as mulheres que carregam no corpo o luto de forma silenciosa e solitária.

O LUTO SEM PRECEDENTES

E, então, quando o livro já estava pronto, nosso mundo presumido e nossa organização prévia foram chacoalhados pela chegada da violenta pandemia do novo coronavírus. A experiência de medo e o luto coletivo da população mundial isolada em casa, independentemente de condições culturais, geopolíticas ou socioeconômicas, compõem, sem dúvida, um luto sem precedentes.

No posfácio, apresento reflexões acerca dos tantos lutos tangíveis e intangíveis relacionados com o enfrentamento da pandemia pela Covid-19, bem como descrevo algumas ações de caráter preventivo e de apoio direcionadas a esses enlutados. Entregar um livro sem falar sobre isso seria, para mim, um contrassenso diante do tema central desta obra.

Como se pode ver, este livro assume a coragem e a motivação de tratar temas contemporâneos a serem enfrentados por uma sociedade que avança em muitos sentidos, mas ainda necessita de informação para desconstruir mitos e conceitos acerca do que e de quem merece ou não ter validação e acolhimento social. Ainda precisamos evoluir no esforço empático e no suporte psicossocial aos mais vulneráveis. Esperamos que esta obra seja um instrumento para esse processo.

GABRIELA CASELLATO

REFERÊNCIAS

CASELLATO, G. (org.) *Dor silenciosa ou dor silenciada? – Perdas e lutos não reconhecidos por enlutados e sociedade*. Campinas: Livro Pleno, 2005.
_____. *O resgate da empatia: suporte psicológico ao luto não reconhecido*. São Paulo: Summus, 2015.

1. Luto e identidade

Gabriela Casellato

> "Quem eu sou no mundo?
> Ah, esse é um grande quebra-cabeça!"
> (Lewis Carroll)

LUTO: UMA TRANSIÇÃO PSICOSSOCIAL

Como mostra Santos (2017), os estudos sobre o luto evoluíram de uma visão mais centrada na sintomatologia e nas reações de pesar (Freud, 1953) para outra mais complexa, multifacetada e subjetiva do impacto da perda no indivíduo enlutado (Parkes, 1998; Nadeau, 1997; Neimeyer, 2001; Klass e Walter, 2001; Stroebe, 2008; Stroebe, Hansson e Schut, 2008; Stroebe e Schut, 1999 e 2001).

Nesse cenário acadêmico, a teoria do apego, desenvolvida por John Bowlby (1969, 1973, 1980, 2004), foi especialmente relevante para a compreensão contemporânea do fenômeno do luto. Segundo essa abordagem, o luto é uma resposta a um vínculo rompido, não apenas à morte de uma pessoa significativa. Trata-se de uma resposta instintiva, revestida de aspectos e influências internalizados resultantes da aprendizagem social e do contexto cultural do indivíduo afetado. Portanto, uma reação determinada pela interinfluência dos aspectos biológicos, intrapsíquicos e sociais de cada indivíduo inserido em dado contexto histórico e social. Embora seja uma reação universal, também é singular e subjetiva.

Atualmente, a narrativa e o contexto da perda são aspectos considerados extremamente relevantes para avaliar seu impacto na pessoa afetada. Isso porque se considera o processo de luto como sendo experimentado de várias dimensões, inclusive o universo psicossocial do indivíduo, visto ser um processo de ajustamento a uma nova realidade imposta pela perda que promoverá uma desorganização em consequência da quebra de um mundo previamente organizado, seguro e previsível: o mundo presumido. Este compreende o único mundo que o indivíduo conhece e no qual se reconhece e inclui tudo que ele sabe ou pensa saber. Esse termo engloba não só o que ele pensa sobre o passado, mas suas expectativas para o futuro, seus valores, planos e crenças. Trata-se, portanto, de um esquema mental organizado que reflete tudo que a pessoa assumiu como verdadeiro acerca de si e do mundo, cuja função reside em prover segurança e previsibilidade, além de oferecer um significado e propósito para a vida de cada um.

De acordo com Janoff-Bulman (1992), pode-se organizar o mundo presumido em três componentes: como o indivíduo tende a ver os outros e suas intenções; como o indivíduo acha que o mundo deveria funcionar; como o indivíduo se percebe. Parkes (1998) considera que esses aspectos são abalados diante de uma perda e que uma nova concepção de mundo se faz necessária no processo de adaptação. No entanto, o medo e a consequente ansiedade disparados ante essa mudança ameaçadora embaçam o julgamento e prejudicam a concentração e a memória, deixando lenta e ineficaz a tentativa de dar sentido ao que aconteceu.

A mudança se dá na concretude da rotina estabelecida, mas também, e sobretudo, no mundo interno do indivíduo, a partir do qual este estabelece suas concepções, que servirão como uma lente a influenciar sua maneira de perceber e estar no mundo (Parkes, 2009). Segundo o referido autor, a perda cria uma série de discrepâncias entre o mundo interno e a realidade. Vejamos o que diz uma paciente:

> Após a morte de meu marido, eu costumava dizer "nós morremos" quando queria dizer "ele morreu". Quando ele estava vivo, eu não tinha ideia de quão conectados nós éramos. Sua falta destruiu meu sentimento de presença, meu sentimento de estar viva ou de querer estar viva. Levou muito

tempo para eu me sentir uma pessoa completa novamente. Eu criei uma nova presença para ele e isso me ajuda a viver. (H. S.)

Diante dessa desordem imposta, tudo que se concebe como certo e garantido se desfaz, e o indivíduo se vê forçado a reconstruir um novo modo de viver para se sentir seguro. Portanto, a quebra do mundo presumido é, sem dúvida, uma ruptura de grande impacto no equilíbrio mental. A forma como o indivíduo pensa acerca de si, como se define, como os outros o definem, a história contada sobre quem é e o senso de pertencimento constituem o que se denomina aqui identidade social. Tendo em vista o vínculo rompido, tudo isso é revolvido, e o indivíduo se sente obrigado a revisar a percepção de quem é. Embora a narrativa prossiga, já não ocorre do mesmo modo – e, enquanto não se realiza um entendimento e uma adaptação à nova forma, o que se pronuncia é uma "não identidade", pois, num indefinido espaço de tempo, não é possível reconhecer a identidade prévia, tampouco a nova que emerge diante da ausência de um vínculo significativo.

Ao lidar com a ausência de um relacionamento que contribuía para o ajustamento do ser ao mundo e, por essa razão, proporcionava determinada confiança e senso de proteção, os conflitos e as inquietações diante do abalo na identidade certamente surgirão ao longo do processo de luto. Em última instância, a ausência do que foi perdido rompe parcial ou totalmente com o senso de pertencimento, gerando angústia e isolamento. Convém sublinhar que, no decorrer de minha prática clínica, muitos são os relatos capazes de ilustrar a crise de identidade e a sensação de não pertencimento provocadas pelo processo de luto: "Não me reconheço mais"; "Não consigo frequentar os mesmos lugares e grupos aos quais pertencia"; "Não me interesso mais pelas rodas de conversa de meus amigos"; "Meus assuntos são desagradáveis aos demais. Quero falar da minha perda e me sinto um fardo para meus amigos e parentes"; "Quem eu sou agora? Nunca mais serei o mesmo e não quero ser"; "Não consigo falar dos assuntos que me interessavam antes, apenas me interesso pela minha perda e meu sofrimento. Não posso imputar tamanho fardo aos que me rodeiam. Por outro lado, não me interesso pelo luto dos outros. Estou ficando louco!"

Em geral, a crise de identidade provocada pelo luto é temporária, mas é fundamental entender que esta não se encerra com o indivíduo retornando ao estado anterior ou à identidade assumida antes da perda (Parkes, 1998). O ajustamento a uma nova realidade exige uma acomodação assentada em novos valores e crenças. Vale destacar que certa resistência para se adaptar às mudanças é esperada e natural e deve ser respeitada pelo grupo social ao redor do enlutado. A necessidade de se "agarrar" ao mundo presumido é instintiva e uma efetiva prova de que se está alerta e pronto para enfrentar o "perigo" imposto pela dor do luto.

Habitualmente, quando somos ameaçados, o que almejamos? Voltar para casa? Colo de mãe? Procurar um abrigo conhecido? Usar as ferramentas já dominadas para enfrentar o inimigo? Portanto, o indivíduo só se vale de estratégias novas e desconhecidas quando as conhecidas não estão mais disponíveis. Assim, o esforço inicial de "encarar" a crise imposta pelo luto será sempre permeado dessas concepções prévias – e por isso a relutância inicial em face do novo é sinal de saúde mental.

De modo geral e em condições normais, tal resistência cede a certo ajuste e acomodação ao novo visando à mesma finalidade, ou seja, o reconhecimento do novo cenário que, aos poucos, será incorporado ao mundo interno, gerando novas concepções e novos comportamentos para controlar o medo.

Convém se preocupar somente quando tal reação se estende em duração e intensidade no que tange às reações defensivas diante do novo e uma resistência crônica se instala de forma disfuncional na vida do enlutado. Em tais circunstâncias, o processo de luto se tornará estagnado e impedirá o ajustamento necessário perante os desafios complementares de conviver com o pesar e enfrentar a vida, acarretando, assim, aspectos patológicos ao luto vivido.

IDENTIDADE VERTICAL *VERSUS* IDENTIDADE HORIZONTAL

No mundo presumido, podem ser considerados vários elementos nos quais o indivíduo se apoia a fim de estabelecer as referências e fronteiras daquilo que pode esperar de si, do mundo e dos outros. Na história de cada indivíduo, esses elementos são reconhecidos, internalizados e tomados como referência para lidar com as experiências cotidianas. Nesse sentido, o mundo presumido tem como paradigma a própria história – inclusive as influências das gerações anteriores.

Devido à transmissão intergeracional de características genéticas e também aprendidas (valores, crenças, regras, expectativas e normas culturais), a maioria das pessoas carrega consigo atributos semelhantes ou idênticos aos dos pais. A eles dá-se o nome de identidade vertical (Solomon, 2012). Alguns são claramente verticais, como raça, cor e estatura, enquanto outros não o são necessariamente, como linguagem ou religião. Isso porque tais atributos podem ter sido adquiridos na convivência com os pais, mas também são passíveis de interferências/mudanças genéticas, biológicas ou vivenciais, como a convivência com grupos sociais diversos. Trata-se da identidade horizontal.

Solomon (2012) destaca que a identidade vertical é valorizada nas famílias desde a primeira infância, ao passo que os atributos da identidade horizontal costumam ser tratados como defeitos. Esclarece que a aceitação de si faz parte do ideal, mas a falta de aceitação familiar e social torna quase inviável aplacar as injustiças a que muitos grupos horizontais estão sujeitos. Assim, a adaptação à vida torna-se comprometida tendo em vista a condição de rejeição e marginalização.

Dessa forma, podem-se elencar diversos tipos de vínculo marginalizado das identidades verticais vigentes – como a homossexualidade; determinadas condições de saúde física e mental, caso do autismo, da demência e da síndrome de Down; relacionamentos não validados socialmente, como o vínculo entre cuidadores formais e seus pacientes ou entre os tutores e seus animais de estimação.

Além disso, numa cultura em que a tristeza é percebida como ruim, os enlutados, mesmo que pela perda de relacionamentos previstos e validados pela identidade vertical, são considerados indesejáveis e – consciente e inconscientemente – excluídos dos grupos sociais. Com efeito, os próprios enlutados, seja por lutos sancionados ou não, sentem-se marginalizados, e a identidade horizontal mostra-se, para muitos, a saída possível no ajustamento após a perda. Por essa razão, é possível observar hoje um crescente número de grupos de apoio para enlutados, conduzidos por profissionais ou enlutados voluntários, presencial ou virtualmente, que lhes propiciam um novo senso de pertencimento e identificação necessários ao alívio do impacto de uma perda significativa. Convém salientar que cada uma das condições aqui mencionadas apresenta especificidades e desafios particulares, mas sem dúvida experimenta em comum a quebra da identidade vertical.

LUTO NO CONTEXTO CULTURAL

> "Este é o trabalho de luto; construindo um novo lar
> e encontrando um lar no luto."
> (WARNER, 2018)

Retomando a teoria do apego (Bowlby, 1969), vale destacar que o ser humano é social por uma condição instintiva, pois necessita do senso de pertencimento e de um grupo para garantir a sobrevivência. Além disso, precisa da sensação de ser amado e, por isso, vive de alguma forma conectado com uma comunidade. Diante dessa constatação, é impossível separar a individualidade do contexto social.

Se cada indivíduo desenvolve uma forma própria de regulação com o mundo externo por meio do mundo presumido, torna-se óbvio pensar que cada uma dessas narrativas se dá dentro de uma moldura ainda mais ampla e coletiva definida pelo contexto cultural no qual se está inserido. O modo como cada um vivencia e expressa sentimentos difere, a depender da cultura. Convém lembrar que o conceito de cultura aqui adotado abrange o sistema de crenças, valores, tradições e rituais compartilhados pelos membros de um grupo ou uma comunidade.

Concepções culturais diferentes servem tanto de estrutura para se compreender os diferentes comportamentos e emoções que moldam a interpretação e a avaliação das próprias experiências como de moldura para interpretar as ações de outras pessoas. Ou seja, as interações sociais mediadas pelos construtos culturais de cada comunidade definem o mundo presumido do indivíduo e o ajudam a entender a si próprio e aos outros (Harwood, Miller e Irizarry, 1995). Cada cultura tem rituais próprios que influenciam a experiência do luto e regulam as expectativas de comportamentos sociais esperados do próprio enlutado, assim como o que este pode esperar do seu contexto social diante de um momento de profunda ameaça e ruptura de seu mundo presumido.

Numa cuidadosa revisão de estudos antropológicos acerca dos rituais de luto em diferentes culturas, Bowlby (1980, 2004) afirma que, no Ocidente, as reações se assemelham em linhas gerais e, com frequência, em detalhes, sobretudo no que se refere às reações humanas diante da perda. No entanto, assinala que os costumes sociais são muito diferentes e carregados de simbologias diversas, às vezes diametralmente opostas de uma cultura para outra.

Em termos de congruência, o autor considera que todas as sociedades conhecidas apresentam práticas universais, entre elas: têm uma língua; conservam o fogo e têm algum tipo de instrumento cortante; desenvolvem laços biológicos de mãe, pai e filho em um sistema de parentesco; apresentam divisão de trabalho baseada na idade e no sexo; proíbem o incesto; apresentam regras de comportamento sexual; têm regras e rituais sobre a eliminação de cadáveres e o comportamento desejável dos enlutados. Todas as regras compartilhadas entre as sociedades e que foram aqui descritas estão estritamente relacionadas com a manutenção e a garantia da sobrevivência humana regulada pela convivência em grupo. Desse modo, todas se afastam do risco da morte e/ou favorecem a manutenção de nossa espécie.

Observa-se nesse ponto a importância do instinto como regulador basal das relações humanas, incluindo o comportamento diante do luto. Pode-se afirmar que as organizações sociais estão a serviço de suprir as necessidades instintivas de proteção e segurança por meio das quais se criam contextos culturais permeados de regras e previsibilidade que dão um contorno ao indivíduo, desligando os medos mais primários – os de viver e morrer sozinho e desprotegido.

Qualquer contexto social deve e precisa ser compreendido por meio de diferentes aspectos:

- Estrutura – como se efetiva a divisão social, seja em classes, etnicidade, gênero etc.
- Cultura – significados compartilhados, regras "invisíveis" passadas intergeracionalmente.
- Relações de poder – hierarquia de dominância e subordinação que se manifesta de várias formas na sociedade.

Esses, entre outros fatores, são agentes de caracterização de cada contexto cultural, formando uma teia de regras significativamente influentes nas experiências individuais. Nesse viés, aquilo que se chama de senso comum determina o que pode ser validado e considerado aceitável e genuíno em dada experiência, conforme se observa em situações de luto.

Portanto, são os rituais que promovem a transição entre o mundo presumido e a nova realidade e, dessa maneira, criam atalhos que fomentarão o senso de pertencimento e o controle da ansiedade, proporcionando um tanto de estabilidade e segurança necessários para as primeiras experiências sociais do enlutado. Os rituais organizam, dão contorno e previsibilidade diante da crise imposta pela perda.

Sobre os rituais fúnebres, Bowlby (1980; 2004) salienta que apresentam três funções principais. A primeira é a de propiciar auxílio aos enlutados para o enfrentamento da incerteza ante o ocorrido. O ritual concretiza e define a nova realidade. Além disso, oferece a oportunidade de expressar publicamente o pesar e introduz um novo papel social que será desempenhado diante da perda, além de permitir a todos os membros da comunidade tomarem conhecimento da perda e, dessa forma, despedirem-se e expressarem o luto. Assim, os rituais fúnebres favorecem a manutenção da integridade do grupo social que precisa seguir em frente. Por fim, há o aspecto econômico, pois o momento do ritual corresponde a uma ocasião de complexa troca entre os familiares e a comunidade – que, ao oferecer ajuda, ainda que simbólica, aos afetados, se torna "credora" (ex.: custeio dos gastos com funerais, alimentos no período do luto etc.).

Na maioria das sociedades, aceita-se, sem resistência, que a pessoa enlutada sofra uma reação de choque e sinta-se socialmente desorientada. Além disso, outras reações e crenças são bastante observadas, embora não sejam consideradas universais. Por exemplo, o que foi perdido ainda é percebido como presente entre os vivos por algum tempo depois da perda. Os motivos para tal percepção diferem entre as culturas, mas uma razão bastante plausível, de acordo com os estudos levantados por Bowlby (1980, 2004), sugere a sensação de conforto garantida com a sustentação dessa crença.

Além disso, aceita-se que qualquer pessoa enlutada pode sentir raiva daquela que considere responsável pela morte ou perda. Como toda cultura tem crenças e regras próprias, as formas prescritas para o comportamento da raiva dos enlutados diferem em cada sociedade. Algumas são muito permissivas; outras, mais repressoras. A raiva pode ser dirigida para uma terceira pessoa, para o morto ou o vínculo perdido – ou até mesmo para o próprio enlutado. Outro aspecto compartilhado entre as sociedades compreende a prescrição de uma duração para o luto e a sua expressão. Mais frequentemente, verifica-se a permissão para um ano de luto, incluindo a existência de rituais que demarcam o fim desse período – como ocorre, por exemplo, no judaísmo tradicional.

De modo geral, os rituais se organizam em torno da necessidade de determinar como se manifesta a continuidade da relação com o morto ou com o que foi perdido, para prescrever a culpa e a raiva e para fixar o tempo de duração do luto (Bowlby, 1980; 2004).

IDENTIDADE EM SITUAÇÕES DE PERDAS INTANGÍVEIS OU LUTOS NÃO RECONHECIDOS

Como pensar o desafio da reconstrução da identidade social em situações que envolvem lutos e perdas não validados socialmente? Como vimos em outras publicações (Casellato, 2005, 2015), esses tipos de luto são considerados clinicamente fatores de risco para um comprometimento de tal processo, uma vez que acarretam mais isolamento social. Por serem negligenciados e, por vezes, banalizados, nota-se que os sintomas são mais intensos e duradouros, pois a quebra com a identidade vertical torna o contexto social perverso para os enlutados que vivem condições não sancionadas. Romper com o silêncio e a marginalização nessas situações é fundamental para favorecer um ajustamento social saudável nesses casos.

Se tivermos de caminhar muito no que se refere ao confronto com as identidades verticais vigentes, a formação de novas identidades horizontais nessas situações configura-se como possibilidade muito promissora. Segundo Rando (1987), apenas por meio do reconhecimento e da aceitação o enlutado poderá seguir em frente, por se sentir genuinamente inserido em seu grupo social. Dessa forma, a narrativa do luto se organiza na direção de um sentido agregador. A intimidade com a diferença gera reconciliação, e a intimidade com o luto promove a integração da experiência dolorosa e permite o ajustamento às perdas e à vida, *apesar de* e *por meio* delas.

Falar desses lutos mostra-se essencial para a sustentação de uma identidade horizontal a ser assumida diante da perda, e a partir dessa validação experimentam-se os "ganhos" no ajustamento a esses sentimentos. Aceitar o enlutado por condições simbólicas ou por perdas não validadas pela identidade vertical ajuda a promover sua saúde mental. O reconhecimento nem sempre vem com aceitação e, apesar de ser uma condição insuficiente para um bom ajustamento, já constitui uma abertura para a construção de uma identidade possível e diferente da identidade vertical imposta. Em face do exposto, clinicamente se deve entender a relevância do avanço de uma condição de banalização e desvalorização para outra de reconhecimento. Desse modo, não se deve precipitar a aceitação, tampouco tentar empurrar a sociedade em sua direção.

O problema social não é nem nunca será a morte e o luto, pois estes não apenas organizam e dão contorno à existência como também favorecem o sentido da vida. O desafio é a crise empática que nos aprisiona num universo de identidades verticais num mundo que se transforma constante e rapidamente.

Não apenas somos. Estamos.

E, diante do inexorável processo de ajustamento à vida, transformamos e somos transformados.

REFERÊNCIAS

BOWLBY, J. *Attachment*. Attachment and loss, v. I. Londres: Penguin, 1969.

_____. *Separation: anxiety and anger*. Attachment and loss, v. II. Londres: Penguin, 1973.

_____. *Loss: sadness and depression*. Attachment and loss, v. III. Londres: Penguin, 1980.

_____. *Perda: tristeza e depressão*. Apego e perda, v. 3. São Paulo: Martins Fontes, 2004.

CASELLATO, G. *Dor silenciosa ou dor silenciada? – Perdas e lutos não reconhecidos por enlutados e sociedade*. Campinas: Livro Pleno, 2005.

_____. *O resgate da empatia: suporte psicológico ao luto não reconhecido*. São Paulo: Summus, 2015.

FREUD, S. *Mourning and melancholia*. Londres: Hogard, 1953.

HARWOOD, R.; MILLER, J. G.; IRIZARRY, N. L. *Culture and attachment: perceptions of child in context*. Londres: The Guilford Press, 1995.

JANOFF-BULMAN, R. *Shattered assumptions: towards a new psychology of trauma*. Nova York: Free Press, 1992.

KLASS, D.; WALTER, T. "Processes of grieving: how bonds are continued". In: STROEBE, M. et al. (orgs.). *Handbook of bereavement research: consequences, coping and care*. Washington: American Psychological Association, 2001.

NADEAU, J. *Families making sense of death*. California: Sage, 1997.

NEIMEYER, R. (ed.). *Meaning reconstruction and the experience of loss*. Washington: American Psychological Association, 2001.

PARKES, C. M. *Luto: estudos sobre a perda na vida adulta*. São Paulo: Summus, 1998.

_____. "A historical overview of the scientific study of bereavement". In: STROEBE, M. et al. (orgs.). *Handbook of bereavement research: consequences, coping and care*. Washington: American Psychological Association, 2001.

_____. *Amor e perda: as raízes do luto e suas complicações*. São Paulo: Summus, 2009.

RANDO, T. *Treatment of complicated mourning*. Illinois: Research Press, 1987.

SANTOS, G. B. F. "Intervenção do profissional de saúde mental em situações de perda e luto no Brasil". *Revista M. Estudos Sobre a Morte, os Mortos e o Morrer*, v. 2, n. 3, Rio de Janeiro, jan.-jun. 2017, p. 116-37.

STROEBE, M. "From vulnerability to resilience: is the pendulum swing in bereavement research justified?" Palestra apresentada no 8º Congresso Internacional sobre Luto na Sociedade Contemporânea, Melbourne, Austrália, jul. 2008.

STROEBE, M. S. et al. "Bereavement research: 21st-century prospects". In: STROEBE, M. S. et al. (eds.). *Handbook of bereavement research and practice: advances in theory and intervention*. Massachusetts: American Psychological Association, 2008, p. 577-603.

STROEBE, M.; SCHUT, H. "The dual process model of bereavement: rationale and description". *Death Studies*, v. 23, 1999, p. 197-224.

_____. "Meaning making in the dual process model of coping with bereavement". In: NEIMEYER, R. (org.). *Meaning reconstruction and the experience of loss*. Washington: American Psychological Association, 2001.

_____. "A conceptual analysis of the field". *Omega: Journal on Death and Dying*, v. 52, n. 1, 2005/2006, p. 53-70.

WARNER, J. G. *Day by day: simple practices and daily guidance for living with loss*. Califórnia: Althea Press, 2018.

LUTOS DO SER

2. O luto pela perda de um irmão

Luciana Mazorra
Valéria Tinoco

EM COMPARAÇÃO COM OUTROS tipos de perda por morte, há poucos estudos a respeito da perda de irmãos. Em nossa experiência clínica, observamos que esse acontecimento em qualquer fase da vida tem grande impacto para o indivíduo, com efeitos duradouros.

O luto dos irmãos com frequência não é reconhecido, por não ser compreendido como tão significativo como o de pais, filhos e cônjuges. Quando morre uma criança na família, os pais são considerados enlutados primários e os irmãos por vezes não recebem o apoio necessário. Além disso, muitos adultos não reconhecem adequadamente as reações da criança e do adolescente, bem como seu sofrimento, por falta de conhecimento a respeito das especificidades do seu luto.

Quando alguém morre na idade adulta, a atenção costuma ser voltada para cônjuges, filhos e pais, ao passo que os irmãos ficam ofuscados. Muitas vezes, é o próprio irmão enlutado quem contribui para isso, voltando a atenção para o restante dos familiares e esquecendo-se de si mesmo.

É fundamental compreendermos que os irmãos também são enlutados primários, tendo em vista a importância de que reconheçam o próprio luto e recebam o suporte social adequado e ajuda profissional quando necessária. Nossa proposta é trazer luz a essa vivência de luto e, para tanto, faz-se necessário compreender as especificidades do vínculo que se estabelece entre irmãos e de como sua ruptura é experienciada. A fim de ilustrar essa experiência, traremos vinhetas de nossa prática clínica e da literatura.

A relação com irmãos, sejam biológicos ou não, costuma ser o vínculo afetivo mais duradouro estabelecido ao longo da vida. Quando mantida a proximidade nas diferentes fases do ciclo vital, os irmãos exercem um papel significativo para a manutenção da história e da identidade. Experiências, memórias e valores normalmente são compartilhados como em nenhuma outra relação.

Os irmãos podem servir como figuras de apego adicional durante a infância e a vida adulta, provendo segurança psicológica, suporte e importante relação de intimidade. As figuras de apego têm o papel de sustentar emocionalmente o indivíduo, provendo-lhe conforto e segurança em situações de medo e angústia e colaborando para uma estada mais confortável no mundo, o que favorece o desenvolvimento de cada um de nós. O sistema de apego entre irmãos, assim como o sistema parental, é, portanto, responsável pela formação de identidade do indivíduo e pela promoção de relações de apego seguro durante a infância e ao longo de toda a vida.

O vínculo estabelecido entre irmãos sofre influência de diversos fatores: ordem de nascimento, gênero, atenção parental recebida, dinâmica familiar no momento do nascimento de cada irmão, papéis estabelecidos na família e personalidade. Nessa relação, pode haver intensa identificação, com vivências compartilhadas e ideias confluentes, sendo frequente que um dos irmãos seja um modelo de identificação para o outro. No entanto, além de o irmão ser um modelo, também pode existir o desejo de ser diferente deste, o que por vezes é central na construção de identidade (Presa, 2014).

Se por um lado irmãos são frequentemente parceiros em experiências afetivas e lúdicas, por outro é importante lembrar que estão sempre disputando a atenção dos pais, o que gera uma conhecida rivalidade. Ainda que sejam fonte de afeto e segurança, também são de conflito, o que torna essa relação bastante ambivalente e marcada por ligação e antagonismo, lealdade e ressentimento, cuidado e competição (Rando, 1991).

Tendo em vista a importância dessa relação de apego, não nos surpreende o impacto provocado por sua perda. O mundo conhecido é completamente alterado sem a presença do irmão, o que gera um abalo no sentimento de segurança e confiança em continuar vivendo.

O que se perde quando um irmão morre é bastante específico: um parceiro da vida inteira, o companheiro do futuro, um modelo, um parceiro, um competidor, um amigo, um protetor, um protegido. Trata-se, portanto, de uma perda em larga escala: perda do passado compartilhado e do futuro que teriam juntos. Além disso, segundo Green (1988), há a perda de rotinas, expectativas, planos e papéis na família. Tendo em conta a importância desse vínculo, surge o desafio presente em toda morte de uma figura essencial: pode ser muito difícil enfrentar o luto do irmão sem poder contar com o apoio e a companhia dele. Ou seja, em uma perda dessa magnitude, sua presença seria essencial, mas trata-se justamente de lidar com sua perda.

Quando a perda de um irmão é vivenciada na infância, mitos a respeito do processo de luto da criança frequentemente impossibilitam que ela seja incluída nos rituais e que sua dor seja reconhecida e validada. Crenças como "a criança não tem capacidade de compreender e vivenciar o luto" e "crianças que são expostas a uma situação de morte podem ficar mal ajustadas, devendo, portanto, ser preservadas" são exemplos disso.

Crianças de todas as idades conseguem compreender a complexa experiência de perda e separação e passar pelo processo de luto. Bebês e crianças pequenas podem expressar seu pesar diante da perda por meio de reações ligadas ao sono, à alimentação e ao controle de esfíncteres, por exemplo, embora tenham dificuldade de conceituar a permanência da morte (Smith e Rubin, 2017).

Além de todas as questões que permeiam esse enfrentamento, a criança lida com um desafio ainda maior por estar em desenvolvimento cognitivo e emocional. Seu entendimento sobre a morte está em construção, e gradativamente são adquiridos os conceitos de irreversibilidade, não funcionalidade, universalidade e não corporeidade, que permitem sua compreensão mais ampla. A criança pequena compreende a morte como um fenômeno temporário e reversível, acreditando ser possível recuperar a pessoa perdida. Além disso, seu pensamento é marcado por acentuado egocentrismo: ela tende a achar que seus pensamentos e ações são capazes de provocar a morte (Mazorra, 2005). Tal pensamento pode estar associado ao sentimento de culpa diante da vivência de morte de um irmão. Por não compreender a não funcionalidade da morte, pode achar que o irmão enterrado sente frio, fome, medo, solidão e não consegue respirar, o que costuma ser fonte de angústia.

Aproximadamente a partir dos 6 anos, a criança adquire o conceito de não funcionalidade, causalidade da morte e continuidade não corpórea. Ou seja, entende que, quando alguém morre, seu corpo para de funcionar; compreende que a morte tem uma causa concreta que não se refere a ela e tenta compreendê-la. Diante de explicações da continuidade não corpórea, é capaz de entender a crença em um corpo físico e outro espiritual, bem como a universalidade da morte – todos morrerão um dia, inclusive ela própria. No entanto, ainda tende a atribuir a morte aos idosos e entender sua ocorrência como algo muito distante de sua realidade. A morte de um irmão, um semelhante, traz à luz a dura constatação de que as crianças também podem morrer, o que gera medo.

Na adolescência, com o aparecimento de um pensamento mais abstrato, é possível integrar aspectos físicos, metafísicos e filosóficos na compreensão da morte e das diferentes perspectivas a respeito do fenômeno. Uma visão mais clara sobre a universalidade da morte está associada a uma tentativa do adolescente de desafiá-la e dominá-la, o que explica o comportamento de risco tão comum nessa fase da vida. O adolescente começa a ter mais autonomia para explorar o mundo sem a presença dos pais, e, quando acontece uma perda importante nessa fase, esse processo pode ficar permeado por medo e insegurança.

Fica clara a extrema importância de os adultos oferecerem informação verdadeira, clara e cuidadosa para que a criança compreenda o que aconteceu e não se sinta culpada e preocupada com o irmão falecido. Quando ela recebe esse suporte, adquire um conceito de morte mais semelhante ao do adulto, em idade mais precoce do que seria esperado, o que facilita a compreensão de sua vivência – embora em algumas situações eleve a sensação de vulnerabilidade.

A capacidade de elaboração do luto da criança se dá em estreita relação com a capacidade dos pais de fazê-lo. Quando estes lidam com a perda do filho sem negar o sofrimento, expressando e nomeando seus sentimentos, mas sem sucumbir por completo, atuam como modelo de enfrentamento para os filhos e lhes asseguram que, embora estejam devastados, seguem atuando como fonte de segurança.

Quando isso não acontece, algumas crianças passam a apresentar reações de ansiedade de separação, insegurança, medo da morte e de doenças. Os adolescentes, por sua vez, podem desenvolver profunda ansiedade a respeito do próprio adoecimento e morte, o que resulta muitas vezes em pensamentos defensivos onipotentes, acompanhados de comportamentos de risco, como vimos.

Ainda em relação ao esperado processo de identificação com o irmão, tanto em vida quanto após a morte, é comum observarmos a presença de um sentimento de culpa por ter sobrevivido e não ter podido protegê-lo. Lidar com tal sentimento costuma ser bastante desafiador; por vezes é necessário buscar apoio psicológico para que ele não prejudique a elaboração saudável do luto.

A perda de um irmão é uma experiência que pode colapsar o mundo da criança e do adolescente. Além do sofrimento pela perda dessa figura íntima, todo o sistema familiar é modificado de forma contundente, sobretudo devido ao luto dos pais. Os filhos têm de lidar com a perda dos pais que conheciam, agora sobrecarregados pelo próprio luto e com pouca disponibilidade emocional. Arriscamo-nos a dizer que, embora essa perda seja secundária, não necessariamente provoca menos sofrimento. Especialmente em um momento inicial do enlutamento, os pais têm muita dificuldade de seguir como antes no seu papel de cuidadores dos filhos sobreviventes.

Uma vez que a criança depende dos adultos mais próximos para elaborar sua dor, a capacidade e o estilo de elaboração dos pais afetarão positiva ou negativamente o processo de luto do filho. Para os pais enlutados, por sua vez, ter de lidar com o luto do filho pela perda do irmão também é uma sobrecarga. O mesmo pode se dar no caso de filhos adolescentes, que ainda necessitam das figuras de apego primárias – os pais – em situações de vulnerabilidade.

O pai de um menino de 8 anos que perdera o irmão em um acidente verbaliza claramente essa dificuldade:

> Sabe, filho, quando um mendigo nos pede dinheiro na rua e queremos muito poder ajudar, mas não temos nada para dar? Então, é assim que o papai está se sentindo agora. Eu queria muito poder te dar mais atenção, brincar mais com você como antes, mas não consigo porque estou muito triste.

A dependência dos cuidadores para a sobrevivência física e emocional pode provocar, portanto, uma vivência de desamparo na criança e, em certo grau, também no adolescente. Nessas condições, a rede de apoio é fundamental para que encontrem segurança em figuras de apego secundárias e sintam que, embora seu mundo tenha sofrido um grande abalo, pode ser reconstruído e sua existência não se encontra ameaçada.

Silverman e Kelly (2009) contam a respeito de uma família que dava sinais ao filho sobrevivente de que este deveria ignorar os próprios sentimentos, a fim de não causar mais sofrimento a seus pais.

Minha mãe dizia que eu devia tentar ser bonzinho. Era muito difícil acreditar que meu irmão havia morrido. Sentia-me triste, mas sabia que não deveria falar sobre isso com minha mãe. Ela choraria e eu me sentiria responsável por causar isso a ela. Se eu sentisse raiva e arrumasse problemas na escola, me sentiria ainda pior, pois minha mãe ficaria brava comigo.

A dificuldade do filho sobrevivente de expressar sua agressividade por sentir que os pais estão fragilizados e não conseguem dar continência à sua raiva pode comprometer a elaboração do luto e seu desenvolvimento (Andrade, Mishima-Gomes e Barbieri, 2018). Ignorar sentimentos difíceis como a raiva por receio da reação dos pais enfraquece a relação de confiança e segurança, indicando que o filho não pode contar com eles diante de toda e qualquer situação.

O sentimento de impotência e culpa pela perda de um filho faz que os pais se sintam incapazes de permanecer em seu papel parental diante do sobrevivente. As consequências dessa dificuldade podem ser falta de apoio, negação, desamparo e, em casos mais graves, negligência do outro filho, como neste relato de uma mãe que perdeu uma filha de 6 anos e sentiu-se temporariamente desconectada dos cuidados do filho mais novo: "Meu filho me chamava, 'Mãe, estou aqui!' Mas como eu poderia cuidar dele? Não fui capaz de cuidar da irmã dele, temia não poder cuidar de mais ninguém".

A dificuldade de cuidado parental pode levar os irmãos sobreviventes a se sentir distanciados de seus pais, familiares e até mesmo do irmão falecido, o que gera sentimentos de abandono, solidão, raiva e ressentimento, como apontam Silverman e Kelly (2009, p. 152) neste relato:

> Meus pais não pensam mais em mim. Só falam sobre meu irmão e suas conquistas. Eu não posso dizer por que evito voltar para casa, nem o porquê de não falar com eles sobre meu irmão falecido. Eles dizem que tenho ciúmes, mas não é como eu e meu outro irmão nos sentimos agora. Seria bom

falar sobre ele e rir de suas ideias se ele estivesse vivo. Mas, depois que ele morreu, não sobrou nada para mim nesta família.

A falta de apoio e o excesso de fragilidade parental também podem fazer que os outros filhos temam pela sobrevivência psíquica dos pais, o que costuma deixá-los muito ameaçados. Essa angústia pode ser compreendida nesta fala de uma irmã enlutada: "Minha mãe dizia que seu coração foi arrancado do peito; como ela iria sobreviver assim?"

Se os pais são vistos como enlutados primários que demandam atenção, o papel de cuidador pode ser atribuído aos filhos sobreviventes – em uma clara inversão de papéis e luto não reconhecido, tal como relata uma moça adulta que perdeu o irmão na adolescência: "Ninguém reconheceu meu luto. Todo mundo dizia: 'Cuide da sua mãe'".

A intensidade do luto parental e o sentimento de culpa em relação ao filho perdido podem tornar o sistema cuidador não disponível ou só disponível para o filho morto, dificultando o reconhecimento do luto dos demais. "Nossa, eu nunca tinha percebido que minha filha é uma irmã enlutada!"

O luto dessa mãe era caracterizado por intensa dor, culpa e impotência; ela tinha dificuldade de reconhecer as necessidades da filha. Sentia-se culpada e em falta com a filha morta e não se permitia dividir a atenção com a sobrevivente. Além disso, a culpa de perder uma filha a fazia se sentir incompetente para lidar com a outra. O processo psicoterapêutico possibilitou a compreensão do luto da filha, sendo um divisor de águas na possibilidade de elaboração do luto familiar. As duas estavam muito isoladas, e a compreensão de que ambas eram enlutadas favoreceu sua aproximação e o desenvolvimento de uma relação de maior intimidade.

Por outro lado, os pais podem tentar superproteger os filhos, tanto para prevenir que tal tragédia se repita como para compensar a perda sofrida e evitar sofrimento adicional. É comum também que tenham dificuldade de colocar limites por se sentir exaustos por conta do luto, sem condições de ser firmes e consistentes como antes. Segundo Baker e Sedney (1996), a falta de controle parental pode provocar ansiedade e insegurança, agravando a sensação de vulnerabilidade esperada diante da perda de um irmão.

Com certa frequência, observamos outra face do processo de luto dos pais impactando a experiência dos filhos: a idealização e santificação do filho perdido, o que os impede de lidar com aspectos negativos da relação. A culpa sentida por acharem que falharam em manter o filho vivo torna desafiador guardar uma relação mais integrada com ele. Além disso, há uma tendência a exacerbar as qualidades dele porque é delas que os pais sentem falta. Quando há uma idealização excessiva do filho perdido, o filho sobrevivente sente que nunca será tão valioso quanto o irmão que morreu. Os filhos podem se sentir comparados de forma desfavorável, porque a continuidade de seu relacionamento com os pais acontecerá com as ambivalências e imperfeições de toda relação. Por sua vez, a relação com o filho perdido, que só pode ser vivenciada internamente, tende a ficar congelada pela idealização.

Por outro lado, se a relação com o filho falecido era marcada por conflitos, mágoa e desapontamento e os pais mantinham-se preocupados e voltados para seu cuidado, é comum que tenham dificuldade de deixar de cuidar dele e de voltar sua atenção aos demais. Os filhos sobreviventes podem sentir que, para ter atenção, devem ser como o irmão, repetindo certos comportamentos – ou, ao contrário, temer a identificação com este, evitando qualquer agressividade e conflito com os pais, o que pode afetar sua busca de autonomia e independência.

O filho sobrevivente por vezes é uma lembrança concreta do falecido, sobretudo quando há similaridade física e, sendo mais novo, atinge a idade do irmão que morreu. Pode ser um desafio para os pais permitir que os irmãos sigam seu próprio caminho, e não aquele que haviam imaginado para o filho perdido, sem renegar a semelhança e o legado deixado por este. Nesses casos, pode haver um desejo de substituição do filho perdido.

Certa vez, um menino foi presenteado com uma raquete de tênis quando atingiu a idade em que seu irmão mais velho morreu. Ele não gostava de jogar tênis e preferia futebol. Mas os pais estavam encantados com a ideia de que ele seguisse o esporte que o primeiro filho tanto amava. Com a ajuda da psicoterapeuta, os pais compreenderam que era um fardo muito pesado ter de seguir os passos do irmão.

Os irmãos, por sua vez, também podem querer ocupar o lugar do falecido, uma tentativa consciente ou inconsciente de suprir sua falta e mitigar o sofrimento dos pais e o próprio, além de buscar a atenção que sentem ter perdido. Algumas famílias demandam – de forma clara e consciente ou sutil e inconsciente – que o filho sobrevivente ocupe o lugar do ente perdido. Tal demanda pode dificultar a construção de uma identidade e de um senso de valor próprios.

Uma moça de 24 anos que perdeu a irmã mais velha contou que sentia raiva por todos esperarem que ela ocupasse o lugar desta. Durante a psicoterapia, percebeu que também tinha de lutar contra um lado seu que queria ser a irmã para não ter de lidar com sua perda. O processo de iniciar sua vida profissional foi árduo, pois significava trilhar um caminho próprio e deixar de seguir os passos da irmã.

Quando um filho morre durante a gestação, o parto ou logo após o nascimento, os irmãos são bastante afetados pela perda e pelo luto, assim como o restante da família. Se ocorre uma perda gestacional ou logo após o nascimento e, posteriormente, nasce outro filho, também se observam impactos em aspectos emocionais e relacionais no irmão que nasceu após as perdas. As perdas vividas por uma família fazem parte da sua história, mesmo quando aconteceram antes da chegada de determinado membro.

O fato de um bebê ter estado pouco tempo no ventre materno ou ter vivido pouco não diminui o impacto em seus irmãos. Esse impacto também existe quando o irmão morreu antes do nascimento da criança (Jonas-Simpson *et al.*, 2015). No entanto, não é a perda de um irmão em si que afeta as crianças que nascem posteriormente a essa morte, mas a capacidade ou não dos adultos de lidar com a perda e o luto de forma aberta e transparente. Quando a família esconde ou evita falar sobre as experiências de perdas vividas, os outros filhos costumam se sentir invisíveis ou superprotegidos (Warland, O'Leary e McCutcheon, 2011). Nesse sentido, recomenda-se que os irmãos sejam incluídos nas vivências de perda da família – inclusive nas experiências curtas, como as perdas gestacionais.

Quando um irmão morre após longo período de doença, a experiência pode trazer à tona antigas rivalidades e ressentimentos pelo fato de os pais terem dedicado atenção, tempo e recursos financeiros ao filho doente (Rando, 1991). Essa questão por vezes incrementa o sentimento de culpa no processo de luto dos irmãos sobreviventes e impacta a relação entre pais e filhos, que poderá ser ressignificada a partir da nova configuração e disponibilidade dos membros da família.

UMA BASE SEGURA PARA OS PAIS

Os pais são responsáveis por regular emocionalmente os filhos, e nessa situação é comum que eles mesmos estejam completamente desregulados, sem conseguir sustentar emocionalmente a si e aos filhos sobreviventes. Perceber essas dificuldades e pedir ajuda a outras figuras que podem funcionar como suporte nesse momento contribui para a regulação emocional da família.

Quando pais que perderam um filho buscam ajuda profissional, nossa intervenção promove não somente a vivência do luto pela perda do filho como também o cuidado do filho sobrevivente.

O psicoterapeuta atua como uma base segura para os pais e para a família, o que contribui para que os primeiros deem apoio aos filhos sobreviventes.

Quando esse suporte e compartilhamento do luto existe e os pais ficam mais próximos dos filhos, há um incremento na força intrafamiliar para superá-lo, maior senso de unidade familiar, aumento da intimidade e segurança para continuar a viver, maior capacidade de crescimento e sobrevivência a mudanças, além da sensação de poder ajudar outras pessoas que passaram por essa experiência. Crianças e adolescentes, por sua vez, tornam-se mais sensíveis às necessidades emocionais de outrem (Silverman e Kelly, 2009).

Alguns elementos são fundamentais para prover segurança e facilitar o enfrentamento da perda de um irmão: continência, estabilidade, previsibilidade e disponibilidade dos pais e de seu ambiente. Disponibilidade emocional para as necessidades do filho, comunicação íntima e verdadeira a respeito da morte na família, informação clara e sincera sobre o que ocorreu, reconhecimento e validação do sentimento do filho e sua inclusão no luto familiar são fatores que promovem o enfrentamento do luto.

O primeiro aspecto a ser considerado é a necessidade de envolver os irmãos nos rituais de funeral, mantendo-os informados a respeito do que vai acontecer e incluindo-os nas decisões. Crianças que foram incluídas nos cuidados com o irmão doente ou no planejamento do funeral demonstraram menos problemas de comportamento que aquelas que foram excluídas (Davies, 1988; 1999). Providenciar autonomia na tomada de decisões durante o processo de despedida é importante, uma vez que os indivíduos se sentem frequentemente fragilizados pela sensação de perda de controle e desorganização (Smith e Rubin, 2017).

É muito importante que os filhos se sintam valorizados e amados pelos adultos responsáveis e que saibam que não estão sozinhos nessa experiência (Marshall e Davies, 2011). Nesse sentido, a família deve garantir espaço para todos os filhos, não sendo necessário negar a existência do ente perdido, tampouco devotar atenção exclusiva àquele se foi.

Outro elemento fundamental para prover segurança é o estabelecimento de uma comunicação íntima e verdadeira a respeito da morte na família. Para que os pais possam se sentir instrumentalizados para essa comunicação, fazemos as recomendações a seguir:

- Esteja disponível fisicamente. A proximidade física com os pais traz importante sensação de segurança à criança. Ao falar sobre a morte e o luto com ela, olhe nos seus olhos, fique abraçado, de mãos dadas ou bem próximo; perceba se ela está confortável com essa proximidade.
- Seja transparente a respeito de seus sentimentos. Quando os pais conseguem discutir abertamente seu pesar, tristeza e amor e mostram como estão enfrentando o luto, os filhos compreendem que podem vivenciar o mesmo tipo de sentimento e sentem-se confortáveis para demonstrar o que estão sentindo. Outro benefício é compreender certas mudanças de comportamento dos pais, como sua indisponibilidade no momento.
- Ao perceber reações e sentimentos do seu filho, nomeie-os e valide-os. Isso o ajudará a se sentir reconhecido e a reconhecer o que está vivendo.
- Conheça livros e filmes sobre o tema morte e luto. Alguns deles podem ajudá-lo a começar conversas com seu filho.
- Convide seu filho a expressarem juntos recordações sobre seu filho falecido. Vocês podem desenhar, escrever, ouvir uma música ou visitar um dos lugares preferidos dele. Podem até desenvolver um ritual a ser praticado em datas especiais. Essa é uma forma de honrar a memória e de manter a vida do irmão presente e incorporada ao momento atual.

A escola também tem papel importante no reconhecimento do luto vivido por um aluno que perde um irmão. Embora o não reconhecimento do luto infantojuvenil possa acontecer diante de diferentes perdas, quando se trata de perda de irmãos é bastante comum que professores e funcionários da escola tenham dificuldade de abordar o assunto, sobretudo caso se trate da morte de outra criança. As atividades escolares frequentemente envolvem o conceito de família – como desenhar a família e escrever uma carta para um parente (Jonas-Simpson *et al.*, 2015). A aceitação do professor diante do aluno que inclui um irmão falecido em um trabalho escolar contribui para que ele expresse o vínculo contínuo e elabore o luto.

Tal como no ambiente familiar, a escola, quando oferece continência, estabilidade, previsibilidade e disponibilidade, faz o papel de uma base segura para o aluno que vivencia a perda de um irmão. Assim, a instituição continente reconhece e compreende o luto do aluno e suas manifestações e oferece recursos para que ele expresse seus sentimentos em ambiente protegido e acolhedor. Em um momento de possível vivência de desorganização na família, a escola pode oferecer uma rotina consistente, previsível e estável, incrementando o senso de controle e reduzindo a sensação de ameaça vivenciada pela criança. Tendo em vista o modelo do processo dual do luto (Stroebe e Schut, 1999) e a importância da oscilação entre o enfrentamento voltado para a perda e a restauração, a escola também pode representar um espaço de possível trégua da dor, em que o aluno se afasta temporariamente do clima de sofrimento vivenciado na família. Segundo Haine *et al.* (2008), a disponibilidade para oferecer suporte à criança nas tarefas escolares e extracurriculares pode incrementar seu senso de potência e controle.

Os educadores também podem representar uma base segura para os pais, oferecendo-lhes suporte. Na medida em que estes percebem que a escola também cuida deles, sentem-se mais potentes para enfrentar o luto e dar apoio aos filhos.

A compreensão da natureza das relações entre irmãos e do impacto do luto pelo irmão falecido pode guiar pais, profissionais de saúde e professores a respeito da melhor maneira de oferecer suporte nessas situações. O desenvolvimento de uma cultura na qual é possível falar de morte com crianças, adolescentes e adultos, educando-os a esse respeito, ainda parece o caminho mais promissor.

REFERÊNCIAS

ANDRADE, M. L. de; MISHIMA-GOMES, F. K. T.; BARBIERI, V. "Children's grief and creativity: the experience of losing a child". *Psico-USF*, v. 23, n. 1, jan./mar. 2018, p. 25-36.

BAKER, J. E.; SEDNEY, M. A. "How bereaved children cope with loss: an overview". In: CORR, A. C.; CORR, D. M. (eds.). *Handbook of childhood death and bereavement*. Nova York: Springer, 1996.

DAVIES, B. "Shared life space and sibling bereaved responses". *Cancer nursing*, v. 11, n. 6, 1988, p. 339-47.

_____. *Shadows in the sun: the experiences of sibling bereavement in childhood*. Filadélfia: Brunner/Mazel, 1999.

GREEN, A. A. *Narcisismo de vida – Narcisismo de morte*. São Paulo: Escuta, 1988.

HAINE, R, A. et al. "Evidence-based practices for parentally bereaved children and their families". *Professional Psychology: Research and Practice*, v. 39, n. 2, 2008, p. 113-21.

JONAS-SIMPSON, C. et al. "Always with me: understanding experiences of bereaved children whose baby sibling died". *Death Studies*, v. 39, n. 4, 2015, p. 242-51.

MARSHALL, B.; DAVIES, B. "Bereavement in children and adults following the death of a sibling". In: NEIMEYER, R. A. et al. (eds.). *Grief and bereavement in contemporary society*. Nova York: Routledge, 2011.

MAZORRA, L. "O luto na infância". In: MAZORRA, L.; TINOCO, V. *Luto na infância: intervenções em diferentes contextos*. Campinas: Livro Pleno, 2005.

PRESA, J. "Luto e perdas ao longo da vida". In: BARBOSA, A. (ed.). *Contextos do luto*. Lisboa: Faculdade de Medicina da Universidade de Lisboa, 2014.

RANDO, T. *How to go on living when someone you love dies*. Nova York: Bantam Books, 1991.

SILVERMAN, P. R.; KELLY, M. *A parent guide to raising grieving children: rebuilding you family after the death of loved one*. Nova York: Oxford University Press, 2009.

SMITH, L. D.; RUBIN, S. Y. "Can you help me say goodbye? Sibling loss and bereavement support in the healthcare environment". In: MACWILLIAM, B.

Complicated grief, attachment, and art therapy: theory, treatment and 14 ready-to-use protocols. Filadélfia: Jessica Kingsley, 2017.

STROEBE, M.; SCHUT, H. "The dual process model of bereavement: rationale and description". *Death studies*, v. 23, Filadélfia, 1999, p. 197-224.

WARLAND, J.; O'LEARY, J.; MCCUTCHEON, H. "Born after infant loss: the experiences of subsequent children". *Midwifery*, v. 27, 2011, p. 628-33.

3. Luto masculino

Rafael Stein

EM CASA, SEMPRE LEMOS muito para nossos filhos e, é claro, os contos de fadas estavam presentes. E o final desses contos, como se sabe, é feliz. Depois do diagnóstico do câncer de minha esposa, não apenas continuei lendo para nossos filhos como também comecei a ler mais para mim. Ora conscientemente, ora não, passei a reescrever nossa história: a da minha esposa, a minha, minhas ideias, o que realmente é importante, o que quero para minha vida e para meus filhos, porque sou e estou um homem enlutado. E, nessa sociedade, um homem em luto precisa se apoiar em algo que não seja sair por aí chorando no ombro de alguém, pedindo ajuda, admitindo que é vulnerável. Eu me apoiei na escrita e na contação de histórias.

Minha esposa sempre via as coisas de um jeito que a maioria não se permite ver. Dizia que a doença fazia parte da nossa vida, mas não era a nossa vida. E, portanto, não permitiria que ela tomasse conta de nós. Através dos olhos dela, passei a ver o nosso entorno de outra forma; nossa relação mudou para melhor, e os dois anos de tratamento foram os melhores do casamento. Só então entendi a profundidade que uma relação homem-mulher poderia ter.

Ao mesmo tempo que o tumor se mostrou agressivo desde o início, Micaela foi valente, e minha única alternativa era estar ao lado dela. Era preciso viver o presente e estar mais presente para ela e para meus filhos. Passei a ver beleza e amor em coisas simples.

Sim, é possível encontrar amor apesar do luto. Mas, de verdade, não espere a morte chegar para descobrir isso.

Por muito tempo, fui cobrado a exercer um papel de homem que, descobri, nunca foi meu. Passei tempo demais preocupado em "ter" em vez de "ser", em "prover" em vez de "estar presente". Depois da partida dela, precisei ser forte quando, na verdade, estava destruído e segurei o choro muitas vezes. Os estereótipos masculinos impedem o homem de viver as verdadeiras emoções e se transformar para melhor. Por não me mostrar vulnerável, deixei de receber ajuda quando mais precisava.

Entendo, hoje, que a morte pode nos ensinar a viver.

Quando admiti que precisava de ajuda e me mostrei vulnerável, criei conexões com minha família, amigos, novos amigos e profissionais que abriram para mim caminhos jamais imaginados. Fui entendendo que eu era esse homem mais emocional do que racional. Isso foi transformador.

E sabe de uma coisa? Nunca me senti tão vulnerável quanto agora, enquanto escrevo.

Durante o tratamento da minha esposa, comecei a escrever cartas, bilhetes e afins para meus filhos, Maria Clara e Francisco, registrando tudo para que eles possam ler em algum momento no futuro. Assim, passei a ser eu escrevendo como me sentia, como enxergava tudo que estava vivendo.

De verdade, não há nada de extraordinário no que escrevo. São coisas corriqueiras, simples, e eu estou nelas. Ao escrever, encaro meus medos e dores, pois lido com tudo que está dentro do peito. Escrever tornou-se um processo de cura para mim.

Aos poucos, fui ficando nu, despindo-me de estereótipos que assumia como meus. O pior já tinha acontecido. Por isso, mesmo sendo dolorido, mostrar-me fraco, chorar e pedir ajuda foram atitudes que passaram a ser vividas e estão me transformando.

O pior foi receber o diagnóstico do câncer: a primeira coisa que me veio à cabeça foi como criaria os meus dois filhos sozinho. Eu não sabia mais o que fazer da vida. Eu não sabia como me portar na frente da minha esposa. Não reconhecia mais o futuro que havíamos planejado, mas ainda olhava para uma estrada que já não existia. Foi preciso me colocar em movimento para acalmar a dor. Foi preciso construir um novo caminho, e o caminho era estar mais presente para ela, para os meus filhos e para mim. Eu não tinha alternativa. E não há nada mais motivador do que não ter alternativas. Parece uma contradição, mas não é. E foi o que fiz durante todo o tratamento.

Passei a viver uma jornada quase dupla. Passei a ver quanto ela fazia e quanto eu, como pai, perdia na relação com ela e com meus filhos. Reconheci quanto deixava de receber por não estar presente na rotina das pequenas coisas do lar.

Durante o tratamento da Micaela, deixei de ajudar e passei a estar, verdadeiramente, presente. Passei a valorizar pequenas coisas e gestos, passei a cuidar dela e dos meus filhos. Nesses momentos, encontrei amor e carinho e, de fato, passamos a construir um caminho diferente. A transformação ficava cada vez mais concreta. Mas ela teve de ir embora e eu tive de aceitar.

Como foi difícil me despedir dela e dos novos sonhos que tínhamos.

Foi assustador chegar em casa após o velório, deitar com meus filhos e, ao pensar no dia seguinte, não ter a menor noção do que ia fazer. Eu me senti muito sozinho.

Ao acordar, os dias passaram a ser, definitivamente, diferentes. Logo cedo, me vi em pé, na cozinha, abrindo o armário e procurando a mamadeira. Pensei também no almoço. O que eles iam comer? Será que as roupas eram suficientes? Teria de comprar novas? Assumi o protagonismo que nunca fora meu.

Ao vivenciar o luto com meus filhos, fui me redescobrindo como pai. Eu não mais cozinhava de vez em quando, passei a cozinhar todo dia e ter de planejar a alimentação das crianças. Sou eu que acordo, que coloco para dormir, que dou banho, aparto as brigas, me envolvo nas brincadeiras, faço coque para ir ao balé, costuro a fantasia da apresentação, vou ao supermercado, preparo os lanchinhos, levo e busco na escola, participo do grupo de mães do WhatsApp, socorro quando cai, cuido da febre – enfim, não estou presente como homem da casa, estou presente como pai. De verdade, o pai.

E, ao me redescobrir como pai, vi que precisava me redescobrir, também, como homem. Por isso fui procurar ajuda e, novamente, tive de superar minha vergonha e meus medos de exposição. Mas eu já tinha aprendido muita coisa e uma delas é que era possível ser forte na dor.

Não foi fácil encontrar grupos de apoio a homens enlutados ou de apoio a homens que são pais. Nós, homens, temos dificuldades para conversar sobre esses assuntos, mas eu não desisti e passei a participar, mesmo com constrangimento e medo, do grupo Guerreiros do Coração. Também busquei terapia, passei a me expor em conversas com família e amigos. O que ainda faço para viver esse novo homem. Afinal, a minha vida não era mais a mesma.

Tenho me esforçado para estar mais presente em tudo que faço. Para meus filhos, família, amigos e para mim. Tenho feito o que posso pelo que é importante.

Estou aprendendo a lidar com a presença constante da ausência e da saudade. Saudade que vai se materializando em coisas pequenas, essa singeleza do dia a dia. Então, demoro para entender que tudo que tenho feito, todas as decisões que tomei, desde então, foram por causa da morte e, também, por causa da vida e do que vivemos, do que construímos, da influência e importância que minha esposa teve e ainda tem se fazendo presente em tudo que faço. Está presente no trabalho, nos filhos que tivemos juntos, nas relações que começo a construir.

Em casa, continuo lendo com os meus filhos. E nossas histórias, agora, apresentam trechos incríveis, de descobertas, de momentos únicos e de saudades. Estamos construindo cada momento, e estou presente em todos.

Seguimos juntos!

4. O luto em famílias de indivíduos que fogem aos padrões heteronormativos

Vinicius Schumaher de Almeida
Viviane D'Andretta e Silva

> "Um homem como eu está morto em lugares onde outros homens se sentem livres."
> (ELTON JOHN/BERNIE TAUPIN)

AS QUESTÕES DE HETERONORMATIVIDADE E GÊNERO NO BRASIL

Pesquisa realizada em 2009 pelo Instituto de Psiquiatria do Hospital das Clínicas da Universidade de São Paulo (IPq-USP), dentro do Projeto Sexualidade (ProSex), traz dados importantes sobre o número de homossexuais e bissexuais no Brasil. Segundo o estudo, 7,8% dos homens das dez capitais brasileiras pesquisadas se autodeclararam homossexuais e 2,6%, bissexuais. Quanto ao público feminino, 4,9% se autodeclaram homossexuais e 1,4%, bissexuais. Assim, por amostragem, conclui-se que há 10,4% de homens e 6,3% de mulheres não heterossexuais no país (Trindade, 2010).

Esse estudo permite-nos delinear demograficamente a população não heterossexual do Brasil. No entanto, ainda de acordo com Trindade (2010), se considerarmos o censo demográfico de 2000, em que havia 125 milhões de habitantes no país com 18 anos ou mais, e se esse dado for cruzado com os da pesquisa realizada pelo IPq-USP, calcula-se que haja 10 milhões de homossexuais e bissexuais nesse subgrupo. A inexatidão dos números deve-se a fatores como números aproximados (a pesquisa foi realizada em apenas dez capitais brasileiras), metodologia (apenas um questionário) e homofobia social (aversão à população

LGBTQIA+[1]), que estimula a rejeição ou omissão da verdadeira sexualidade, pelo indivíduo, ante o pesquisador.

Tais estatísticas, somadas à alta possibilidade de subnotificação das reais identidades sexuais não heteronormativas no país – uma vez que esta é a nação que mais mata pessoas LGBTQIA+ no mundo todo –, fazem brotar questões relevantes: há um espaço seguro para que os indivíduos expressem sua identidade sexual sem medo? As famílias conseguem acolher e validar as diferentes formas de expressão e vivência da sexualidade de seus integrantes não heterossexuais? Tais famílias estão sendo acolhidas e suas dores, validadas quando há uma ruptura na imagem heteronormativa de um de seus integrantes?

Diante de todos os dados que se descortinam numericamente, compondo um relevante retrato social, pressupõe-se que muitas vozes estão gritando em silêncio e outras, quando se fazem ouvir, vêm sofrendo com a rejeição e com a não validação de suas dores.

De acordo com Colling (2015), mesmo depois que a homossexualidade se distanciou dos cenários da patologização, tornando-se uma das dimensões sexuais do ser humano, o senso comum ainda continuou a olhar para a heterossexualidade como uma expressão normal e esperada para se viver a sexualidade.

Nesse contexto, Michael Warner, em seu emblemático artigo "Introduction: fear of a queer planet" (1991), publicado pelo periódico *Social Text*, cunha o conceito de heteronormatividade para responder a uma demanda social que pregava (e ainda tende a pregar) a heterossexualidade como norma.

Derivado do grego *hetero*, "diferente", e do latim *norma*, "esquadro", o termo heteronormatividade é utilizado para descrever a condição de uma sociedade pautada nas vivências heterossexuais como premissa para o que é considerado "normal", "comum" e "padrão". Isso marginaliza as orientações sexuais diferentes da

---

1. A explicação das letras que compõem a sigla será dada mais adiante.

heterossexual, as quais por vezes são ignoradas e até mesmo perseguidas por práticas sociais, crenças religiosas e decisões políticas.

Numa visão moderna, a família tornou-se mais democrática, e o modelo patriarcal foi cedendo certo espaço a outras possibilidades de configuração familiar – como a união estável, as famílias monoparentais e o casamento homoafetivo. Porém, apesar desses avanços, a sociedade ainda está bastante presa a valores e padrões culturais heteronormativos de família.

Tais padrões impostos também são observados nas regras em torno do comportamento social definido pelo sexo biológico: a sociedade, pautada num modelo biologicista, anatômico e fisiológico, passa a marcar o lugar social do gênero – feminino e masculino –, determinando assim uma série de características e padrões de comportamento esperados *a priori*. Como exemplo, podemos citar alguns rituais em torno do nascimento dos bebês e associados ao gênero: as cores dos enxovais, os chás de revelação e as roupas usadas pelos recém-nascidos num mundo demarcado pelo azul e pelo rosa.

A imposição da heteronormatividade também pode afetar indivíduos heterossexuais, pois há um padrão esperado de comportamento baseado no sexo. Há relatos atuais de jovens que não se sentem "enquadrados" nos padrões sociais impostos mesmo sendo heterossexuais – é o caso das meninas que desejam jogar futebol ou dos garotos que gostam de dançar balé.

Salvaguardando as diversas transformações sociais ocorridas ao longo da história, a homossexualidade já foi considerada doença (em 1952), mas, após diversos estudos, foi retirada do Manual Diagnóstico e Estatístico de Transtornos Mentais (DSM) e da Classificação Estatística Internacional de Doenças e Problemas Relacionados com a Saúde (CID). Além disso, em 1990, a Organização Mundial da Saúde (OMS) reforçou seu caráter não patológico. Cabe relembrar que, em março de 1999, o Conselho Federal de Psicologia promulgou a resolução 001/99, em que orienta que a homossexualidade não constitui patologia, distúrbio ou perversão e em que reforça que "os psicólogos não colaborarão com eventos e serviços que proponham tratamento e cura das homossexualidades" (Conselho Federal de Psicologia, 1999). Podemos incluir nessas últimas as demais manifestações não heteronormativas consideradas na sigla LGBTQIA+, como veremos adiante.

No século XXI, não apenas se inauguram discussões mais profundas dos papéis sociais e padrões de comportamento como se iniciam o questionamento e a revisão das expectativas e regras sociais em torno da sexualidade.

O tema ganhou legitimidade jurídica – direito ao casamento homoafetivo, adoção por casais homoafetivos, registro em certidão de nascimento de crianças filhas de casais homoafetivos provindas de métodos artificiais de concepção, mudança de nome e cirurgias de redesignação sexual em transexuais, entre outras conquistas. Porém, os avanços no campo jurídico não foram acompanhados por mudanças psicossociais significativas no que tange à quebra do preconceito e à falta de legitimidade. Assim, essa parcela da população e suas famílias ainda vivem assombradas pelo estigma de tudo que foge à heteronormatividade.

No amplo espectro da sexualidade humana, pode-se dizer que o sexo do nascimento é apenas uma das diversas características de um indivíduo. É de suma importância compreender que a identidade de gênero, assim como a variabilidade de gênero e a orientação sexual, nem sempre é definida ou circunscrita pelo sexo biológico. De forma breve, a identidade de gênero refere-se à forma como o indivíduo se apresenta socialmente, independentemente do sexo com que nasce. Já a orientação sexual refere-se a como ele percebe e sente sua afetividade e sexualidade (heterossexual, homossexual, bissexual, entre outras).

É comum que pessoas com identidade, expressão ou orientação sexual diferente dos padrões heteronormativos desenvolvam transtornos psiquiátricos, incluindo risco de suicídio, o que pode estar intimamente relacionado com fatores como a discriminação, o preconceito e os estereótipos ligados às diferentes expressões da sexualidade humana, acrescidos de conflitos internos pessoais, medo de rejeição, abandono e isolamento social.

Vale ressaltar que a homofobia não é apenas a rejeição irracional ou o ódio em relação aos homossexuais, mas também uma manifestação arbitrária que qualifica o outro como contrário, inferior ou anormal, conforme citou em 2012 o relatório do Ministério dos Direitos Humanos.

A sigla LGBTQIA+ carrega em si um histórico de constantes mudanças. No Brasil, na década de 1990, consolidou-se a sigla GLS (gays, lésbicas e simpatizantes). Esta, porém, caiu em desuso. Alguns órgãos governamentais utilizam a sigla LGBT, mas hoje ela é considerada excludente.

Embora não exista consenso, a sigla LGBTQIA+ tem como função abarcar todas as pessoas que não se identificam como heterossexuais e/ou cisgêneros (aquelas que se identificam com o sexo atribuído no nascimento). Assim, tal sigla engloba:

- Lésbicas: mulheres que sentem atração sexual/afetiva por outras mulheres.
- Gays: homens que sentem atração sexual/afetiva por outros homens.
- Bissexuais: pessoas que sentem atração sexual/afetiva por homens e mulheres.
- Transexuais: pessoas cuja identidade de gênero não corresponde ao sexo biológico. Estas podem sentir grande desconforto com seu corpo por não terem características congruentes com sua identidade de gênero. Muitas fazem uso de terapia hormonal e cirurgia de redesignação sexual. Ressalte-se que a transexualidade não se relaciona com a orientação sexual.
- Transgêneros: pessoas cuja identidade de gênero difere do sexo biológico. Elas podem desejar readequar-se à sua identidade de gênero em diferentes graus, ou seja, não necessariamente a pessoa transgênero almeja usar hormônios ou fazer cirurgias para readequação sexual. A transgeneridade também não se relaciona com a orientação sexual.

- Travestis: pessoas que nasceram no gênero masculino, mas se identificam com o feminino. Em muitos casos, não se sentem desconfortáveis com a genitália masculina; por isso, nem sempre desejam passar por cirurgias de redesignação sexual.
- *Queers*: aqueles que, em razão de identidade de gênero, orientação sexual, sexo biológico ou identidade sexual, não se identificam com padrões heteronormativos e/ou cisgênero e acreditam que a sexualidade humana é um construto social. Assim, não se pautam por papéis sexuais biológicos.
- Intersexuais: o termo substitui a palavra "hermafrodita" e define as pessoas que têm características sexuais femininas e masculinas – genitália e aparelho reprodutor.
- Assexuais: aqueles que não sentem desejo sexual por outrem, seja qual for o sexo, a identidade ou a orientação.

O símbolo matemático de soma (+) denota todas as possibilidades que existem e ainda podem surgir de manifestações de identidades ou orientações sexuais.

As diversas alterações e a ausência de um acordo sobre que sigla é a mais adequada para abarcar tantos modos diferentes de existir refletem a própria diversidade da sexualidade humana. Contudo, é importante entender que, mesmo dentro desse grande espectro da diversidade sexual, é preciso reforçar a individualidade de todo ser humano, independentemente de sua orientação sexual ou de seu gênero, de modo que as siglas não sejam uma nova forma de estereotipar a sexualidade humana.

O DESPERTENCIMENTO GERA PERDAS AMBÍGUAS E LUTOS

Quando a sociedade continua a tratar a heterossexualidade como regra de expressão, favorece inúmeros processos de perda (concreta e simbólica) que atingem não somente aqueles pertencentes à comunidade LGBTQIA+, mas também suas famílias.

Portanto, a experiência de segregação em razão da heteronormatividade favorece o enfrentamento de lutos não validados por parte dos indivíduos LGBTQIA+ e suas famílias, uma vez que seu mundo presumido – composto por referências pessoais e também pelos elementos familiares associados ao nosso contexto, incluindo a família e as circunstâncias sociais de cada um – se desfaz quando esses entes não se mostram "leais" à imagem e aos sonhos que um dia foram ambicionados para eles.

O luto é um processo psíquico normal e esperado, motivado por um pesar proveniente de rompimento, mudança ou perda de algo ou alguém significativo. Existem diversas formas de luto. Destacamos aqui o simbólico (em que não há objetivamente uma morte biológica, como: término de relacionamentos, perda de bens materiais, comprometimento na imagem e função corporal, lar ou território, perda de papéis ou ocupações, identidades, planos e expectativas, saúde, ameaça de morte) e aquele por perdas concretas (morte de um ente querido). Portanto, todas as situações de vínculo rompido geram luto. Como apontou Parkes (2009), a dor do luto é o custo do compromisso: só se perde aquilo que se tem.

O luto também é considerado por alguns teóricos (Thompson e Janigian, 1988; Attig, 2001; Neimeyer, 2001; Franco, 2008) um processo de construção de significados diante da ruptura do mundo presumido. Episódios inesperados que provocam mudanças importantes no cotidiano estimulam uma crise diante do presumido, conforme aponta Parkes (2009, p. 45):

> Todos os acontecimentos que provocam mudanças importantes na vida, sobretudo os inesperados, desafiam nosso mundo presumido e provocam uma crise durante a qual podemos ficar inquietos, tensos, ansiosos e indecisos até que as mudanças necessárias sejam feitas. Isso não deve nos surpreender, pois nosso mundo presumido é tudo que temos.

Bowlby (2015) e Parkes (1998) abordam as diversas fases do processo de luto, como: entorpecimento (em que há choque, descrença e negação); anseio e busca (tentativa de recuperação da pessoa perdida); desorganização e desespero (quando há reconhecimento e aceitação de que a perda é imutável); recuperação e restituição (maior tolerância e adaptação às mudanças e também maior investimento na vida). Contudo, vale ressaltar que cada pessoa vivencia as fases de forma singular e não linear, ou seja, não há uma cronologia nem uma normatização nesse processo.

O modelo do processo dual de Stroebe e Schut (2001) aponta que o processo de adaptação ao luto oscila entre o predomínio de experiências e vivências ligadas à perda e o predomínio de experiências restaurativas, como atenção às mudanças e realização de novas atividades.

O processo de luto pode levar a reações emocionais (tristeza, raiva, desamparo), físicas (alteração de apetite, sono, diminuição ou perda da libido), cognitivas (confusão, desorganização, falta de concentração, déficit de memória), comportamentais (hiperatividade, aumento do consumo de álcool, fumo e psicotrópicos), espirituais (perda ou aumento da fé) e sociais (perda da identidade, dificuldades de relacionamento, isolamento) (Casellato, 2005, p. 19). É também importante ressaltar que o luto é um processo e, como tal, não se deve estipular um prazo para seu término, pois isso dependerá da singularidade de cada um e de seu vínculo com aquilo que foi rompido e perdido.

Alguns fatores podem comprometer o processo de luto, entre eles: vínculo com o objeto de perda; relação ambivalente com o objeto de perda; histórico psiquiátrico prévio; aspectos culturais e religiosos; apoio social frágil; estresse secundário ao luto; e luto não reconhecido.

O luto não reconhecido, ou seja, aquele que não é compreendido nem validado socialmente – às vezes nem pelo próprio enlutado –, é considerado fator de risco para o desenvolvimento de luto complicado. Doka (*apud* Casellato, 2015, p. 25) aponta que o luto não é reconhecido quando "o relacionamento não é reconhecido; a perda não é reconhecida; o enlutado não é reconhecido; a morte não é reconhecida; e/ou o modo de expressar o pesar não são validados socialmente".

Ainda segundo Doka (*ibidem*), o luto não reconhecido parte do pressuposto social de que o processo de luto tem diversas normas e regras a ser seguidas, e isso pode desconsiderar e banalizar a singularidade do sujeito, que o vivencia do seu modo, ao seu tempo e por quem ou pelo que for.

A perda ambígua também apresenta riscos ao enlutado, pois é obscura e indeterminada. O conhecimento certo da morte parece menos penoso do que a dúvida. A incerteza faz a perda ambígua ser muito angustiante para o enlutado.

Existem dois tipos de perda ambígua:

- Quando a pessoa está fisicamente ausente e psicologicamente presente – são os casos de desaparecimento de entes queridos ou até mesmo da ausência destes devido a um divórcio.
- Quando a pessoa está presente fisicamente, mas psicologicamente ausente, como é o caso das doenças neurodegenerativas.

Segundo Boss (1999, p. 8),

> perceber os entes queridos como presentes quando estão fisicamente afastados ou percebê-los como desaparecidos quando estão fisicamente presentes pode fazer as pessoas se sentirem desamparadas e, assim, mais propensas a depressão, ansiedade e com conflitos de relacionamento.

Isso ocorre porque o contexto da perda é confuso. A incerteza faz que as pessoas não consigam se reestruturar e reorganizar os relacionamentos e suas funções, como ocorre no processo de luto por perda concreta. Assim, ao contrário da morte, a perda ambígua impede o fechamento normal do luto, podendo evoluir para o luto complicado. A condição ambígua da perda pode sobrecarregar o luto no sistema familiar, pois a falta da concretude desafia ainda mais a comunicação entre seus membros, que percebem e lidam com a ausência de formas muito distintas e solitárias.

A perda ambígua, muitas vezes, está presente em famílias com integrantes não heterossexuais ou não cisgêneros. Com a quebra do mundo presumido, ou seja, a ruptura da imagem do ente pautada na heteronormatividade, descortina-se no cenário familiar uma pessoa que se manifesta de acordo com sua verdadeira identidade de gênero e sexual. Não obstante, é comum que pais e mães necessitem vivenciar, de forma recorrente, uma morte simbólica de seus filhos quando estes não correspondem a uma "imagem original do filho" projetada, na maioria das vezes, antes mesmo da gestação. Mediante um cenário de perda ambígua, é preciso atentar para o processo de luto experimentado de forma singular por cada membro da família.

LUTO NA PARENTALIDADE

O vínculo entre a criança e seus pais começa antes mesmo do nascimento, desde que os pais descobrem na gravidez uma série de sentimentos, fantasias e expectativas sobre como será o futuro da criança.

Um filho não representa os pais apenas em caráter biológico; ele é também uma extensão psicológica destes. Segundo Freud (*apud* Rando, 1986), o amor parental pela criança é, na verdade, o narcisismo infantil abandonado há muito tempo e renascido novamente por meio do filho. Isso favorece a compreensão do investimento parental, ou seja, existe o desejo dos pais de que o filho cumpra seus sonhos e aspirações, além de atender às suas necessidades, representar sua continuidade e proporcionar segurança diante da sua mortalidade.

A vinda de um filho pode representar para os pais algo promissor, uma nova vida com aspirações, sonhos, fantasias e um novo começo. Desse modo, o nascimento de um filho é a extensão simbólica de outra pessoa, e a interação na relação entre filhos e pais pode representar tentativas de reparar perdas e desilusões anteriores.

Diante desse cenário repleto de identificações e projeções, a morte de um filho é considerada pela maioria ocidental uma "fonte de pesar [...] atormentadora e dolorosa" (Parkes, 2009, p. 191); afinal, com a morte de um filho, morrem expectativas, planos, sonhos e projeções.

Contudo, é importante ressaltar que a relação com a criança será determinada e construída por quem esta de fato é, em suas particularidades, características, habilidades e papéis, além de significados, necessidades e esperanças que lhe foram atribuídas por seus pais.

Solomon (2012) refere-se à identidade vertical como o compartilhamento de características que são transmitidas através das gerações, no que tange não somente à genética como também às normas culturais partilhadas. Nessa transmissão geracional, a maioria dos filhos compartilha ao menos algumas características com os pais. Contudo, o mesmo autor aponta que há também a identidade horizontal, pautada nas características distantes daquelas dos pais; nesse contexto, o indivíduo procura se reconhecer em outros grupos e pessoas, na maior parte das vezes fora do contexto familiar. Diz o autor:

> Ser gay é uma identidade horizontal; a maioria das crianças gays tem pais heterossexuais e, embora sua sexualidade não seja determinada por seus iguais, elas aprendem a identidade gay observando e participando de uma subcultura fora da família. (Solomon, 2012, p. 13)

Mediante todas as identificações e projeções realizadas pelos pais nos filhos, possivelmente ligadas à identidade vertical, a ruptura do mundo presumido é drástica quando há morte física, mas é preciso considerar que na quebra de expectativas – como quando a identidade horizontal do filho é distante da vertical – também há ruptura com o mundo presumido, o que pode ser vivido como luto pelos progenitores ou cuidadores preferenciais.

Evidencia-se que as relações familiares são também estruturadas por meio da premissa do que é esperado de cada gênero na nossa cultura e, principalmente, do que cada gênero representa em sua orientação sexual. A expressão "mãe de menino", por exemplo, faz supor que haja formatos preexistentes do que é ser mãe/pai de alguém do sexo feminino ou masculino.

Os papéis desenvolvidos socialmente pelos pais de alguém do sexo feminino ou masculino são fatores importantes da constituição da identidade paterna/materna. Assim, quando a expressão de gênero for diferente da cisgeneridade, é necessário ressignificar os papéis dos familiares.

Quando o indivíduo assume sua sexualidade LGBTQIA+ para os familiares, rompe com o mundo presumido dos pais, em geral baseado nos estigmas sociais da heteronormatividade. Frases como "eu achei que seria avó", dita pela mãe de uma pessoa lésbica, mostram que a revelação da homossexualidade pode romper com as expectativas dos pais, mesmo que estas não sejam necessariamente reais, uma vez que homossexuais podem ter filhos.

Quando não percebemos que tanto pais quanto filhos sofrem nesse processo, deixamos de acolher e cuidar de ambos, pois muitas vezes os filhos precisam se afastar da família para que sua identidade horizontal seja vivenciada. Portanto, assumir uma sexualidade diferente da heterossexual numa sociedade heteronormativa requer, em primeiro lugar, apropriar-se dessa identidade, do diferente, do desejo.

Além disso, apesar das mudanças observadas nas últimas décadas, assumir uma identidade LGBTQIA+ quase sempre significa assumir-se uma minoria. Como pontuou Solomon (2012, p. 42), "membros de minorias que desejam preservar sua identidade precisam definir-se como oposição à maioria".

A HETERONORMATIVIDADE SILENCIA, A EMPATIA VALIDA

Tendo traçado esse panorama acerca da população LGBTQIA+ e dos fatores inerentes ao processo de luto, parece-nos claro que o rompimento com a heteronormatividade pode afetar diretamente tanto os familiares dos indivíduos LGBTQIA+ como eles próprios. É por isso que muitas pessoas demoram para validar sua sexualidade para si mesmas.

Além de enfrentar vários estigmas para sentir-se aceito e respeitado, o indivíduo LGBTQIA+ tem de lidar com os medos e angústias oriundos do preconceito e da homofobia. Por exemplo, era muito comum o discurso – inclusive em ambientes profissionais – de que homossexuais são promíscuos e adictos, o que os levava a esconder sua sexualidade.

Além disso, por vezes o indivíduo LGBTQIA+ é percebido de uma forma reducionista, considerando-se apenas sua forma de expressão sexual, desconsiderando-se tantos outros fatores que compõem a identidade de um ser humano.

Hoje, existem diversas casas de acolhida que oferecem moradia, cursos profissionalizantes e até mesmo atividades de lazer para transexuais que vivem esse cenário de exclusão e segregação. Além do investimento na reintegração social, fazem-se necessários projetos que envolvam a reintegração e/ou reaproximação do indivíduo com sua família, incluindo o suporte psicológico ao luto enfrentando por todos eles. Assim, projetos que visem suporte e psicoeducação para essas famílias e suas comunidades podem favorecer a minimização do sofrimento psicológico inerente a esse cenário.

Outro fator importante a ser destacado no luto dos familiares é o preconceito social que estes poderão sofrer pelo fato de terem um filho ou ente LGBTQIA+. Há inúmeros relatos de pais e mães que foram segregados por amigos, grupos religiosos e até mesmo parentes quando assumiram ter um filho não heteronormativo. Trata-se, inegavelmente, de um luto não reconhecido, não validado e solitário.

Reconhecer que esse processo pode ser difícil para ambas as partes se faz extremamente necessário. Torna-se substancial priorizar um olhar empático para todos os envolvidos nesse rompimento, tendo por propósito aproximá-los, validar suas dificuldades e reconhecer o processo como individual e intransferível.

É mister quebrar o silêncio estimulado pela heteronormatividade, e isso só poderá ser vivenciado de fato quando o luto das pessoas LGBTQIA+ e de seus familiares forem expressos, reconhecidos, acolhidos e validados com inteireza e legitimidade social. Assim, em um tempo oportuno, haverá chances eminentes de que a dor do silêncio dê lugar à expressão de ser e estar no mundo, na história, na sociedade e na família. Enquanto normas engessadas de ser aprisionam e silenciam, a empatia acolhe, valida e liberta as diferenças e suas diversas formas de amar.

REFERÊNCIAS

ATTIG, T. "Relearning the world: making and finding meanings". In: NEIMEYER, R. (org.). *Meaning reconstruction and the experience of loss.* Washington: American Psychological Association, 2001, p. 33-53.

BOSS, P. *Ambiguous loss: learning to live with unresolved grief.* Londres: Harvard University Press, 1999.

BOWLBY, J. *Formação e rompimento dos laços afetivos.* 5. ed. São Paulo: Martins Fontes, 2015.

CASELLATO, G. "Luto não reconhecido: um conceito a ser explorado". In: CASELLATO, G. (org.). *Dor silenciosa ou dor silenciada? – Perdas e lutos não reconhecidos por enlutados e sociedade.* Niterói: Polo Books, 2005.

_____. "Luto não reconhecido: o fracasso da empatia nos tempos modernos". In: CASELLATO, G. (org.). *O resgate da empatia: suporte psicológico ao luto não reconhecido.* São Paulo: Summus, 2015.

COLLING, L. "O que perdemos com os preconceitos?" *Cult,* v. 18. n. 202, jun. 2015, p. 22-41.

CONSELHO FEDERAL DE PSICOLOGIA. *Resolução CFP n. 001/99,* 22 mar. 1999. Disponível em: <https://site.cfp.org.br/wp-content/uploads/1999/03/resolucao1999_1.pdf>. Acesso em: 28 maio 2020.

FRANCO, M. H. P. "Trabalho com pessoas enlutadas". In: CARVALHO, V. A. et al. (orgs.). *Temas em psico-oncologia.* São Paulo: Summus, 2008.

FUNDAÇÃO GETULIO VARGAS. *Dados públicos sobre violência homofóbica no Brasil: 28 anos de combate ao preconceito.* s./d. Disponível em: <http://dapp.fgv.br/dados-publicos-sobre-violencia-homofobica-no-brasil-28-anos-de-combate-ao-preconceito/>. Acesso em: 6 jan. 2020.

GOLD, M. "The ABCs of L.G.B.T.Q.I.A.+". *The New York Times*, 21 jun. 2018. Disponível em: <https://www.nytimes.com/2018/06/21/style/lgbtq-gender-language.html>. Acesso em: 6 jan. 2020.

INSTITUTO BRASILEIRO DE GEOGRAFIA E ESTATÍSTICAS. *Estatísticas do registro civil.* 4 dez. 2019. Disponível em: <https://agenciadenoticias.ibge.gov.br/agencia-noticias/2012-agencia-de-noticias/noticias/26192-casamentos-homoafetivos-crescem-61-7-em-ano-de-queda-no-total-de-unioes>. Acesso em: 15 jan. 2020.

MONTEIRO, Q. M.; GUASTAFERRO, C. M.; SILVA, V. D. "Compreensão das questões especificas no atendimento de pessoas transgênero". In: AMORIM, S. F.; LOPES, S. R. de A. (org.). *Saúde e psicologia: dilemas e desafios da prática na atualidade.* Jundiaí: Paco, 2019.

NEIMEYER, R. *Meaning reconstruction and the experience of loss.* Washington: American Psychological Association, 2001.

PARKES, C. M. *Luto: estudos sobre a perda na vida adulta.* 3. ed. Trad. Maria Helena Franco. São Paulo: Summus, 1998.

_____. *Amor e perda: as raízes do luto e suas complicações.* Trad. Maria Helena Franco. São Paulo: Summus, 2009.

RANDO, T. A. *Parental loss of a child.* Minnesota: Research Press Company, 1986.

SOLOMON, A. *Longe da árvore: pais, filhos e a busca da identidade.* Trad. Donald M. Garschagen, Luís A. de Araújo e Pedro Maia Soares. São Paulo: Companhia das Letras, 2012.

STROEBE, M.; SCHUT, H. "Models of coping with bereavement: a review". In: STROEBE, M. et al. (eds.). *Handbook of bereavement research: consequences, coping and care.* Washington: American Psychological Association Press, 2001, p. 375-403.

THOMPSON, S. C.; JANIGIAN, A. S. "Life schemes: a framework for understanding the search for meaning". *Journal of Social and Clinical Psychology*, v. 7, n. 2-3, Nova York, 1988, p. 260-80.

TRINDADE, W. D. *Os efeitos dos personagens LGBTs de telenovelas na formação de opinião dos telespectadores sobre homossexualidade.* Dissertação (mestrado em Comunicação e Semiótica), Pontifícia Universidade Católica de São Paulo (PUC-SP), São Paulo, 2010.

WARNER, M. "Introduction: fear of queer planet". *Social Text*, v. 29, *Duke University Press*, 1991, p. 3-17.

5. Anjo azul

Joelma Avrela de Oliveira

ERA INÍCIO DO MÊS de outubro de 2019 quando recebi o convite para participar da IV Jornada Caxiense do Luto na cidade de Caxias do Sul (RS), por intermédio da psicóloga Vânia Forlin Boff, atenciosa profissional que nos acompanha há mais de dez meses. Perguntava-me a razão do convite, pois não tenho nada que ver com o assunto, não sou psicóloga, não perdi ninguém da família recentemente, sou da área de exatas, tentando me encontrar na vida profissional (lembre-se dessa frase mais adiante!). Enfim, por quê? Mas algo me dizia que seria importante ir.

No transcorrer do congresso, aprendi muitas coisas, mas nada a ponto de me fazer entender por qual razão eu estava no evento. Porém, no dia 17 de outubro, na palestra da psicóloga Gabriela Casellato, ouvindo suas palavras, meu coração ficou apertado, e me deu uma vontade de chorar e de gritar tão forte que precisei me controlar.

Ouvir as histórias e colocar-me no lugar da mulher que fechou a empresa de 30 anos, por incrível que pareça, foi imensamente doloroso, mais do que a história da mãe que perdeu o filho, pois a dor desta sociedade desculpa, mas a dor da empresária, jamais.

Foi então que, durante sua fala, passei a perceber que vivemos enlutados. Arrisco-me a dizer que vivemos enlutados há anos (incluo meu marido). Compreendi que luto não é somente quando perdemos alguém querido, não é somente lidar com a saudade da morte propriamente dita. Esse é o luto que todos aceitam – por três dias, pelo menos (conforme a legislação), mas aceitam.

Compreendi que vivemos um luto muito diferente: afinal, ao recebermos o diagnóstico de autismo de um filho, a sociedade não nos dá três dias sequer para respirar. No mesmo instante, é preciso adquirir força para continuar a caminhada da vida.

Também compreendi que lidamos com:

- a morte de ter uma maternidade tranquila, que não aconteceu;
- a morte de uma sociedade que diz que inclui, mas não o faz;
- a morte de alguns familiares que dizem que amam quando, no fundo, deixam seu modo egoísta falar tão alto que punem e criticam em vez de colaborar;
- a morte de uma vida profissional que não aconteceu;
- a morte da esperança vivenciada nos corredores das clínicas onde inúmeros pais se mostram inertes com seu destino, porque não sabiam que o desejo da maternidade tão sonhada vinha com laudos, diagnósticos, avaliações psicológicas intermináveis e um caminho de dúvidas e incertezas infindáveis.

Desde o diagnóstico, nossa vida nunca mais foi a mesma, eu nunca mais fui a mesma, meu marido nunca mais foi o mesmo. É como se todos os dias, quando acordamos, uma avalanche nos soterrasse – e, confesso, não sei como damos conta.

Fico pensando: quando algo bom acontece (uma formatura, um casamento, uma aprovação em concurso), todo mundo comemora, manda mensagem. Porém, quando algo sai do "padrão", todo mundo some, foge, ignora, faz de conta que nunca viu nem conheceu. É como se as pessoas paralisassem. Foram poucos os amigos que permaneceram, foram poucos os familiares que compreenderam. Foram poucas as escolas que aceitaram. São poucos os profissionais que se dedicam.

Durante toda essa caminhada, que já dura cinco anos, a luta é diária, tentando fazer o melhor, tentando resistir no pior!

Nossa forma de ver a vida talvez tenha mudado, o jeito de ser que todo mundo condenava pode ter sido a forma que encontramos para conseguir superar as dificuldades.

A única pessoa que conseguia compreender a dor que eu sentia era meu marido. Mal sabíamos que as dificuldades de aceitação quase levariam nosso casamento ao fim. Hoje as coisas estão mais claras (não mais calmas!). Devo muito a ele, que, mesmo com a dificuldade de aceitar o diagnóstico, me apoiou, se transformou.

Conseguimos superar as dificuldades e encontramos uma rede de profissionais dispostos a nos ajudar. Erramos muito no início, mas hoje o sorriso e o desenvolvimento do nosso "anjo azul" nos encantam, e isso é o que importa!

Nesse período, fui estudar, pesquisar o melhor método para nos adaptarmos ao mundo dele (percebam, nós nos adaptarmos ao dele, e não ele ao nosso), modificamos a casa, criamos rotinas, fizemos centenas de fotos, reconhecemos as pessoas que estavam a fim da caminhada. Juntos, meu marido, o João e eu reescrevemos nossa história, nos desprendemos do padrão social exigido e encontramos o "jeito azul de ver o mundo".

Porém, durante toda essa jornada, vejo diariamente nos corredores das clínicas inúmeras famílias completamente desanimadas. Não vejo ninguém cuidando delas, amparando esses pais que estão com a visão fechada, com o coração em pedaços. Só vejo críticas e críticas; ninguém olha além, ninguém olha para eles, para a história de cada um.

Tenho uma vontade imensa de dizer a eles que o maior segredo que descobrimos durante todos esses anos é que são OS PAIS os melhores terapeutas dos seus filhos.

A mãe é importante, mas o pai também é fundamental no desenvolvimento deles. Nós, mães, precisamos deixar os pais serem pais. Pais, vocês precisam querer ser pais, comprometer-se e não ficar só envolvidos com as situações! Muitas vezes impedi o Marcelo de ter iniciativas porque ele não fazia como eu queria, ou também vi o Marcelo não querer se comprometer. Demoramos para perceber que o João precisava do jeito de cada um de fazer as coisas, e quando nos demos conta desse fator a vida dele melhorou infinitamente. O casamento melhorou também. Afinal, todos se sentiram úteis, com papéis definidos e desafios a serem superados. Este é o sabor da vida: lutar e vencer! Não vencer lá no final, mas a cada segundo, a cada crise, a cada dificuldade.

Os profissionais são também nossos professores. Observamos o que eles nos dizem e sugerem e vamos para casa praticar. Porém, acreditamos que não podemos deixar a responsabilidade para terceiros – eles são fundamentais, mas nós, os pais, somos essenciais nesse processo. Lembre-se de que nem tudo dá certo, mas vamos adaptando, ajustando aqui, modificando ali, e o resultado é impressionante.

Por isso eu reforço: pais enlutados por filhos atípicos, confiem em vocês. Se o mundo não for o melhor para eles, sejam vocês os melhores terapeutas deles. Estudem, dediquem-se à aprendizagem, deixem de lado as pessoas que os puxam para baixo. Outra hora, em outro momento, vocês resolvem isso. Não gastem energia com o que não interessa. Eu sempre brinco: "O que importa é o que interessa", frase de uma grande amiga.

Nossa dor ainda não passou. Em certos dias choramos muito, porque não é fácil. O João não foi aceito em três escolas, mas lutamos e encontramos uma em que o amor é a fonte do saber, e todos o amam a ponto de estruturar toda a escola e dizer: "Nós amamos o João, nossa escola precisa dele". Nesse dia eu pulava de alegria, meu coração não cabia no peito de tanta emoção. Isso significava que não importa os pais que ele tem: eles o amam, e isso é tudo.

A professora atual do João contribuiu imensamente para a sua integração com o meio social. Hoje, ele ama ir à escola, ama os coleguinhas e a professora. Talvez por um período eu tenha desacreditado a educação, mas afirmo com segurança: eu acredito no professor, aquele que ama de verdade o que faz e transforma vidas.

Certo dia, fomos contar ao João que no ano seguinte ele permaneceria na mesma escola e, acreditem, ele nos disse que queria dormir lá (dormir para ele significa almoçar na instituição). Isso foi sensacional, afinal ele já está demonstrando sua independência.

Essa conversa de "vamos acreditar que as coisas vão melhorar" não nos envolve mais. Pensamos, analisamos e decidimos o que precisamos fazer para que as nossas coisas melhorem. Assim, colocamos a "mão na massa", aprendemos a não mais esperar do outro.

Acreditem, a dor é grande, não sei quando o luto vai passar, mas sei que ele tem remédio! E vou encontrar esse remédio. (Sou muita grata à minha psicóloga por nos fazer ver isso!)

Em um dos atendimentos, a psicóloga me explicou o que se passava conosco, e por meio de uma analogia vou tentar registrar o que compreendi. O luto é como uma espiral: passamos pelo momento da negação, vivemos a barganha, depois vem uma raiva do mundo, então aparece o momento da forte depressão e, finalmente, a restituição da vida. Por se tratar de uma espiral, ora estamos em um momento, ora em outro.

Passei a observar as situações e as emoções envolvidas que vivíamos e percebi que tudo se encaixava naquele aprendizado. Foi muito importante conhecer a definição de luto, porque compreendi melhor o momento em que nos encontrávamos. Aprendi a ter mais paciência e a confiar em que aquele sofrimento era passageiro.

Também consegui ver que restituir a vida é o que estamos tentando fazer; é difícil, mas não impossível. Descobri que valorizar esses pequenos momentos é importantíssimo.

NOVOS DESAFIOS

Toda consulta com a neuropediatra do João é motivo de apreensão, pois parece que nesses dias voltamos à etapa da negação. É como se esperássemos que a situação tenha se revertido, que o transtorno tenha desaparecido e que tudo tenha sido só um pesadelo. Mas a realidade bate na porta – na verdade, ela a derruba, porque não existe delicadeza quando se trata de deficiência. O mundo não tolera o diferente.

Outro dia, o Marcelo pensou em solicitar autorização das Receitas Federal e Estadual para isenção dos tributos na aquisição do carro. Fiquei rezando para que a doutora não assinasse os laudos, afinal eu seria imensamente mais feliz com essa negação do que com a autorização do governo. Infelizmente conseguimos a autorização, o João recebeu o desconto e eu me senti a pessoa mais triste quando trocamos de carro. Incrível a vida!

Outro momento difícil foi quando precisamos solicitar o cartão para estacionamento na vaga de deficiente físico. Eu disse à atendente que me viu com os olhos cheios de lágrimas enquanto emitia o documento: "Quando pensamos em ter um filho, ficamos preocupados com o registro no cartório, com as vacinas, com documentos oficiais de identificação, passaporte para as viagens, mas nunca foi preocupação a necessidade de solicitar autorização para utilizar as vagas de deficiente". Hoje agradeço por essa oportunidade que a legislação oferece, pois facilita muito o deslocamento com ele – passamos mais de oito horas por semana em atendimentos terapêuticos, e procurar estacionamento não é tarefa fácil. Triste que muitos não respeitem essas vagas.

Entendem quando eu digo que a realidade derruba a porta em vez de só bater ou tocar a campainha?

VIDA PROFISSIONAL, CADÊ VOCÊ?

O João nasceu um mês antes de se completarem os nove meses de gestação. Nunca vou me esquecer, era uma sexta-feira, 21h, quando percebi que algo estranho estava acontecendo. Ligamos para a médica e ela orientou que fôssemos urgentemente para o hospital, pois a bolsa havia rompido. Foi uma mistura de alegria e preocupação; afinal, ele chegaria um mês antes do previsto.

Seguimos, e às 23h30 o João nasceu. Um garotinho lindo, doce, apaixonante. Tudo tinha dado certo. João bem, todos bem. Que alívio! Porém, as horas passavam e nada, nada de o João vir para os meus braços. Eu perguntava às enfermeiras, elas não respondiam, e meu coração começou a ficar apertado.

Procurei me manter calma. Às 4h, fui para o quarto e, chegando lá, as enfermeiras tiraram a caminha do bebê. Sem explicações. Uma vontade de chorar tomou conta de mim, pois eu não sabia o que estava acontecendo. Não tinha forças para pensar direito, pois a cesárea havia consumido toda a minha energia, e o Marcelo também estava perdido, preocupado. Pais de primeira viagem, não sabíamos dos procedimentos hospitalares, então aguardamos em silêncio profundo.

Às 6h, recebemos a visita da pediatra. Ela se aproximou da cama e, com voz trêmula, disse: "Percebemos que o João está com o esôfago bloqueado, a situação parece ser atresia do esôfago. Se o diagnóstico for confirmado, será necessária uma cirurgia para a reconstrução da área. Já tomamos as providências e em breve chegará o cirurgião para fazer novos exames".

Naquele instante, pensei: "O que vou fazer, meu Deus?" Pedi ajuda ao Marcelo e, ainda bastante fraca da anestesia e com um pouco de dor, segui até a UTI. Lá, vi nosso pequeno deitado, dormindo, e disse-lhe: "Filho, meu amor! Que alegria te encontrar, foram oito meses de muito aprendizado, e eu amei estar com você bem pertinho de mim, porém tivemos um probleminha, você nasceu com problema no seu 'encanamento', e o 'titio Jojo' [meu irmão mais novo] não consegue resolver, mas encontramos um titio que saberá direitinho como consertar. A mamãe e o papai confiam nele, mas também confiamos em você. Daqui a pouco você vai a um lugar estranho com ele, mas confia, vai ficar tudo bem, e quando você voltar a mamãe promete que levará você para comer pipoca e tomar sorvete, ok?"

Depois desse momento, despedi-me e voltei para o quarto em prantos. Uma dor forte me atingiu em cheio e, ao mesmo tempo, uma força surgiu dentro de mim. Senti o tamanho da minha fé, que naquele instante inundou meus pensamentos, como se fosse uma dose de calmante. Acreditei que tudo ficaria bem.

Então, com dez horas de vida, o João seguiu para o bloco cirúrgico, acompanhado pelo cirurgião. Amigos e familiares queridos passaram conosco aquelas horas tão difíceis.

Os médicos nos informaram que seriam aproximadamente 40 dias de internação. Não conhecíamos a rotina de um hospital, ainda mais de uma UTI neonatal.

Pensei no que poderia fazer para o tempo passar mais rápido e tudo ser mais suave. Lembrei-me dos livros que havíamos comprado para ele, então pensei que poderíamos levá-los para ler com ele. Assim, todos os dias, das 7h às 23h, líamos, contávamos histórias, falávamos de cada membro da família que ele ia conhecer. E, acreditem, a recuperação do João foi tão acelerada que ele ficou hospitalizado apenas 13 dias. Quanta gratidão!

No décimo dia, permitiram que eu o pegasse no colo. Lembro-me da emoção até hoje. Abracei-o e beijei-o com um amor intenso. Quanta alegria nesse dia!

Quando tivemos a liberação, fomos para casa. Naquele instante tive a certeza de que fomos imensamente privilegiados com a emoção de viver o nascimento do nosso filho por duas vezes. Porém, por recomendação médica, precisaríamos ficar com o João em casa até ele conseguir comer normalmente. Isso durou mais de dois anos. E, quando as coisas pareciam prestes a melhorar, veio o diagnóstico do autismo.

Foi então que minha vida profissional se perdeu. O pior de tudo era ter de ouvir as pessoas dizendo que eu tinha sorte. Sorte do quê? De ficar em casa? Sim, seria sorte se a maternidade não viesse com tantos laudos e consultas médicas.

Uma mágoa muito grande me acompanha até hoje. Claro que procurei fazer o meu melhor, fazer do meu dia a dia uma "profissão", mas não é fácil. Neste instante, ao escrever, é como se uma dor me atingisse novamente.

Meu sonho era voltar a trabalhar, contribuir com o orçamento da casa. Nesses anos, percebi que o pior de estar em casa é que nos afastamos da sociedade e a sociedade afasta-se de nós. Compreendi quanto o trabalho nos engrandece, o convívio com colegas de trabalho, o desafio de manter o emprego, as amizades feitas, as histórias ouvidas, os desafios a cumprir. Comparando, é como uma escola para a criança, que vai aprender a socializar. Vejo que o trabalho para o adulto também tem essa função.

Minha vida profissional se foi... A rotina do João me consome. Há dias em que fico sem energia, sem vontade de fazer absolutamente nada, nem de pensar!

Fui aprovada no concurso da Receita Federal (órgão que tanto amo) e não pude assumir, afinal estávamos bem na transição do nascimento do João e, com tudo o que aconteceu, optei por ele.

Tentei estruturar uma escola de finanças para crianças, sem sucesso.

O tempo que passo levando o João a terapias, escolas e médicos consome boa parte da minha rotina. Foi impossível ter tempo para me dedicar de fato a uma profissão.

Outro dia registrei: ando 150 quilômetros de carro por semana com ele, o que dá uma média de 30 quilômetros por dia. Ficamos seis horas por semana só no trânsito, sem contar o tempo que o espero nos atendimentos e o tempo que ele passa na escola.

Tenho consciência plena de que todo esse esforço já trouxe um resultado imenso: o João se desenvolveu de tal forma que tem surpreendido todos os profissionais envolvidos. O motivo pelo qual ainda tenho sofrido é que preciso me libertar da "vida-padrão" que havia construído, em que conciliar trabalho com família era algo comum.

Não deixo de agradecer imensamente ao meu marido, pois já são anos em que me sento do lado dele e choro, porque esse luto não passa, essa dor não vai embora.

Hoje estou um pouco melhor, porque a escola onde o João estuda me deu a oportunidade de fazer um trabalho voluntário.

Vou organizar a biblioteca para as crianças. Estou muito feliz. Nesse dia agradeci imensamente ao Papai do Céu; eu havia pedido tanto um trabalho! Agora até começo a sonhar com minha escola novamente.

NOVOS AMIGOS, NOVA FAMÍLIA!

Durante nossa caminhada, fizemos novos amigos, conhecemos pessoas encantadoras que contribuíram conosco com alegria. Formamos uma nova família. Amigos com as mesmas dificuldades se tornaram tão queridos que passamos a programar encontros frequentes e viagens e a saborear a vida com mais paciência. Sem contar a troca de ideias, que nos fez superar os desafios vividos e nos preparar para os que ainda estavam por vir.

Conhecer outras histórias fez que compreendêssemos melhor a nossa. Se para nós está sendo difícil reorganizar nossos padrões, imagine para quem está completamente fora do assunto ou ainda se mantém atrelado a um jeito tradicional de conviver em família. Por isso, hoje compreendemos a reação dos familiares que se afastaram e seguimos nosso caminho com quem aceita esse nosso novo padrão.

Com certeza não foi possível dar conta de tudo. Por isso adotamos o João como prioridade. Se ele está equilibrado, ótimo. Aos poucos, com muita paciência, vamos introduzindo situações novas na sua vida, porém nunca deixando de tentar viver.

POR FIM...

Ao escrever este texto, pude reviver parte dos acontecimentos de nossa vida e percebi que nosso pequeno nos ensinou tantas coisas diferentes! Com ele aprendi a escutar o canto dos pássaros, o barulho do avião, ter medo de formiga, mas enfrentar um leão com sabedoria. Aprendi a ter mais coragem, fortalecer minha fé independentemente de religião, ter mais esperança e diminuir consideravelmente as expectativas diante da vida.

Aprendi a deixar a existência fluir.

Tornei-me uma pessoa melhor, aprendi a ser mais flexível, fiquei menos orgulhosa, mais humilde, menos ciumenta, mais tranquila, infinitamente mais paciente e tolerante com a vida, com os outros, com o João e principalmente comigo.

Aprendi a viver a vida mais literalmente e a sorrir quando o mundo lógico do João invade nossa rotina.

Assim vou lutando, vou me esforçando para tornar o nosso dia a dia mais feliz! Lutando, esforçando-me para tornar meus dias menos enlutados!

6. O luto no autismo: visão de um pai

Marcelo Roberto de Oliveira

O MUNDO EM QUE vivemos é complexo, multifacetado. E, dentro dessa verdadeira torre de Babel, cada pessoa tem sua própria visão das coisas, seus sonhos, desejos e objetivos.

No meu caso, nasci em uma família muito tradicional, estruturada de modo patriarcal. Para o bem e para o mal, ela moldou meu caráter, minha forma de ver o mundo, a visão que sempre tive das coisas, bem como os desejos de futuro, de vida, de construção de uma existência.

No plano profissional, a orientação que recebi foi basicamente "vença a qualquer custo, seja sempre o melhor, não se contente com nada menos que o topo". Essa visão, que a princípio pode parecer positiva, veio acompanhada de níveis absurdos de cobrança e pressão, e aí a coisa não ficou tão positiva assim.

Posso dizer que obtive sucesso em minha vida profissional – segundo minha visão e lembrando que sucesso é algo subjetivo, com significados diversos de pessoa para pessoa.

Pessoalmente, sempre fui bastante tradicional, de criação católica e visão de mundo eminentemente conservadora, tanto que por vezes já me disseram: "Falando contigo pelo computador tu parecias ter 60 anos, mas tens 27". Essa foi uma recorrência na minha vida: parecer mais velho do que de fato era, mais maduro do que efetivamente me sentia, mais preparado do que de fato estava...

Conheci minha mulher e namoramos por três anos até nos casarmos. Depois disso, vivemos um período de grandes mudanças, mudando de estado e de casa de forma frenética.

Definimos esse período como "turbilhão", pois houve constantes e profundas alterações na nossa vida, com inúmeros desafios, tanto no plano pessoal quanto no profissional, em uma espiral de pequenas revoluções. Fizemos, em um curto tempo, mais alterações do que muitas pessoas fazem no decorrer de toda uma existência.

Ao final dessa fase, engravidamos – algo que desejávamos –, de modo que pensamos vir um período de calmaria. Também voltamos a morar na nossa cidade de origem e me estabilizei profissionalmente, após um interregno bastante atribulado.

Estávamos redondamente enganados.

A gravidez transcorreu de modo tranquilo; somente um exame mostrou uma pequena alteração, mas não houve nenhum diagnóstico de moléstia ou de algum fator com que tivéssemos de nos preocupar.

Todavia, João nasceu com um problema no esôfago, de modo que precisou fazer uma cirurgia de urgência com 14 horas de vida e teve limitações alimentares até os 2 anos de idade.

Essa foi a primeira tijolada.

Em função de tal acontecimento, passamos por um período no qual as coisas fugiam do padrão normal de um recém-nascido, pois eram necessários muitos cuidados com alimentação, troca de curativos – enfim, um trabalho ainda maior do que usualmente se tem com um bebê.

Talvez em função disso, víamos diferenças entre o João e as crianças de sua idade, como a demora para ficar em pé e para caminhar, além da demora muito grande para falar. Porém, eu relacionava tudo com o problema de esôfago, e posso dizer tranquilamente que minha mulher foi a primeira a acordar.

Ouvi milhares de vezes da Joelma: "Marcelo, o João tem alguma coisa". No início não dei atenção, vinculei a frase aos problemas de saúde do nascimento, até o momento em que, meio a contragosto, concordei que começássemos uma investigação mais detalhada no nosso menino.

Foram muitos médicos, muitos exames, um périplo por todo o Brasil, mas alguns momentos foram marcantes nessa trajetória.

Quando João tinha 2 anos e 4 meses, tivemos a sinalização, pela sua pediatra, de que muito provavelmente ele era autista. Essa foi a segunda tijolada.

Dali em diante, foram mais três meses até a confirmação do diagnóstico, mas naquele dia foi como se uma cortina se abrisse, e tudo que não fazia sentido começasse como que por milagre a fazê-lo: a) as estereotipias; b) a ausência de fala; c) a interação muito pobre com o meio e as outras pessoas.

Esse foi, sem dúvida, o pior momento da minha vida. Uma parte de mim morreu, e nunca mais fui o mesmo desde então.

A segunda tijolada foi muito diferente da primeira. Quando do problema do esôfago, ficou claro que era algo físico, orgânico, que demandava intervenção cirúrgica, tratamento com curativos e medicação, mas que a partir dos 8 anos de idade o João não teria nenhuma sequela em função dessa questão, o que para mim era reconfortante.

O autismo era algo completamente diferente, pois não tem cura e implica um sem-fim de limitações com as quais o autista e as pessoas que o cercam terão de conviver pelo resto da vida.

Uma miríade de sentimentos me invadiu: desespero, dor, medo, raiva e tristeza profunda, aliados a uma aterradora sensação de impotência. Foi como se minha vida tivesse acabado, e em certo aspecto ela de fato acabou.

Como já mencionei, fui criado segundo critérios rigorosíssimos de exigência, mediante os quais qualquer coisa que não o topo do mundo era considerada um fracasso absoluto. Assim, por muito tempo tive dentro de mim a sensação de ser um erro, de ser uma pessoa que não fazia as coisas corretamente.

Com o diagnóstico do João, isso se potencializou ao extremo, pois, se ele tem autismo, isso vem da carga genética da sua formação, e eu sou responsável por essa carga. Foi como se eu, que já não fazia nada certo, houvesse cometido um grande e imperdoável erro e fosse o responsável pela moléstia que acomete a pessoa que mais amo, sendo esse um fardo impossível de carregar...

Eu imaginava – mais que isso, já prenunciava – um futuro de absoluto sucesso para o João, dentro dos parâmetros em que eu havia sido criado – dinheiro, influência, poder –, de modo que o autismo botou por terra todas essas expectativas.

Hoje vejo claramente que o que eu de fato pretendia era colocar sobre os ombros do João toda a exigência que sempre carregara nos meus, e nesse aspecto o autismo foi uma bênção. Afinal, a relação que temos é muito mais humana, aberta, afetuosa e sincera do que a que tive com meus pais.

Nunca ouvi meus pais dizerem que me amavam, e já disse isso inúmeras vezes ao meu filho. João é uma criança alegre, que está sempre sorrindo, cantando, brincando, iluminando a vida de todos ao seu redor; eu, por outro lado, era uma criança triste, sozinha. Ele é melhor do que eu, é mais preparado para sentir, integrar-se, conviver; em suma, ele dá mais amor...

Hoje posso dizer com franqueza que meu filho é de fato livre para decidir o que vai fazer no futuro, de que forma vai conduzir sua vida, como vai fazer diferença para tornar este planeta mais humano, mais amorável.

Sobre ele não vai pender a espada do "sucesso", traduzida, de um lado, em 16 horas diárias de trabalho, uma enorme conta bancária e muitas responsabilidades; e, de outro, em interações vazias, pessoas vistas como coisas, ausência de bons sentimentos e um infarto aos 55 anos de idade.

Outra questão que muito me afligiu foi o modo como a sociedade encara a questão dos portadores de necessidades especiais: o preconceito, a falta de empatia, o desamor... Posso dizer, nesse aspecto, que há, muito mais que preconceito, desinformação. A sociedade em si não discrimina o portador de necessidades especiais, mas no mais das vezes desconhece sua realidade – e, por isso, se afasta, ignora, se mantém distante, passa ao largo.

Nesse aspecto, eu mesmo posso dizer que só soube o que de fato é o autismo após o diagnóstico do João, pois antes tinha o mesmo nível de informação do senso comum, e esse nível é de fato bem raso e dissociado da maior parte dos casos que se encontram dentro do espectro.

Aqui o papel dos pais, e de todos aqueles que têm qualquer nível de interação com algum portador do Transtorno do Espectro Autista (TEA), é muito importante, pois, na medida em que as pessoas entendem o que é o transtorno, o seu receio desaparece, e na quase totalidade dos casos o que encontramos é empatia e solidariedade, e isso é muito bom.

Nos dias atuais, há uma facilidade muito grande de acesso à informação, e isso, se bem usado, é ferramenta poderosa para que a sociedade tenha conhecimento do que é o autismo e de como pode ajudar na integração dessas pessoas na sociedade.

Nesse aspecto, o cenário apresenta avanços e o futuro é alvissareiro.

Trazendo a questão para o lado pessoal, do enfrentamento dessa realidade, do luto que dela decorreu, no meu caso considero que passei por três grandes estágios, que posso definir como: a) negação; b) revolta/dor; e c) aceitação.

Em um primeiro momento, eu não conseguia de modo nenhum aceitar o diagnóstico: era como se tanto o João quanto eu tivéssemos recebido uma condenação à morte. Esse período, que durou cerca de um ano, foi o mais difícil.

Depois, passei a sentir uma grande dor, misturada com revolta, que pode ser resumida em um pensamento que passou milhares de vezes pela minha cabeça: "Por que tudo comigo, por que uma cirurgia com 14 horas de vida? Por que autismo? O que fiz para merecer toda essa carga?" Durante esse período, recebi apoio fraterno, amoroso e incondicional de minha mulher, sem o qual não sei o que teria acontecido comigo.

Após esse verdadeiro mergulho em um universo de dor, desespero, medo e desilusão, foi como se, cansado de sentir a revolta que me consumia, eu me deixasse tomar por uma apatia e simplesmente passasse a assistir aos acontecimentos. Nesse momento, algo mudou.

Foi como se eu tirasse um peso das costas, aliviasse uma pressão absurda que eu mesmo colocava sobre mim e passasse a enxergar o todo com sentimentos melhores do que aqueles que eu nutria até então.

Passei a ver João se desenvolver e avançar muito nos aspectos decisivos para sua vida (fala, integração com o meio, interesse pelas coisas etc.) – o que me dotou de uma força e coragem que eu sinceramente não sabia ter.

Ao ver cada vitória sua, cada pequeno passo dado, uma nova palavra, uma nova descoberta, era como se cada um desses momentos fosse Deus falando comigo, cada pequena vitória sendo uma cura para uma dor, uma falta de aceitação, um sentimento ruim...

Aos poucos fui percebendo o verdadeiro sentido de uma frase que ouvi e de início me pareceu absurda, mas com a qual hoje concordo plenamente: "O autismo é a evolução da sociedade".

Um autista não mente. Um autista não finge gostar de alguém. Um autista ama incondicionalmente. Um autista sente seu estado de ânimo e, se ele não é bom, sabe exatamente como agir para deixá-lo instantaneamente melhor. O autista é puro, doce, personifica a humanidade que deveríamos ser, personifica a evolução que ainda não alcançamos...

Vislumbrar todas essas qualidades no meu filho me fez voltar a sentir prazer em viver, me curou. Fez-me enxergar que aquilo que eu via como terrível na verdade era uma dádiva, uma bênção, uma oportunidade de evoluir como pai, como marido, como profissional, como gente.

Avaliamos as pessoas com base em premissas equivocadas, dizemos coisas simpáticas quando sentimos exatamente o oposto, somos egoístas, fúteis, vazios, e lidar com uma realidade muito distinta daquela que esperávamos, totalmente fora da zona de conforto, nos faz ver o que de fato importa, quem são realmente as pessoas, o que cada uma tem para dar.

Uma questão de suma importância, mas pouco abordada no dia a dia, é a que diz respeito aos pais de uma criança portadora de necessidades especiais. Pensa-se e fala-se absolutamente tudo que diz respeito à criança, mas ninguém vê a dor dos pais, as dificuldades enormes com que lidam diuturnamente, a pressão, as frustrações, a dor.

Muitas vezes os pais estão mais doentes que as crianças, necessitam muito mais de cuidado que elas, precisam de suporte para enfrentar os desafios e não encontram NADA. Isso é frustrante.

Ninguém quer ser objeto de pena, todos querem empatia, aceitação, boa vontade. Em uma palavra: respeito.

Por fim, encontrei-me ao ver o lado positivo das dificuldades com que deparei e deparo todos os dias e ao perceber que tudo pode fazer de você uma pessoa melhor, responsável pela própria vida, íntegra.

Que possamos encontrar a humildade, a humanidade, a centelha divina que trazemos em nós. Em uma palavra: o amor, para convivermos, aceitarmos, integrarmos, sermos seres humanos melhores, seja com as pessoas "normais", seja com as que necessitam de algum tratamento diferenciado para sua plena integração ao meio a que pertencem.

7. A percepção da morte e do luto por uma adulta portadora da síndrome de Down

Gabriela Casellato
Elisa Costa Barros Silva

INTRODUÇÃO

A necessidade de realizar a entrevista reproduzida neste capítulo surgiu assim que conheci a história de Elisa. Moça doce, comunicativa, delicada no vestir e curiosa no olhar, Elisa é filha de Vera, que acompanhei em psicoterapia após a perda de sua outra filha, Helena. Aos 26 anos, Elisa nos dá a oportunidade de conhecer sua experiência e sua narrativa acerca da perda da irmã e dos avós num curto intervalo de poucos meses. Uma história de perdas significativas e subsequentes desafiadora para qualquer pessoa, mas como pode ser enfrentada por alguém portador da síndrome de Down (SD)[1]? De que forma a morte e o luto foram experimentados por essa pessoa e como sua rede social lidou com sua forma de enfrentar o processo das perdas? As perguntas cresceram dentro de mim, e dar voz à Elisa tornou-se uma necessidade para quem há anos trabalha com lutos não validados.

---

[1]. A síndrome de Down ou trissomia 21 é uma condição humana geneticamente determinada. Trata-se da alteração cromossômica (cromossomopatia) mais comum em humanos e da principal causa de deficiência intelectual na população. A SD é um modo de estar no mundo que demonstra a diversidade humana. A presença do cromossomo 21 extra na constituição genética determina características físicas específicas e atraso no desenvolvimento. Sabe-se que as pessoas com SD, quando atendidas e estimuladas adequadamente, têm potencial para uma vida saudável e para a plena inclusão social. No Brasil, a cada 600 a 800 nascimentos, nasce uma criança com SD, independentemente de etnia, gênero ou classe social (Brasil, 2013, p. 9).

A vontade de ouvi-la nasceu dos relatos de sua mãe, que atua como sua sólida base suportiva desde o nascimento, tendo como premissa uma comunicação sincera e aberta, uma vez que, em razão da síndrome, ambas precisaram se ajustar a algumas limitações e adaptações decorrentes das especificidades físicas, emocionais e intelectuais daí decorrentes.

Vera foi a primeira a se encantar pela ideia de entrevistarmos Elisa e ter sua narrativa registrada para que outras pessoas pudessem romper com o estigma em torno da pessoa portadora da SD, bem como para fomentar socialmente a ideia do luto como um processo genuíno para todos aqueles cujo vínculo foi rompido, independentemente de suas condições. Dar voz a uma pessoa portadora da síndrome de Down é um caminho necessário para desconstruir qualquer possibilidade de banalização e invalidação social.

Além disso, Vera mostrou-se motivada a escrever sobre sua experiência, focando no desafio de cuidar de Elisa após a morte de sua outra filha, Helena, uma vez que seu luto já era um enorme desafio. Em tal cenário, conversar com Elisa e observá-la nesse período exigia de Vera ainda mais recursos emocionais e cognitivos. E, de alguma forma, esse mesmo desafio tornou-se também ferramenta para lidar com a própria dor. Por essa razão, o próximo capítulo traz o texto produzido por Vera nos dias subsequentes à entrevista.

Vale destacar que todo o processo da entrevista com Elisa percorreu os seguintes cuidados técnicos e éticos:

1. Autorização prévia da própria entrevistada, de sua mãe e tutora e de seu psicólogo.
2. O conteúdo da entrevista foi desenvolvido em parceria com a mãe.
3. Elisa foi informada previamente do conteúdo das perguntas.
4. A entrevista foi realizada na presença de sua mãe, visando tranquilizá-la durante a conversa, uma vez que a entrevistadora era desconhecida para ela e o tema poderia ser mobilizador.

5. Ao fim da entrevista, acompanhamos Elisa durante algumas semanas a fim de avaliar os efeitos do processo de falar sobre seu luto, e não foram observadas reações negativas – ao contrário, algumas semanas depois ela demonstrou pela primeira vez vontade de fazer um desenho sobre a irmã e os avós no céu e quis que a mãe o mostrasse para mim.
6. A transcrição da entrevista foi entregue e autorizada pela mãe antes da publicação do livro.

ENTREVISTA COM ELISA COSTA BARROS SILVA[2]

GC: Oi, Elisa! Sua mãe lhe contou sobre o que vamos conversar? Que vamos falar sobre a história da Helena?
EC: Sim, minha irmã.
GC: O que você achou dessa ideia?
EC: Achei boa!
GC: Que bom! Posso fazer umas perguntas para você?
EC: Pode!
GC: Se você não entender a pergunta, me diz para que eu possa te explicar, ok? Então, me conta como é sua família.
EC: Minha família é grande! Pati, Fausto, André, Fernanda, Peixe, Laura e Luís.
GC: Esta aqui é sua mãe, Vera...
EC: Meu pai se chama Pedro Luís.
GC: Seus pais moram juntos?
EC: Não.
GC: Faz tempo que eles não moram juntos?
EC: Eu era pequena. Eles brigavam muito e eu ficava com medo e ia para o meu quarto.
GC: E agora? Você tem medo?
EC: Não. Agora moro com minha mãe.

---

[2] Legendas: GC – entrevistadora; EC – Elisa Costa; VC – Vera Cabral, mãe de Elisa.

GC: Você tem irmãos?
EC: Eu tenho duas irmãs. A Teresa e a Lúcia. Ah, e a Helena.
GC: Quem é a mais velha?
EC: Eu sou a mais velha.
VC: Mais velha que quem?
EC: Mais velha que a Helena.
VC: E das outras duas?
EC: A Teresa e a Lúcia são mais velhas. E acho que a Teresa é mais velha que a Lúcia. E eu, mais velha que a Helena.
GC: Então me conta a história da Helena.
EC: Ela morreu.
GC: Quando isso aconteceu?
EC: Ela sofreu tanto que ela morreu.
GC: Você sabe o que ela teve?
EC: Não.
GC: Ela ficou doente?
EC: Sim, muito. E grave.
GC: Você se lembra de quando ela estava doente?
EC: Ela não estava comigo. Foi muito chato.
GC: Ela ficou doente em casa?
EC: No hospital. Foi no médico, voltou, foi para o hospital e ficou muito tempo lá. Logo no começo soube que ela estava doente. Minha mamãe me contou.
GC: E você lembra como ficou quando sua irmã estava doente?
EC: Meu avô ficou comigo, minhas irmãs. Eles cuidaram de mim.
GC: Eles cuidaram de você. E você lembra o que sentiu quando soube que ela estava doente?
EC: Eu estava bem. Fiquei um pouco preocupada.
GC: E como era antes da doença? Vocês moravam juntas?
EC: Sim. Ela era minha irmã caçula.
GC: E como ela era? Legal? Chata?
EC: Não. Eu amo muito ela. Eu brigava muito com ela.
GC: Por quê?

EC: Eu não sei. Ela via filmes comigo. *Príncipe do Egito* e outros também. E a gente comia pipoca e pão de queijo. Ela gostava muito de pão de queijo e ia na padaria comprar.
GC: E ela ficava brava?
EC: Às vezes.
GC: E o que a deixava brava?
EC: O papai. Eles brigavam muito. Teresa brigou com ele.
GC: E você briga com seu pai?
EC: Não. Ele mora longe. Em Cunha.
GC: Você o vê pouco?
EC: Ele sumiu.
GC: E você sente falta dele?
EC: Não. Nunca. Um pouco. Eu detesto ele.
VC: Verdade?
GC: Às vezes você fica brava com ele?
EC: Um pouco. Eu sou capricórnio. Capricórnio é bravo mesmo.
[Risos]
GC: Você conhece signos?
EC: Sei tudo!
GC: Você estudou?
EC: Estudo. Eu sei por conta dos *Cavaleiros do Zodíaco*[3]. Eu gosto muito.
GC: Voltando um pouco sobre a história da Helena e de quando ela ficou doente. Você fazia visitas no hospital?
EC: Sim, visitei muito.
GC: E como você sabia que ela estava doente? Que sinais te mostravam que ela estava doente?
EC: Ela tinha 21 anos. Ela sofreu tanto que morreu. Quando ela morreu, fiquei muito triste e comecei a chorar. Chorei muito. Mamãe começou a chorar. Todo mundo chorou.

---

3. Série japonesa de mangá e *anime* de autoria de Masami Kurumada.

GC: Todo mundo ficou muito triste. Quem te contou sobre a morte dela?
EC: Mamãe me contou. Quando meu avô morreu, minha avó morreu e minha bisavó. Morreram todos.
GC: Foram todas mortes num pequeno intervalo, não é?
EC: Sim, e eu gostava muito deles.
GC: E de quem você mais sente saudade hoje?
EC: De todos.
GC: O que acontece quando alguém morre? Você sabe?
EC: Não sei. A gente não vê mais. Se foram. Eles estão nos Campos Elísios, onde os deuses ficam.
VC: E o que acontece lá?
EC: Guerra. *Os Cavaleiros do Zodíaco* explicam tudo.
VC: Quem morre vai para lá, Elisa?
EC: É!
VC: E é ruim nos Campos Elísios?
EC: Não. É o Paraíso.
VC: E tem guerra no Paraíso?
EC: Não tinha. A guerra era no Inferno.
GC: E você já via *Os Cavaleiros do Zodíaco* antes de a Helena ficar doente?
EC: Antes.
GC: Então *Os Cavaleiros do Zodíaco* te ajudou a entender o que estava acontecendo?
EC: Sim!
GC: E, quando você entendeu que ela tinha ido para o Paraíso, como você se sentiu?
EC: Bem. Eu penso nela todos os dias. Nela, no meu avô Pedro, na minha avó Ana! Minha mãe me escolheu e meu bisavô me escolheu.
VC: Ela diz para mim que ele a escolheu porque uma vez eu contei para ela que tive um sonho com meu avô e que ele me falou que ele tinha uma alma pronta para vir para mim. Ela ouviu isso e entendeu que ele a escolheu para mim.

EC: Eu sou muito esperta, não sou? [Risos] Ele escolheu muito bem. E a Helena escolheu o Vicente [filho recém-nascido de sua irmã Lúcia]. Foi ela que escolheu para a Lúcia.
GC: Alguém te falou isso ou foi você que pensou?
EC: A Lúcia sabia.
GC: E você gosta do Vicente?
EC: Adoro muito! Eu gosto muito dele. Ele é muito fofo!
GC: Sua mãe me mostrou uma foto muito linda de você com ele!
EC: Ele está muito gordinho! E bonzinho.
GC: E você gosta de cuidar dele?
EC: Sim, só é ruim quando ele desobedece, não quer ficar no colo e aí eu trago para a Lúcia.
GC: Você é uma boa tia?
EC: Sim, sou.
GC: Você está gostando de ter um sobrinho?
EC: Muito.
GC: Voltando para minhas perguntas sobre a Helena: quando ela estava doente, você achou que ela podia morrer?
EC: Não. Achei estranho. O olho inchado, foi no médico e voltou para casa, e voltou para o hospital e não dava mais para voltar para casa.
GC: E você ainda chora quando pensa nela?
EC: Não, não mais. A tristeza passou.
VC: Verdade?
EC: Não [risos]. Ainda fico triste.
GC: Mas é normal. Você gostava tanto dela e ela faz falta. E, quando você fica triste, o que você faz?
EC: Eu choro um pouco. E mamãe chora um pouco.
GC: E você fica preocupada quando a mamãe chora um pouco?
EC: Eu não sei. Ela precisava chorar.
GC: Sim, não tem problema chorar.
EC: Eu gosto de ver as fotos. Muito.
GC: Tem fotos dela na sua casa?

EC: Sim, de nós. Fotos da Bahia, na Ilhabela. Ela era Branca de Neve. Agora eu sou a Branca de Neve... Olha meus pezinhos!
GC: Parecem os da Cinderela!
VC: Elisa, e você acha que quando a gente foi para a Disney a Helena estava perto da gente?
EC: Acho que sim, A gente foi juntas, lembra?
VC: Sim, uma vez fomos nós três, mas desta vez fomos apenas nós duas. Você sentiu falta dela?
EC: Eu pensei nela, que ela era a Branca de Neve.
GC: E o quarto dela, está igual ao que era antes?
EC: Mudou.
GC: E o que você achou da mudança?
EC: Gostei muito. Eu fico lá com a mamãe.
GC: E tem algum objeto da Helena que você guardou para você?
EC: As fotos. Eu vejo todas as fotos.
GC: Quando você sabe que está triste, sua mãe percebe?
EC: Sim, ela sabe.
GC: E quando ela está triste, você sabe?
EC: Eu não sei. Mas ela me ajuda muito. Todo mundo me ajuda muito! Todos me ajudam muito para não chorar mais. Mamãe me ajuda demais.
VC: E você também me ajuda muito!
GC: E o que você faz quando ela está triste?
EC: Eu durmo com ela, tomamos o café da manhã juntas.
GC: E isso ajuda sua mãe?
EC: Sim!
EC: E minhas amigas também me ajudam.
GC: Quais amigas?
EC: A Júlia, a Marília, a Isa e a outra Júlia. A Paula. São as amigas da Helena. Adoro muito vê-las.
GC: Quem você acha que ficou mais triste com a perda da Helena?
EC: Acho que a mamãe.
VC: E depois da mamãe?

EC: O papai.
VC: E depois do papai?
EC: A Teresa e a Lúcia.
VC: E você?
EC: Depois de todo mundo.
GC: O que você acha que te ajudou a ficar menos triste com a morte da Helena?
EC: Mamãe, papai, Teresa e Lúcia. Ajudaram muito.
GC: *Os Cavaleiros do Zodíaco* também te ajudaram?
EC: Sim.
GC: E outras coisas ajudaram?
EC: *O Rei Artur*. Todos os personagens me ajudaram.
GC: E você conversa com um psicólogo. Ele te ajudou?
EC: Sim.
GC: Você conversa com ele sobre a Helena?
EC: Não. Eu fico nervosa.
GC: Você está nervosa agora falando sobre ela?
EC: Agora não.
GC: Mas estamos conversando sobre ela... Ou você está nervosa, mas não quer falar?
EC: Não sei, Gabriela. Não sei de nada... [Risos]
GC: Você sabe muita coisa!
EC: Eu falei muito!
VC: Mas é bom falar.
EC: Blá, blá, blá, blá... [Risos]
GC: As perguntas te incomodaram?
EC: Não.
GC: Você preferia não falar do assunto?
EC: Preferia não falar, mas não fico triste. Fico na boa.
GC: Quando você pensa na Helena... [me interrompe]
EC: Penso muito!
GC: Quando você pensa, prefere guardar ou é melhor falar para os outros?
EC: Não, para ninguém.

GC: Por que você não conta? Acha que vai ficar triste ou deixar os outros tristes?
EC: Não.
GC: Você gostaria de fazer um desenho sobre a Helena?
EC: Eu não quero desenhar.
GC: Ok, sem problema.
EC: Hoje eu não quero.
GC: Se você quiser fazer depois, pode fazer.
EC: Eu já fiz um desenho dela e está guardado. Mas é surpresa. Eu vou dar para você.
GC: Que legal! Vou adorar. E como você está agora?
EC: Estou bem, só um pouquinho rouca.
GC: E você tem alguma coisa que queira me falar sobre esse assunto? Ou pergunta que queira fazer?
EC: Não.
VC: Elisa, me fala uma coisa. Você acha que, quando morrer, vai encontrar com a Helena lá nos Campos Elísios?
EC: Sim! E você também vai. Todo mundo morre.
GC: E como você descobriu isso? Que todos morrem um dia?
EC: Mamãe me contou agora que a pessoa nasce e morre quando fica velhinha.
GC: E como é pensar nisso?
EC: É ruim.
GC: Você tem medo disso?
EC: Sim, um pouco, às vezes.
GC: Mas você teve muita ajuda quando perdeu sua irmã e seus avós.
EC: Sim, todo mundo me ajudou muito, muito!
GC: E você gosta de passear? Te ajuda também?
EC: Gosto muito! Cinema, sorvete, é isso! Eu faço ginástica. Pilates. Funcional!
GC: Você gosta?
EC: Sim. Faço esteira, bicicleta.
GC: Muita coisa! E sua mãe me falou que você trabalha.

EC: Trabalho muito! Trabalho num restaurante francês. Já faz muito tempo. Vou quatro dias na semana.
VC: E trabalhar te faz bem, filha?
EC: Faz! Acho bom! Arrumo os pratos, os talheres e as garrafas e a mesa fica bonita! E faço em casa também porque sou uma boa dona de casa! Eu sou uma mulher ocupada!
GC: Sabe o que eu acho? Que você merece o pão de queijo que pediu para a mamãe! [Risos]
EC: Eu também acho!
VC: Combinado!
GC: Eu quero muito lhe agradecer por ter vindo. Por ter conversado sobre esse assunto, que é um pouco difícil, e por me ajudar com o livro. Você sabe por que isso é importante?
EC: Por quê?
GC: Porque é importante as pessoas saberem como você passou por esses acontecimentos difíceis da sua vida.
EC: Sim, e eu estou bem.
VC: Você acha que está levando bem a vida mesmo sem a Helena?
EC: Sim. Fácil. Eu tenho você! [Dirige-se à mãe]
GC: Ter sua mãe ajuda, não é?
EC: Muito! Ela me dá abraço, beijos. Ela me ama muito. Tudo isso!
VC: E você? Me ama muito?
EC: Muito! Deste tamanho todo! [Abre os braços]
GC: Então, você contar a sua história vai ajudar outras pessoas. Elas vão pensar: como a Elisa conseguiu? Ah! Então eu posso conseguir também.
EC: Eu quero ajudar muito! Obrigada, Gabriela.

REFERÊNCIAS

BRASIL. *Diretrizes de atenção à pessoa com síndrome de Down*. 1. ed., 1. reimp. Brasília: Ministério da Saúde, 2013. Disponível em: <http://bvsms.saude.gov.br/bvs/publicacoes/diretrizes_atencao_pessoa_sindrome_down.pdf>. Acesso em: 8 mar. 2020.

8. Sobre Elisa

Vera Lúcia Cabral Costa

Sou mãe da Elisa e da Helena. Elisa, a mais velha, tem síndrome de Down. Helena nasceu dois anos e oito meses depois. Quando decidimos ter o segundo filho, pesou muito a ideia de que ele ajudaria a dar certa "normalidade" à nossa vida, balanceando e relativizando percepções, trazendo novas ideias, experiências e ares, desconcentrando nosso foco das eventuais dificuldades que imaginávamos enfrentar com a Elisa.

Elas têm também duas irmãs mais velhas por parte do pai, a Lúcia e a Teresa, que são muito, muito próximas de todos nós. Elas sempre foram quatro irmãs, ainda que a Lúcia e a Teresa fossem bem mais velhas e não morassem conosco.

As duas cresceram juntas e sempre foram muito unidas, apesar de cada uma ter o seu mundo. Fiz a opção de manter Elisa e Helena em escolas diferentes e, nas atividades que faziam em comum, em turmas distintas. Percebi cedo que as grandes habilidades da Helena despertavam certo ciúme na Elisa e, com isso, ela se retraía. Pelo lado da Helena, ela se preocupava em cuidar da irmã e defendê-la, o que trazia uma carga que eu julgava desnecessária e até negativa ao seu dia a dia. Separar as atividades até hoje me parece ter sido uma decisão positiva para a boa relação das duas. Cada uma tinha o seu mundo fora de casa e compartilhava essas experiências. O mais importante é que ambas desenvolveram todo o seu potencial e sempre tiveram uma ótima relação.

Começamos 2017 com a Helena indo para o terceiro ano de Medicina e a Elisa trabalhando, tendo terminado o Ensino Médio, mantendo aulas particulares e indo diariamente à academia. Ambas com a rotina organizada, felizes com o que faziam e com a vida em geral. Tínhamos uma vida muito gostosa, construída intencionalmente por nós três, com base em muita compreensão, amizade, liberdade e amor.

Ainda em janeiro, descobrimos que Helena tinha leucemia. Desmontamos. Mas respiramos, juntamos forças e demos início à quimioterapia. Ela teve de parar a faculdade. Como esperado, não foi nada fácil. Mas conseguimos passar, muito juntas, até que bem por essa etapa.

Elisa entendeu que a doença da irmã era grave. Participou de tudo, desde o início. Imagino que, em termos cognitivos, não compreendesse tudo o que acontecia. Mas conseguia claramente acompanhar o desenrolar das situações e sua gravidade. Seus comentários, observações e comportamentos sempre foram extremamente adequados a cada momento que vivemos. E isso ajudou muito a Helena. Permaneceram companheiras durante todo o processo, ao longo das dificuldades e perdas que sofremos juntas.

No primeiro semestre de 2017, Helena foi internada algumas vezes, nas quais permaneci com ela no hospital. Elisa ficava em casa e, em geral, uma das irmãs mais velhas dormia com ela. Além disso, em casa sempre tinha a Juliana, que trabalha conosco ha muitos anos. Exceto pela nossa ausência, mais notada à noite e logo cedo, a rotina de Elisa era mantida. Ela sempre soube e compreendeu o que estava acontecendo. Fez parte das decisões e compartilhou todos os momentos. Em alguns dias, sobretudo nos fins de semana, ia também dormir no hospital conosco.

Nas primeiras vezes em que precisamos ir ao hospital, eu dizia a Elisa: "Quando você era pequena e ficava doente, eu sempre ficava no hospital com você, lembra?" E ela concordava, sem achar ruim. Elisa teve muitos problemas quando criança. No mínimo uma vez por ano, passávamos em média uma semana no hospital. Isso foi até seus 12 ou 13 anos. Depois, nunca mais.

Mas as reais dificuldades começaram com o transplante de medula, que acabou causando a morte de Helena. Foram complicações após complicações. O transplante aconteceu no dia 3 de julho e ela faleceu no dia 28 de novembro. Cinco meses de sofrimento, piorando a cada dia, sempre no hospital. E eu, morando lá com ela.

Elisa manteve sua intensa rotina de trabalho, aulas e exercícios. A isso, juntou a responsabilidade de ser a dona da casa. Junto com Juliana, cuidava de que tudo estivesse sempre certo. Nessa fase, ia dormir conosco ao menos uma noite em todos os fins de semana. E, durante a semana, ia nos ver uma ou duas vezes.

Teresa e Lúcia se revezavam entre o hospital (Helena e eu) e nossa casa (Elisa). Formou-se uma maravilhosa rede de solidariedade em torno de nós, que incluía toda a família da mãe delas, seus amigos, os amigos da Helena, os meus, meu então namorado, sua família e amigos, minha família e seus amigos, amigos de amigos... Os mais próximos se revezavam para dormir com a Elisa. Toda noite alguém ia jantar e dormir com ela. Nesse tempo todo, eu não cheguei a dormir dez noites em casa.

No meu trabalho, todos foram supercompreensivos e acolhedores. Eu trabalhava do hospital. Fiz inúmeras reuniões no café... Fiz o que pude, mas nas últimas semanas abandonei tudo.

Faltou dizer, porém, que, um pouco antes do transplante, aconteceu algo importante e difícil: minha mãe faleceu. De forma totalmente inesperada, em junho. Elisa era muito apegada a ela. Uma grande perda acumulou-se ao ambiente de incertezas e perdas que ela e todos nós já estávamos vivendo. E, cinco meses depois, em 18 de novembro, dez dias antes da morte da Helena, foi a vez do meu pai. Depois da morte da minha mãe, ele definhou e, do nada, nos deixou.

Fiquei sem chão. Mas Elisa se manteve estável. Sentiu muito. Mais uma perda. Mas seguiu a vida e, do seu jeito, continuou dando conta de tudo e preocupada comigo. Aprendeu a fazer orações e foi incorporando os seus mortos à sua reza de todas as noites. Incorporou à sua lista os familiares mortos dos seus e dos meus amigos mais queridos. Hoje a lista é longa.

Entendo agora que, no meio de todas essas perdas, ela queria que eu ficasse bem. Ela cuidava de mim e das coisas, por mim. E sabia que eu cuidava da Helena. Cuidava da casa e deixava tudo "como eu gosto" para que eu ficasse bem. E para que soubesse que ela estava bem.

Quando voltei para casa, sem Helena, não sabia quanto ela tinha se dado conta de tudo que havia acontecido. Se ela entendia, de verdade, o que queria dizer "morte". Mas e eu? Quanto eu havia me dado conta? A morte é algo muito abstrato quando não está no nosso dia a dia. Isso vale para qualquer pessoa. Eu sabia do sofrimento pelo qual todas passamos. Tinha muito medo do que viria pela frente. Hoje, refletindo, estou certa de que a Elisa também sabia pelo que havíamos passado. Não sei dizer o que pensava, ou se pensava, sobre o futuro. O fato é que, assim como para ela, a concretização da morte da Helena foi gradual para mim. Então, qual é a diferença?

Hoje estou certa de que a compreensão dela sobre o que aconteceu com a irmã, com os avós e com a nossa vida é total.

Como ela passou por isso? Tudo que ela fazia era para cuidar de mim. Para me fazer ficar melhor. Na minha frente, Elisa raramente chorou. Apenas quando eu chorava ela também o fazia. Manteve a sua rotina, e eu, a minha. Mudei de trabalho e aceitei um enorme desafio profissional. Ela me apoiou, ficou empolgada com o meu sucesso. No começo, eu recorrentemente chegava em casa bem tarde da noite. Ela ou jantava antes, sozinha, ou aquecia o jantar e me esperava com a comida já servida, na mesa. E sempre falamos bastante sobre a Helena e sobre meus pais. Sobre saudade, situações alegres, sobre o que gostavam e não gostavam, sobre como reagiriam em determinadas situações: ficariam felizes, orgulhosos, bravos...

Sei que sempre representei e continuo representando a segurança dela. Sempre fui sincera e disse-lhe o que acontecia. Nunca a tratei como incapaz. Nunca a menosprezei. Sempre a tratei como parceira, capaz de entender, do jeito dela, tudo que se passava. Talvez por isso ela tenha tido confiança e assumido que, quando era criança, eu cuidava dela sempre que doente; depois, cuidei da Helena; e, agora, ela passou a cuidar de mim.

Enfim, sempre pensei na Elisa como alguém de quem eu cuidaria, por quem eu seria responsável por toda a minha vida. No início, isso era quase um peso. Hoje, vejo tudo diferente. Sim, ela cresceu. Não sei quem cuida mais de quem... se eu dela ou ela de mim. No mínimo, isso é muito equilibrado. Tenho uma linda mulher ao meu lado. Uma parceira. Que precisa de mim tanto quanto eu preciso dela.

LUTOS
DO ESTAR

9. Luto dos imigrantes

Aparecida Nazaré de Paula Jacobucci
Paula Abaurre Leverone de Carvalho

> "Eu tenho medo de que chegue a hora
> Em que eu precise entrar no avião
> Eu tenho medo de abrir a porta
> Que dá pro sertão da minha solidão."
> (Belchior)

Neste capítulo, buscaremos contextualizar as perdas e o luto que o indivíduo vivencia num processo de migração. Inicialmente, apresentaremos os conceitos que permeiam o tema, a fim de dispor elementos para sua compreensão. Em seguida, a abordagem se dará em torno da explanação e da compreensão de aspectos relevantes nesse processo.

O PROCESSO DE MIGRAÇÃO

Segundo Oliveira *et al.* (2017), os fluxos migratórios fazem parte da história da humanidade, pois as conquistas, a dominação de povos, a colonização de novas terras e o desejo de desbravar outras culturas estimulam a movimentação das pessoas. Nesse sentido, todos os dias, milhares de pessoas ao redor do mundo tomam a difícil decisão de deixar seu país, seus familiares e amigos para buscar segurança e/ou melhores condições de vida. No entanto, há certa confusão e debate sobre os termos que utilizamos para descrever a situação daqueles em movimento. Apresentaremos as diferenças distintas entre refugiados, requerentes de asilo e migrantes.

De acordo com a Convenção Relativa ao Estatuto dos Refugiados (1951), elaborada pela Organização das Nações Unidas (ONU), refugiado é qualquer pessoa que esteja fora do seu país de nacionalidade ou residência habitual; tem um medo devidamente fundamentado de ser perseguido devido à sua raça, religião, nacionalidade, adesão a determinado grupo ou opinião política; não quer ou é incapaz de utilizar a proteção desse país, ou de voltar para lá, por medo de perseguição (Bulik e Colucci, 2019).

Atualmente, segundo a ONU, mais de 70 milhões de pessoas em todo o mundo foram forçadas a abandonar seu local de nascimento. Entre elas estão quase 25,9 milhões de refugiados, mais da metade dos quais têm menos de 18 anos: a maior crise de migrantes forçados desde a Segunda Guerra Mundial.

O requerente de asilo é aquele que está em busca de proteção no exterior, mas ainda não foi reconhecido como refugiado. De acordo com a Anistia Internacional (2017), a procura por asilo é um direito humano, o que significa que todos devem ser autorizados a entrar em outro país em busca de asilo. O processo deve ser justo e eficaz, dando às pessoas, quando necessário, acesso à Agência da ONU para Refugiados (Acnur). Qualquer indivíduo que chega a outro país deve ser tratado de forma justa e digna. O princípio jurídico de não repulsão significa que ninguém deve ser forçado a regressar a um país onde sua vida ou bem-estar possa estar em risco.

O migrante é aquele que toma a decisão consciente de deixar sua casa e se mudar para um país estrangeiro com a intenção de lá se estabelecer. Ele se desloca de um país para outro, muitas vezes para encontrar trabalho. Também pode haver outras razões, como se juntar a familiares ou escapar de desastres naturais. Inúmeras pessoas decidem migrar para ampliar seus horizontes e, por vezes, mergulhar num profundo processo de autoconhecimento e reconhecimento de sua vida estagnada. Os migrantes costumam passar por um longo processo de verificação documental para morar em um novo país. Muitos se tornam residentes permanentes legais e, eventualmente, cidadãos. Nesse sentido, há uma diferença crucial entre um migrante e um refugiado: a livre circulação, pois um migrante é livre para voltar para casa sempre que quiser (Anistia Internacional, 2017).

Com efeito, não importa qual seja a condição do sujeito: todos são protegidos pelo direito internacional, independentemente de como e por que chegam a determinado país. Eles têm os mesmos direitos que todos os outros seres humanos, além de proteções especiais, inclusive:

- A Declaração Universal dos Direitos Humanos (artigo 14), que afirma que todos que sofram perseguição têm o direito de procurar asilo em outros países e dele se beneficiar.
- A Convenção Relativa ao Estatuto dos Refugiados (1951), da ONU, que protege refugiados de ser devolvidos para países onde correm o risco de ser perseguidos.
- A Convenção Internacional sobre a Proteção dos Direitos de Todos os Trabalhadores Migrantes e dos Membros das suas Famílias (1990), que protege os migrantes e suas famílias.

Contudo, tanto os refugiados quanto os indivíduos que escolheram migrar experienciam, em graus diferentes, os sentimentos vivenciados num processo de luto, pois há várias rupturas e perdas ao longo do processo migratório (Jacobucci, 2017). Ao contextualizar o processo de luto na conjuntura migratória, gostaríamos de provocar uma reflexão das perdas cotidianas, reais e simbólicas, às quais todos os sujeitos estão suscetíveis no dia a dia em terras estrangeiras. Afinal, como disse Freud em *Luto e melancolia* (1996, p. 275), "o luto, de modo geral, é a reação à perda de um ente querido, à perda de alguma abstração que corresponde à perda de um ser querido, como o país, a liberdade ou o ideal de alguém".

MIGRAÇÃO: AS PERDAS E O LUTO

Migrar é uma experiência que impacta e traz mudanças significativas em todas as áreas da vida de um sujeito (Achotegui, 2014).

Migramos, de forma geral, em busca de melhores condições de vida, carregados de sonhos, planos e expectativas, mas deparamos, inevitavelmente, nesse percurso, com dificuldades, esforços e tensões (Sayed-Ahmad, 2010), além de separações e perdas significativas que implicarão um processo de luto bem específico, chamado de "luto migratório". Esse conceito, ainda pouco conhecido e difundido em nossa sociedade, faz parte dos lutos não reconhecidos, nos quais a validação das emoções e o espaço para a expressão são restritos, e o contexto para a elaboração do luto se vê, assim, limitado.

O luto migratório é entendido por Tizón *et al.* (1993) como um caso especial de luto, uma vez que o migrante precisa enfrentar e reagir de imediato a um contexto completamente novo, sem os referenciais habituais e sem tempo nem espaço para elaborar as perdas. Felipe Pacheco (2017) descreve em seu texto as tarefas de um migrante: é preciso aprender a andar na cidade, acostumar-se com a cultura e os costumes locais, com o clima, a lidar com a distância da família e a dor de ficar ausente. Afinal, o indivíduo se vê obrigado a acompanhar de longe os aniversários, as formaturas, os almoços de domingo, as festas, as doenças, o crescimento das crianças – eventos nos quais sempre estava presente. Segundo Martín (2010), exige-se dos imigrantes que se adaptem rapidamente a toda uma nova cultura, estilo de vida, idioma, clima etc., enquanto enfrentam uma multiplicidade de perdas e separações.

Além da falta de espaço para a vivência do luto, as perdas experimentadas nesse contexto têm um caráter ambíguo, visto que os objetos perdidos continuam existindo no lugar de origem e se fazem presentes psicologicamente na vida do imigrante, apesar da ausência física (Boss, 2019; Falicov, 2002; Achotegui, 2014). Quando falamos de objetos perdidos, referimo-nos a qualquer vínculo significativo que a pessoa tenha estabelecido em seu país de origem, seja com outras pessoas, seja com comidas, paisagens, costumes ou tudo que for significativo para aquele sujeito. Essa observação é validada pela fala de G. A., que reside na cidade de Lisboa há um ano e seis meses[1]:

> É um processo doloroso que ainda tento gerir com terapia, mas mesmo depois de um ano e meio é muito ruim se ver longe das pessoas que você ama e das coisas que gosta de fazer. Acredito que a diferença no acolhimento das pessoas aqui também dificulta para nós, pois não somos acostumados a esta frieza.

O imigrante sente, então, um misto de emoções por viver entre presença e ausência, entre a perda e a restituição (Falicov, 2002). As perdas ambíguas também geram sentimentos ambivalentes e fazem que o sujeito oscile constantemente entre tristeza e alegria, frustração e esperança, além de sentir afeto e ao mesmo tempo desamparo em relação aos países de origem e de acolhida (Leverone, 2019). É como se vivesse entre o amor e a raiva por esses dois países.

Tais perdas e sentimentos próprios da experiência migratória foram explorados por Achotegui (2014) em seu extenso trabalho com a população imigrante, no qual identificou os "sete lutos da migração", enfrentados por esses indivíduos e listados a seguir: 1) o luto pela separação dos familiares e de outros entes queridos; 2) o luto pela língua materna; 3) pela cultura; 4) pela terra; 5) pelo *status* social; 6) pelo contato com o grupo de pertencimento; 7) o luto pelos riscos à integridade do sujeito vividos em trajetos perigosos e experiências difíceis pelas quais passa grande parte dos imigrantes. Tizón *et al.* (1993) complementam que se perdem também o conhecido, o amado, a terra e seus lugares, seu clima, seus odores e suas atividades cotidianas.

Refletindo sobre a lista descrita, ao decidir embarcar num ônibus, trem, avião e/ou navio, o sujeito rompe com dois dos vínculos

---

1. Todas as falas usadas para exemplificar o conteúdo foram ditas no *workshop* "O processo de luto na imigração", ministrado na cidade de Londres em 1º de fevereiro de 2020, na Casa do Brasil.

mais importantes de nossa vida: o vínculo familiar e o de pertencimento. De acordo com Métreaux (2011), o pertencimento contribui para precisar a definição de comunidade, constituída então por indivíduos que reconhecem ter um ou vários pertencimentos comuns, ou seja, um ou vários sentidos compartilhados. Comunidade que não se reduz a uma reunião de indivíduos, não se resume à soma das suas partes, mas surge como fruto de uma criação coletiva: criação comum de uma identidade, de um mito, de um projeto, de uma história, de um destino, de uma essência.

Essa multiplicidade de perdas, o tempo e o espaço restritos para a elaboração, o caráter ambíguo dessas perdas, além da expressão dos sentimentos limitada muitas vezes pela questão do idioma e pela falta de rede de apoio, podem ser desafiadores para a elaboração do luto do imigrante. É possível afirmar que tal luto tende a ser reativado constantemente diante das dificuldades enfrentadas e corre o risco de permanecer estagnado devido às características mencionadas anteriormente.

Nesse sentido, em diversas situações os indivíduos que escolheram migrar não se sentem autorizados a expressar os sentimentos vivenciados nesse processo. Há um constrangimento em assumir que estão tristes perante a família e os amigos, pois se sentem responsáveis pela escolha que fizeram. Essa observação é validada pela fala de O. D., imigrante brasileira que reside na cidade de Lisboa há dois anos: "É uma 'vergonhazinha' de estar chateada ou triste por ter migrado sendo que a decisão foi minha".

Essa dificuldade de expressar os sentimentos e de não os ter validados também é relatada por outras imigrantes. C. S., residente na cidade de Lisboa há 13 anos, relata:

> Eu digo muitas vezes que eu era feliz e não sabia. Sinto que morri em vida; lamentável, mas é verdade. Não desabafo com ninguém do Brasil e tento transparecer estar bem e feliz mesmo que esteja dilacerada por dentro. Medo de ser criticada ou mesmo por vergonha, pois eu vim porque quis. Perdi a alegria, a espontaneidade que tinha.

T. S., residente na cidade de Londres há 29 anos, compartilha do sentimento de que não seria compreendida ao revelar sua angústia diante das dificuldades no processo imigratório:

> Não tive espaço para vivenciar o meu luto quando imigrei. A luta era para sobreviver num país do qual nem a língua eu falava. Foi uma experiência incrivelmente dolorida e vivenciada na solidão interna e na minha premissa de que ninguém me entenderia.

Pesquisa realizada com imigrantes brasileiros na Espanha explorou alguns desses fatores que dificultam as experiências migratórias, categorizados como "fatores de vulnerabilidade para a migração". São eles: a falta de escolhas, a baixa integração com a população autóctone, a vivência de discriminação, a desigualdade e a violência de gênero experienciada por algumas mulheres, o *status* de imigrante, a falta de oportunidades laborais para estrangeiros, a dificuldade de comunicação em outro idioma e o rompimento das expectativas construídas em relação ao projeto migratório (Leverone, 2019). Esses fatores, tidos como negativos, podem dificultar o processo de elaboração do luto do imigrante.

Por outro lado, foram identificados também os aspectos positivos, que representam fortalezas nesse processo, como: a vivência de experiências anteriores de migração, o acolhimento pela sociedade receptora, as redes de apoio tanto no país de origem quanto no novo país, o êxito no projeto migratório, o reconhecimento de aspectos positivos no país de acolhida, a existência de uma perspectiva de futuro, a espiritualidade e a fé, a estabilidade financeira e laboral e o domínio do idioma local (Leverone, 2019).

A relação entre esses fatores exerce impacto direto na forma como o imigrante significa sua experiência migratória e, consequentemente, na elaboração das perdas e dos lutos inerentes a essa vivência. Quanto mais fortalezas e benefícios encontrados na migração e menos vulnerabilidades, menos dificultoso o processo de elaboração.

Calvo (2005) também elucida que, em contextos favoráveis, as conquistas equilibram a nostalgia e ajudam no processo reestruturante – a pessoa se sente dona de sua liberdade e capaz de controlar seu destino –, mas, quando as incertezas e inseguranças são expressivas, a nostalgia debilita o projeto de se estabelecer nesse novo lugar. Nesses casos, o desejo de voltar ao país de origem predomina, embora permeado de frustração e vergonha pelo fracasso do projeto migratório. É importante ressaltar que o retorno ao país de origem também exigirá do imigrante que regressa o enfrentamento de um novo processo de luto por tudo que foi construído no país de acolhida e será, então, deixado para trás.

Existe, portanto, uma ligação estreita entre o projeto migratório, o grau de consecução dos objetivos, o apoio social, a elaboração do luto e o processo de adaptação. Quanto maiores a consecução dos objetivos e o êxito no projeto migratório, melhores a elaboração do luto e a adaptação à nova situação (Sayed-Ahmad, 2010). Entretanto, os vínculos construídos durante as primeiras etapas da vida, os quais estruturam a personalidade do sujeito, são amplamente afetados pela mudança de país e precisam de uma reelaboração que consiste, por um lado, em mantê-los dentro da nova realidade, já que fazem parte da sua identidade, e, por outro, em construir novas relações e vínculos no país de acolhida (Martín, 2010).

Sayed-Ahmad (2010) pontua que para alcançar tal elaboração são necessárias capacidades pessoais de enfrentamento e resolução de conflito, além de um entorno favorável de apoio e solidariedade. É uma via de mão dupla, em que imigrante e sociedade receptora precisam ser igualmente ativos para viabilizar essa elaboração e alcançar uma integração e inclusão social. O luto migratório elaborado, na visão do autor, consistiria então em assimilar o novo contexto e reorganizar o que foi deixado para trás, resultando numa melhor autoestima, estabilidade emocional e saúde mental e física do sujeito.

No luto normal, o significado atribuído pelo imigrante às suas vivências passará por uma transformação ao longo do processo, levando a um momento de reconhecimento dos ganhos, de sensação de força, crescimento e maturidade, com importante aprendizagem e desenvolvimento pessoal. Jacobucci (2017), que já experienciou ser imigrante em seis países distintos ao longo de 22 anos, revela que nenhuma experiência migratória é simples. O sujeito precisa recomeçar, reaprender e ressignificar cotidianamente.

Leverone (2019), igualmente pautada em suas experiências pessoais de migração dentro e fora do país, ressalta que cada lugar, cada migração, o momento do ciclo vital em que a pessoa se encontra e sua história anterior trazem desafios próprios a ser enfrentados por quem migra, e observa que todas as mudanças, desde as mais curtas, como mudar de cidade no próprio país, até as mais longas, como deixar seu país e mergulhar em uma nova cultura, com um novo idioma, trouxeram importantes impactos em sua vida e perdas inevitáveis, mas também muitos ganhos, transformações, novos conhecimentos e aprendizados.

Para assimilar as perdas, o imigrante precisa enfrentar seus lutos e ressignificar o vínculo com cada um dos dois lugares que fazem parte de sua história e identidade no momento. A elaboração dessas perdas é fundamental para o desenvolvimento do projeto migratório, para a qualidade de vida no novo país e para a adaptação e interação entre população migrante e autóctone.

Quanto à elaboração do luto num processo migratório, segundo Pereira e Gil Filho (2014), pode variar de simples a complicada e extrema. A elaboração simples se dá em boas condições, e o luto pode ser elaborado no país de destino; o luto complicado apresenta sérias dificuldades, mas o indivíduo consegue elaborá-lo com ajuda. Já no luto extremo, o indivíduo não consegue elaborá-lo, pois ele ultrapassa as condições de adaptação do sujeito.

Com efeito, aqueles que ficam no país de origem também enfrentarão o luto pela partida de um ente querido. Da mesma forma, a população local do país receptor sofre um impacto cultural com a chegada de pessoas com costumes, idiomas e formas de se relacionar diferentes dos seus.

O processo de luto migratório não é exclusivo, portanto, daquele que migra – e, assim como outros tipos de luto, contém dificuldades, dor e sofrimentos para todos os envolvidos, mas ao elaborar-se proporciona um crescimento e mudanças importantes que transformam a vida dessas pessoas e trazem ganhos tanto para o imigrante quanto para as sociedades emissoras e receptoras, que colhem os frutos das miscigenação e da interculturalidade (Leverone, 2019).

CONSIDERAÇÕES FINAIS

Somos aptos, como espécie, aos processos migratórios e conseguimos nos adaptar aos lugares mais inóspitos do planeta, desenvolvendo recursos e ferramentas de sobrevivência que contribuíram para nossa evolução. Temos também na bagagem humana recursos de enfrentamento de perdas e lutos, inerentes à vida. Entretanto, estar apto como espécie não significa estar isento dos impactos desses fenômenos em nossa vida, seja como indivíduo, seja como sociedade.

Sem dúvida, vivenciar um processo migratório é algo que nos muda para sempre. Temos a rara oportunidade de compreender o verdadeiro significado da palavra "tolerância". Aprendemos a tolerar o diferente, aquilo que nos parece estranho. Temos também a rara oportunidade de ser mais flexíveis para as imprevisibilidades da vida, tornando-nos, assim, mais competentes (Jacobucci, 2017).

O luto migratório tem especificidades que exigem um olhar cuidadoso por parte não só dos profissionais que atuam com a população migrante, mas também das sociedades emissoras e receptoras em geral, também impactadas pelo fenômeno da migração. Tal enfoque visa prevenir complicações causadas por abordagem inadequada e intervenções equívocas com imigrantes, além do risco de exclusão, racismo e xenofobia causados pela falta de conhecimento. Fazem-se necessários um maior preparo profissional, a fim de promover a competência intercultural desde a formação acadêmica, e o desenvolvimento de projetos sociais que visem à integração e à inclusão entre populações imigrante e autóctone, além da exploração e difusão cada vez maiores do conhecimento, ainda incipiente, sobre o luto daqueles que migram (Leverone, 2019).

REFERÊNCIAS

ALTO COMISSARIADO DAS NAÇÕES UNIDAS PARA REFUGIADOS. *A Convenção de 1951 e o seu protocolo de 1967 relativo ao estatuto dos refugiados* [on-line]. Genebra: CH ACNUR, 2011. Disponível em: <http://www.unhcr.org/4ec262df9.html/>. Acesso em: 28 nov. 2019.

ANISTIA INTERNACIONAL. *Quem são as pessoas refugiadas, migrantes e requerentes de asilo?* [on-line]. Política Internacional, set. 2017. Disponível em: <https://anistia.org.br/noticias/quem-sao-pessoas-refugiadas-migrantes-e-requerentes-de-asilo/>. Acesso em: 28 nov. 2019.

ACHOTEGUI, J. *12 características específicas del estrés y el duelo migratorio: conceptos básicos e implicaciones clínicas psicosociales y asistenciales*. Barcelona: Ediciones El Mundo de la Mente, 2014.

BULIK, K. J. D.; COLUCCI, E. "Refugees, resettlement experiences and mental health: a systematic review of case studies". *Jornal Brasileiro de Psiquiatria*, v. 68, n. 2, Rio de Janeiro, jun. 2019, p. 121-32. Disponível em: <http://www.scielo.br/scielo.php?script=sci_arttext&pid=S0047-20852019000200121&lng=en&nrm=iso>. Acesso em: 28 nov. 2019.

CALVO, V. G. "El duelo migratorio". *Revista del Departamento de Trabajo Social*, n. 7, Facultad de Ciencias Humanas, Universidad Nacional de Colombia, 2005, p. 77-97. Disponível em: <https://revistas.unal.edu.co/index.php/tsocial/article/view/8477/9121>. Acesso em: 10 dez. 2019.

FALICOV, C. J. "Ambiguous loss: risk and resilience in Latino immigrant families". In: SUAREZ-OROZCO, M.; PAEZ, M. (eds.). *Latinos: remaking America*. Califórnia: University of California Press, 2002, p. 274-88. Disponível em: <https://www.researchgate.net/publication/260365261_AMBIGUOUS_LOSS_RISK_AND_RESILIENCE_IN_LATINO_IMMIGRANT_FAMILIES/link/0f317530e698ed93b2000000/download>. Acesso em: 10 dez. 2019.

FREUD, S. "Luto e melancolia". In: FREUD, S. *A história do movimento psicanalítico, artigos sobre a metapsicologia e outros trabalhos (1914-1916)*. Edição

Standard Brasileira das Obras Psicológicas Completas de Sigmund Freud. v. XIV. Rio de Janeiro: Imago, 1996.

JACOBUCCI, A. N. P. *Luto e perdas num processo de imigração: um constante ressignificar*. Portal Perdas e Luto: Educação para a Morte, as Perdas e o Luto [on-line], jun. 2017. Disponível em: <https://perdaseluto.com/2017/06/21/luto-e-perdas-num-processo-de-imigracao-um-constante-ressignificar/>. Acesso em: 22 out. 2019.

LEVERONE, P. A. *O luto migratório: uma análise dos significados construídos por imigrantes brasileiros em Sevilha*. Dissertação (Mestrado em Migraciones internacionales, salud y bienestar: modelos y estrategias de intervención) – Faculdade de Psicologia. Universidad de Sevilla, Sevilha, Espanha, 2019.

MARTÍN, M. *Ganar perdiendo – Los procesos de duelo y las experiencias de pérdida: muerte, divorcio, migración*. Colección Crecimiento Personal, Serendipity, Desclée de Brouwer, 2010.

MÉTREAUX, J. C. *Lutos coletivos e criação social*. Trad. Eduardo Nadalin. Curitiba: Ed. UFPR, 2011.

OLIVEIRA, E. N. et al. "Qualidade de vida de imigrantes brasileiras vivendo em Portugal". *Saúde em Debate* [on-line], v. 41, n. 114, jul./set. 2017, p. 824-35. Disponível em: <https://doi.org/10.1590/0103-1104201711412>. Acesso em: 29 nov. 2019.

PACHECO, F. "Saí do Brasil. E morri". 7 jan. 2017. Disponível em: <http://felipe-pacheco.blogspot.co.uk/2017/01/sai-do-brasil-e-morri.html>. Acesso em: 23 jul. 2020.

PARKES, C. M. *Luto: estudos sobre a perda na vida adulta*. São Paulo: Summus, 1998.

PEREIRA, R. M. C.; GIL FILHO, F. "Uma leitura da mundanidade do luto de imigrantes, refugiados e apátridas". *GeoTextos*, v. 10, n. 2, dez. 2014, p. 191-214. Disponível em: <https://portalseer.ufba.br/index.php/geotextos/article/view/10116/8810>. Acesso em: 17 dez. 2019.

SAYED-AHMAD, N. B. "Aspectos psicológicos y socioculturales de la integración intercultural y el duelo migratorio". In: OLMOS, F. C.; OLMOS, J. C. C.; GARRIDO, A. A. (coords.). *Las migraciones en el mundo: desafíos y esperanzas*, cap. X, 2010, p. 273-94. Disponível em: <https://dialnet.unirioja.es/servlet/articulo?codigo=3634665>. Acesso em: 17 dez. 2019.

TIZÓN, G. et al. *Migraciones y salud mental: un análisis psicopatológico tomando como punto de partida la inmigración asalariada a Catalunya*. Barcelona: Promociones y Publicaciones Universitarias, 1993.

10. A vida por um fio: luto no adoecimento pelo câncer

Elisa Maria Perina
Alessandra Oliveira Ciccone

> "A doença é a possibilidade da perda. A seu toque tudo fica fluido, evanescente, efêmero. Os sentidos, atingidos pela possibilidade da perda, acordam da sua letargia. Os objetos banais, ignorados, ficam repentinamente luminosos. Todos ganham a beleza iridescente das bolhas de sabão."
> (ALVES, 2000, p. 81-83)

ENTRE A ANTIGUIDADE E o início do século XX, o câncer era descrito como destruidor, incurável. Havia poucos recursos terapêuticos, e o paciente morria com grande sofrimento físico e psíquico. A doença era vista como maldição e castigo e não podia ser nomeada. Hoje, tanto pacientes e familiares quanto profissionais de saúde ainda têm dificuldade de proferir a palavra "câncer". Para muitos, o diagnóstico é vivenciado como sentença de morte (Perina, 2012; Valle e Ramalho, 2008).

Com o desenvolvimento técnico-científico e o incremento de novas modalidades terapêuticas – como cirurgia, quimioterapia, radioterapia, biologia molecular, genética e terapia-alvo, entre outras –, houve um aumento significativo nos índices de cura ou na sobrevida dos pacientes com câncer. A inserção de equipes multidisciplinares e multiprofissionais incrementou as ações voltadas para a integralidade e a qualidade do cuidado, o que contribuiu para uma maior adesão e participação no processo de tratamento e cura, bem como para a qualidade de vida dos pacientes e de sua família. Está claro que é preciso realizar um trabalho de desmistificação e conscientização da importância das medidas preventivas, do diagnóstico precoce e de que o câncer pode ter cura (Andrea, 2008).

Infelizmente, muitas vezes, os pacientes demoram a chegar a centros de referência de tratamento, e a doença progride para estágios avançados sem possibilidade de cura. Nesse momento, essas pessoas permanecem em cuidados paliativos com medidas de alívio à dor e ao sofrimento. Em todas as etapas da doença e do tratamento, ocorrem perdas significativas diante das quais os pacientes têm de encontrar recursos para aceitar as limitações impostas pelo adoecimento e encontrar novas possibilidades de redimensionar o viver (Santos e Custódio, 2017; Perina, 2012).

O câncer consiste em um conjunto de doenças associadas ao crescimento anormal e desordenado de células, que podem invadir tecidos e órgãos, formando tumores. Nos últimos cinco anos, mais de 43 milhões de pessoas foram acometidas por algum tipo de câncer. Em 2018, houve 18,1 milhões de novos casos, sendo essa a segunda maior causa de morte no mundo (9,6 milhões de óbitos). No Brasil, nesse mesmo ano, foram registrados 582.590 novos casos e 243 mil mortes. Organizações especializadas estimam que tais números estão aumentando e, se nenhum projeto de intervenção e prevenção for feito, a previsão é de que surjam 29,4 milhões de novos casos em 2040 no planeta, representando um aumento de 63%. Somado a isso, a previsão é de que a mortalidade passará para 16,3 milhões ao ano. No Brasil, essa previsão para daqui a 20 anos é de 998 mil novos casos, um incremento de mais de 75% (Instituto Oncoguia, 2018; Organização Pan-Americana da Saúde e Organização Mundial da Saúde, 2018; Instituto Nacional do Câncer, 2019). Registros de base populacional e de mortalidade do Instituto Nacional do Câncer (Inca) mostram que, em 2016, a ocorrência anual foi de 12.600 casos novos de câncer em crianças e adolescentes até os 19 anos (Instituto Nacional do Câncer, 2016).

Diante desses dados, apesar do avanço nas últimas décadas, percebe-se que o câncer ainda carrega alto índice de incidência, prevalência e mortalidade. Além disso, a falta de acurácia científica no esclarecimento de suas causas e de uma cura efetiva e definitiva faz que o indivíduo diagnosticado seja inserido num lugar incerto, imprevisível e incontrolável. Não por acaso, portanto, o câncer traz consigo grande estigma. Tal conotação negativa é também ampliada para o tratamento, dado o fato de a terapêutica ser em muitos casos drástica, danosa, geradora de efeitos colaterais desagradáveis, debilitantes e dolorosos. Por essas razões, a detecção dessa doença é gatilho para uma crise cognitiva e emocional tremendamente difícil, mesmo quando há perspectiva de bom prognóstico e de cura (Dóro *et al.*, 2004; Veit e Carvalho, 2008; Ferreira *et al.*, 2016).

Doka e Davidson (2014) afirmam que o processo de adoecimento é vivido em etapas: pré-diagnóstico, fase aguda, fase crônica, recuperação (cura) e/ou fase terminal, existindo em cada uma delas tarefas variadas e diversos tipos de perda. O pré-diagnóstico é a experiência da angústia do não saber, da falta de controle e da perda da estabilidade. Pensamentos negativos incontroláveis, agitação e ansiedade intensos são inevitáveis (Bury, 1982; Baum e Posluszny, 2001; Hughes *et al.*, 2009; Pillai-Friedman e Ashline, 2014; Wu *et al.*, 2018; Ferreira *et al.*, 2016; Anuk *et al.*, 2019; Nathoo e Ellis, 2019; Gabay, 2019).

A partir do diagnóstico (fase aguda), exige-se que o paciente cumpra uma série de desafios – por exemplo, enquanto tenta tomar decisões sérias sobre o tratamento, precisa lidar com o estresse emocional intenso. Tais desafios geram desamparo, vulnerabilidade, retração social, conflitos familiares e problemas econômicos. O paciente se vê mergulhado em impotência avassaladora, pois vivencia uma situação que é desconhecida, incerta e imprevisível. Diante disso, ele é levado a renunciar a papéis, *status* e funções prévios para redefinir uma nova identidade que estará constantemente em movimento de reestruturação ao longo do adoecimento (Aujoulat, Luminet e Deccache, 2007; Gabay, 2019).

Segundo Van Gennep (*apud* Gabay, 2019), as transformações na busca de uma nova identidade colocam o indivíduo num lugar de "liminaridade", definida como a qualidade de ambiguidade ou desorientação que ocorre no estado de um rito de passagem, em que o participante não mantém seu *status* pré-ritual, mas também não iniciou sua transição para a fase em que o rito está completo. Para Doka e colaboradores (2006; 2014; 2016), trata-se de um período de vivência do luto, que é um processo cognitivo, físico, emocional, comportamental e espiritual de reação a qualquer tipo de perda daquilo a que se tem apego.

A fase crônica vem com a extensão do tempo da doença, em que ainda há como objetivo o tratamento médico em busca da cura ou controle e do prolongamento da vida. Devido ao avanço da tecnologia, o câncer passou a ser considerado uma doença crônica, o que significa que há um número cada vez maior de pessoas que sofrem as consequências de viver com ele. É um momento difícil para pacientes e familiares, já que as pessoas que estavam próximas na fase aguda tendem a se voltar para a própria vida. O portador da doença precisa lidar com os sintomas da patologia, com a queda na qualidade de vida, com os efeitos colaterais dos tratamentos estendidos, com as demandas do cotidiano e com impactos emocionais e psicológicos variados e intensos. Tudo isso pode provocar depressão, ansiedade, sentimento de abandono, isolamento, tristeza, medo da recorrência e mudança de imagem. Frequentemente, os planos ficam em função da doença e do tratamento. Há também um declínio na saúde, e os novos movimentos podem criar questões problemáticas – por exemplo, quando o paciente vive uma incapacidade significativa e os membros da família precisam assumir tarefas de cuidados e substituí-lo nas funções –, o que mobiliza sentimentos de desvalia e de estar atrapalhando por sobrecarregar os cuidadores (Bury, 1982; Doka, 2016; Burney, 2019).

A cura e a designação de "sobrevivente de câncer", na fase de recuperação, levam o paciente a um movimento de apreciação da vida, reorganização das prioridades, percepção e reflexão sobre as mudanças que a doença trouxe. No entanto, nem sempre esses movimentos são positivos ou bem elaborados. A volta à vida traz inseguranças e medos; o ritmo para as tarefas e necessidades anteriores já não é mais o mesmo; o novo corpo, que sofreu diversas mudanças, exige um tempo de adaptação nem sempre factível. As demandas são cada vez maiores e nem sempre as pessoas sentem-se capazes de cumprir com todas as responsabilidades, apresentando reações depressivas, crises de ansiedade e medo de não conseguir ser o que outrora foram. Passam a ser comuns frases como: "Já não sou mais quem eu era", "Já não consigo fazer mais o trabalho com a mesma destreza e habilidade de antes", "Sinto-me mais lento e cansado".

O processo de elaboração dos lutos e de resgate da vida plena é singular, podendo ser breve ou demorado. É preciso dar condições para que o trabalho de ressignificação aconteça ao longo da trajetória de cada um. Somado a isso, apesar da cura, existe ainda a possibilidade de recidiva ou metástase da doença, o que gera uma luta constante contra a ansiedade e a preocupação (Doka, 2016). Dessa forma, ao contrário do que os familiares e profissionais acreditam, estar curado pode provocar desamparo, perda de controle, pesar e luto. De acordo com Glaser, Knowlers e Damaskos (2019), o sentimento de culpa é por vezes comum nos sobreviventes do câncer, assim como os sentimentos de angústia e perda, pelo fato de se identificarem com os demais doentes que não tiveram ou não terão a possibilidade de chegar a essa etapa.

Na terminalidade, o objetivo do tratamento muda, pois visa garantir dignidade, conforto, alívio da dor e qualidade de morte por meio do manejo adequado dos sintomas físicos, psicossociais e espirituais no final de vida. Trata-se, assim, da fase de maior reconhecimento social dos lutos, pois o sujeito lida com a morte concreta. A notícia da impossibilidade de cura causa um sofrimento devastador e intolerável que afeta o indivíduo em sua inteireza física, psicológica, social e espiritual. Familiares e pacientes precisam tomar e revisar decisões importantes, como interromper tratamento de cura, entrar em cuidados paliativos, retirar suporte de vida, entre outras. Sem contar que, nessa etapa, o enfermo lida com várias incapacidades e, muitas vezes, depende dos cuidadores, já sobrecarregados e exauridos. A notícia da morte iminente gera no paciente e em seus familiares um luto antecipatório (Doka, 2006; Kovács, 2008).

O processo de luto é uma experiência severa de estresse e sofrimento; seus efeitos são amplos e acometem o sujeito na sua totalidade física (dores, náuseas, insônia, exaustão, adoecimento), psicológica (caos, desorganização e intensidade emocional, sofrimento profundo, transtornos mentais), comportamental (dificuldade na movimentação e engajamento, fuga das atividades, letargia ou hiperatividade, envolvimento com comportamentos de risco), cognitiva (despersonalização, confusão, desorientação, dificuldade de concentração e de processamento de informações, memória e atenção ruins) e espiritual (profundo questionamento das próprias crenças, busca de significado, retorno às raízes religiosas). O luto é parte do desenvolvimento humano e gera fortalecimento, crescimento e maturidade. O não reconhecimento desse processo pode levar a consequências devastadoras (Doka, 2006 e 2016; Parkes e Prigerson, 2010; Kapah, 2019).

Embora as perdas sejam parte inevitável do processo de adoecimento, a vivência do luto não é permitida ao paciente oncológico, pois nele se deposita a expectativa de que seja forte e mantenha um estado de positividade, sempre demonstrando esperança. Porém, como vimos, essa é a trajetória de um ser humano, que tem seus heroísmos, mas também seus sofrimentos e angústias. As experiências emocionais vividas pelo portador do câncer estão longe da percepção dos amigos e familiares e até daquelas do profissional da saúde, que se colocam no papel de encorajadores, demonstrando quase sempre dificuldade de lidar com sentimentos de negatividade oriundos do paciente. Em consequência, este não tem seu sofrimento validado; não recebe apoio adequado nem tem espaço para expressar e elaborar os lutos presentes no adoecimento (Kapah, 2019; Gabay, 2019; Nathoo e Ellis, 2019).

Nesse sentido, o luto não reconhecido impede a elaboração e confirmação da realidade das perdas, bem como a expressão e organização das emoções e do sofrimento, o que prejudica a reestruturação da identidade. Além disso, há aumento da intensidade dos sintomas físicos, hipersensibilidade e piora dos efeitos colaterais dos tratamentos (Doka, 2006; Pillai-Friedman e Ashline, 2014; Gabay, 2019).

Até aqui, vimos os estressores biopsicossociais e os problemas enfrentados pelos pacientes oncológicos. Entretanto, cada fase da vida tem especificidades e impactos existenciais e sociais diferentes, que serão delineados a seguir.

O SURGIMENTO DO CÂNCER NAS ETAPAS DO DESENVOLVIMENTO: PERDAS E LUTO

CÂNCER NA INFÂNCIA E ADOLESCÊNCIA

A infância e a adolescência representam uma fase da vida em que o crescimento e o desenvolvimento acontecem de maneira acelerada. Qualquer fator que interfira nesse processo, como o surgimento do câncer, acarreta consequências físicas, emocionais e cognitivas que demandam reestruturações no modo de vida e na adaptação psicossocial (Bathia e Meadows, 2006).

A maneira como os pacientes vivenciam essa nova realidade repercute nos processos adaptativos e de adesão aos procedimentos terapêuticos. Dessa forma, faz-se necessária uma atenção cuidadosa às repercussões do adoecer nos aspectos pessoal, familiar e social da criança e do adolescente para que a recuperação da saúde seja integral, e não meramente ausência de doença (Cadiz e Rona, 2004; Anders e Souza, 2009; Perina, Mastelaro e Nucci, 2008).

Uma doença grave e ameaçadora à vida como o câncer sempre trará vivências (in)tensas que decorrem de plurívocos sentimentos, como medo de morrer, impotência, desespero, pânico, tristeza, depressão, raiva, resignação, ambivalência afetiva, incredulidade, dúvidas, questionamentos, desesperança e tantas outras emoções indescritíveis (Valle, 1994; Botega, 2006).

É imperativo cuidar dos aspectos psicológicos, uma vez que mecanismos de defesa são acionados no sentido de proteger o ego de angústias persecutórias e fantasmas que o paralisam e o impedem de viver. Ao descrever o processo de terminalidade, Kübler-Ross (1985) demonstrou que pacientes e familiares passam por diversas reações, como negação, raiva, barganha, depressão, resignação e aceitação, que oscilam ao longo do tratamento e ajudam no enfrentamento da inevitabilidade da doença e de todas as perdas advindas desse processo, favorecendo o trabalho de elaboração das perdas.

Apesar do grande impacto do surgimento e do tratamento do câncer numa fase precoce do desenvolvimento, é preciso que essas vivências não deixem marcas de estresse pós-traumático e possam ser transmutadas em experiências que, apesar do sofrimento psíquico e dos reflexos na vida social, gerem caminhos de crescimento.

As reações das crianças e dos adolescentes à doença e ao tratamento dependem da idade em que receberam o diagnóstico, do estágio de desenvolvimento cognitivo e emocional, da gravidade da doença, dos efeitos colaterais, das perdas e limitações impostas e dos significados internos atribuídos à situação de adoecimento (Perina, 1994). Muitas manifestações afetivas, como raiva, tristeza, frustração, hostilidade e depressão, consistem em reedições de reações vivenciadas diante de crises do passado. Para Santos e Custódio (2017), o adoecimento demanda do paciente a elaboração de um processo de luto, seja pela sua vida antiga, seja pela perda de atributos físicos, intelectuais e sociais

Segundo Strain (1978), a situação de perda da saúde é considerada uma grande crise diante da qual o indivíduo tem de mobilizar forças internas para superar a nova realidade. O autor define oito categorias de estresse psicológico que podem ser desencadeadas pelas situações ameaçadoras no contexto hospitalar:

1. Ameaça básica à integridade narcísica, que atinge as fantasias onipotentes de mortalidade, de integridade física e de controle do próprio corpo e do próprio destino.

2. Medo de estranhos ao entrar no hospital, pois o paciente coloca a vida e o corpo nas mãos de uma equipe composta por pessoas desconhecidas, cuja competência e intenção profissional ele desconhece.
3. Ansiedade de separação.
4. Medo da perda de amor e aprovação, que surge de sentimentos de desvalorização gerados pela dependência de amigos e familiares, de sobrecarga financeira, do aspecto físico doentio etc.
5. Medo da perda de controle de funções adquiridas durante o desenvolvimento infantil, como o controle esfincteriano, a marcha, a fala, a atenção, a memória, a concentração, a cognição e a força muscular.
6. Medo da perda de, ou de danos a, partes do corpo (ansiedade de castração), o que gera fantasias em torno dos procedimentos invasivos e dolorosos no corpo do paciente, dos mais simples aos mais complexos.
7. Culpa e medo de retaliação, que surgem como fantasias de que a doença é um castigo por pecados ou pensamentos relacionados aos conteúdos inconscientes.
8. Medo da dor e da morte.

A maneira como cada criança ou adolescente lida com todas essas perdas e elabora os lutos está relacionada com sua personalidade, estrutura psíquica, mecanismos de defesa e de enfrentamento, dinâmica familiar, apoio social e, sobretudo, com a forma como lidou com as perdas desde o nascimento e durante as etapas do desenvolvimento infantil (Perina, 1992).

No livro *A doença como metáfora*, Sontag (1984) explica que o ser humano pertence a dois reinos, o da saúde e o da doença, mas nega a existência do segundo até o momento em que uma enfermidade surge em sua vida. Assim, impossibilitado de continuar negando, defronta-se com todas as perdas que a nova situação impõe. A perda da saúde na criança e no adolescente é a que mais preocupa pais e profissionais, que direcionam os cuidados ao corpo frágil e ameaçado, mas por vezes deixam de olhar para os sentimentos dos enfermos diante da ameaça à vida. Não se preocupam em oferecer uma escuta atenta a esse sofrimento emocional. Exigem que sejam fortes e aceitem o tratamento, mas acabam por esquecer que a saúde envolve muito mais que os aspectos meramente corporais. *É apenas* quando os pacientes começam a oferecer resistência para tomar os medicamentos, ir à clínica e realizar procedimentos invasivos que se percebe que outras dimensões necessitam ser cuidadas. A família, nesse momento, solicita o atendimento psicológico e compreende que são muitas as perdas e que há um longo período para a elaboração dos lutos e a reorganização das atividades e prioridades.

As múltiplas possibilidades de criar, de aprender e de viver a magia da infância ou da adolescência são reprimidas ou negadas, e isso nunca mais poderá ser experienciado. Como disse um paciente: "Aquele tempo já passou, não tem mais como voltar". O lamento e a dor pelas perdas aparecem com frequência nos discursos dos pacientes e precisam ser reconhecidos como um processo de luto a ser elaborado e ressignificado.

A hospitalização é outra situação que acarreta restrições, controles e cuidados intensivos que impactam a liberdade e a autonomia, a estruturação do tempo, os vínculos afetivos e familiares, o espaço e as atividades. Diante de tantos cerceamentos e impossibilidades, os pacientes sentem-se aprisionados e impotentes e podem apresentar reação depressiva, com manifestações de choro, tristeza, embotamento afetivo, raiva e agressividade (Wasserman, 1992; Botega, 2006). Todas essas reações podem ser agravadas com a ocorrência de recidivas ou doença progressiva, que mobilizam nos pacientes fantasias, medos e angústias relacionadas com a incurabilidade e a morte.

São muitos os lutos vivenciados no processo do adoecer, no tratamento, na progressão da doença e, sobretudo, na terminalidade, momento em que a criança ou o jovem se vê diante da própria morte, da separação das pessoas amadas e da perda de tudo que lhe pertence. Não é fácil dizer adeus a tudo que lhe é significativo, em especial à própria vida. O momento é notadamente de muita dor. Mas "sentir dor faz parte do processo de luto e aceitar tal parte se torna muito desafiante" (Fukumitsu, 2012, p. 20).

É importante ressaltar que as perdas e os lutos no processo de adoecimento e do morrer apresentam particularidades na adolescência. Ter câncer nesse período é uma situação catastrófica que se entrelaça à crise própria do adolescer, em que muitas perdas necessitam ser elaboradas: a do corpo infantil, dos pais da infância, da identidade e do papel infantil. Todo esse processo conduz a uma reorganização do *self* e à busca de sentidos e significados para a nova identidade (Blos, 1985; Aberastury e Knobel, 1981; Kovács, 1992).

A doença leva os jovens a frear o movimento que os direciona para a expansão da dimensão social e cultural, inibe suas potencialidades, limita ou interrompe seu desenvolvimento psicossocial, favorecendo a manutenção da dependência da família e da equipe de saúde. Consequentemente, dificulta o processo de tornar-se sujeito da própria história (Perina, 2010). Segundo Bessa (2000), trata-se de um momento difícil para os adolescentes, porque, apesar da fragilidade física e emocional em que se encontram, têm de tomar decisões importantes em relação à vida e às novas propostas terapêuticas. Essas e muitas outras questões, próprias da fase em que se encontram, provocam instabilidade emocional, medo e insegurança.

Para ajudar o adolescente a lidar com todas as adversidades provocadas pela doença e por seu tratamento, os programas de intervenção devem oferecer, individualmente e em grupo, um espaço terapêutico que favoreça a descoberta de medidas de enfrentamento, superação e busca de novos sentidos e significados para a vida, apesar das perdas.

Às vezes, o adolescente recebe a má notícia de recidiva do câncer e o choque é muito maior do que o vivido no diagnóstico inicial. Aumentam os medos e inseguranças e recomeça um longo percurso de hospitalização, bem como protocolos de tratamento mais agressivos, que trazem grande mal-estar físico e psíquico. Podem ocorrer novas intercorrências clínicas com internação prolongada e idas para a UTI, o que provoca desorganização e desestruturação psíquica, constantes incertezas e medo de morrer (Arruda-Colli *et al.*, 2016). Diante disso, são necessárias figuras continentes e afetivas para atenuar as angústias de um jovem que só deseja viver plena e significativamente sua adolescência com o grupo social ao qual pertence. Ele tem de aprender a renunciar aos momentos preciosos com os amigos para se recolher ao leito e lidar com as adversidades do cotidiano hospitalar.

Nessa etapa, acentuam-se as angústias de aniquilamento e a percepção de que não há mais chances de cura, o que leva o jovem a vivenciar o luto antecipatório e dar início ao processo de desligamento ou desapego daquilo que lhe é significativo. Ele começa a realizar os desinvestimentos e afasta-se emocionalmente da maioria das pessoas, assumindo atitudes introspectivas na tentativa de lidar com a situação. A perda de um lugar familiar e social, a percepção da progressão da doença e da inevitabilidade da morte aumentam o desconforto físico e emocional, mobilizando intensa angústia de morte (Perina, 1992). Esta é, provavelmente, uma das experiências mais difíceis com as quais o ser humano tem de lidar: a de se despedir de tudo que lhe é sagrado, sobretudo das figuras de apego ou de afeto, dos seus pertences e da própria vida.

Além dos próprios pacientes, todos os envolvidos, principalmente a família e os profissionais cuidadores, vivenciam perdas e processo de luto – que muitas vezes também não são reconhecidos, mas necessitam de cuidado especial. A família, como unidade de cuidado, necessita compreender o processo de luto antecipatório e ter reafirmada sua capacidade de enfrentamento, de afeto e de apoio emocional para o indivíduo adoecido e os irmãos saudáveis.

Ao adoecer, o sujeito regride emocionalmente para estágios anteriores ao seu desenvolvimento cognitivo, resgatando do passado situações que lhe permitiram sentir-se seguro e protegido. Comum nas situações de estresse, a regressão manifesta-se como perda da independência, abandono de luta pela individuação e inibição da capacidade de aprendizagem e de fazer descobertas que significam crescimento. Isso leva ao reestabelecimento do vínculo simbiótico com a mãe e ao desejo de permanecer eternamente ligado à sua proteção e ao seu amor. Muitos pacientes, na fase final, pedem à mãe que vá junto com eles, o que demonstra o grande medo do desconhecido, da morte, da separação, da solidão, do abandono e do desamparo (Perina, 1992; Valle e Ramalho, 2008). Diante disso, o trabalho de luto antecipatório com os pais, sobretudo com as mães, é essencial durante todo o processo de adoecimento, tratamento e, principalmente, na fase de cuidados paliativos. Para que a família tenha condições emocionais de dar apoio, proteção e segurança ao sujeito adoecido, é preciso também oferecer a ela um espaço de continência dos medos, angústias e sofrimentos inerentes à situação de ter um membro da família doente – além de ajudá-la a lidar com as fantasias, angústias e expectativas relacionadas com a doença do familiar e, ainda, descobrir os significados dessa criança ou adolescente em sua vida e realizar os desinvestimentos para que ela possa continuar apesar da perda (Perina, 2012; Arruda-Colli *et al.*, 2015; Aguiar, 2005).

Nesse cenário, o profissional de saúde ganha destaque, pois precisa de tempo para saber o que fazer, dizer e prescrever. Por vezes, resta apenas oferecer o colo. De acordo com Fukumitsu (2012, p. 20), "não há nenhum tipo de planejamento ou manual que poderíamos seguir como uma verdadeira saída para evitar a dor provocada pelo sofrimento do luto".

Muitos profissionais ficam preocupados com as reações de embotamento afetivo, depressão, revolta e agressividade dos adolescentes e têm dificuldade de compreender que elas são normais e esperadas diante das muitas perdas que eles necessitam elaborar. Dessa forma, eles devem ser preparados para conhecer os mecanismos de defesa desencadeados por uma doença ameaçadora à vida e as reações emocionais advindas das muitas perdas e do processo de luto vivenciado pelas crianças e pelos jovens, para que planejem cuidados que atendam à integralidade do ser e promovam qualidade de vida.

É imperativo que esses profissionais tenham como filosofia de trabalho os princípios de humanização, cuja essência é cuidar, e não somente curar. Boff (1999) adverte que o modo de ser cuidado revela, de maneira nítida e concreta, "como é o ser humano". Para o autor, sem o cuidado, "ele deixa de ser humano". O cuidado há de "estar presente em tudo", sobretudo em situações em que a vida está por um fio e a dor é infinita. E, acrescente-se, o que se opõe ao descuido e ao descaso é o cuidado. Somente no contexto do cuidar são possíveis a aceitação das perdas e a retomada da vida em sua plenitude – ou, quando isso não for possível, a morte digna.

CÂNCER NO ADULTO: PERDA DOS PLANOS

O jovem adulto está num período da vida (dos 18 aos 39 anos) em que experiencia o ápice do desenvolvimento físico e cognitivo. Nessa fase, a pessoa está no auge da sua força e energia vital, faz planos e obras, pode gerar filhos, realiza tarefas voltadas para o desenvolvimento profissional, busca autonomia e independência dos pais e familiares e procura relacionamentos mais estáveis para a construção da própria família. Por isso, a consciência da morte está distante (a pessoa nega, afasta da consciência a percepção da morte, não concebe a própria mortalidade). Diante disso, a notícia do adoecimento por câncer é sentida como uma ruptura súbita, profunda e grave do fluir da vida, provoca desorientação e confusão, traz mudanças drásticas e exacerba o sentimento de perda. Nesse caso, o jovem adulto é obrigado a encarar a própria mortalidade e a sensação de abreviação da vida (Kovács, 2010).

Embora o câncer esteja relacionado com o envelhecimento, estudos recentes evidenciam que sua incidência e mortalidade entre os jovens adultos vêm aumentando nos últimos anos. Acredita-se que isso aconteça devido a maus hábitos de estilo de vida, maior consumo de substâncias nocivas e exposição aos fatores de risco, acelerando o processo de carcinogênese (Sung *et al.*, 2019; Vuik *et al.*, 2019). Os efeitos colaterais dos tratamentos, que podem ser permanentes, mudam a trajetória da vida desse indivíduo, destroem planos e sonhos, acabam com a vitalidade e alteram todos os fatores esperados para esse momento do desenvolvimento. Efeitos como menopausa precoce, infertilidade, impotência, problemas na sexualidade, mutilação (como a mastectomia), mudança na imagem corporal, mudança na qualidade de vida, baixa autoestima, fadiga, estresse, perda da capacidade de estar saudável, decadência física, perda das funções e papéis sociais que leva a desamparo e isolamento resultam num profundo sentimento de perda e de experiência do luto. Tais prejuízos para o jovem adulto provocam um sofrimento tão avassalador que estudos mostram que o estresse pós-traumático é um diagnóstico comum entre os pacientes dessa faixa etária, podendo minar a adaptação ao tratamento, a qualidade de vida e a sobrevivência (Baum e Posluszny, 2001; Avis, Crawford e Manuel, 2004; Baider *et al.*, 2003; Pillai-Friedman e Ashline, 2014).

No caso do adulto maduro (dos 40 aos 59 anos), também conhecido como adulto de meia-idade, o processo de desenvolvimento tem outras peculiaridades: ele está mais voltado para si próprio, pois tem mais estabilidade. Também conta com um padrão econômico suficiente para mantê-lo, já que a dedicação aos filhos (agora adolescentes ou adultos) é menor e ele pode usufruir das conquistas. Nessa etapa, espera-se que o sujeito tenha maturidade, assumindo uma posição mais realista com relação à vida por meio da avaliação constante das condições internas e externas e do ajustamento das suas convicções, valores e objetivos, além da consciência de que já passou pelo ápice de sua carreira e de que vive a transição da vida adulta para a terceira idade. Por isso, é uma fase em que a vivência de perdas se torna mais explícita e o corpo passa a sofrer um declínio natural do vigor. Além disso, há um esvaziamento das funções (síndrome do ninho vazio) e o sujeito se defronta com a proximidade da aposentadoria e da velhice (Kovács, 2010).

Embora nesse período as perdas sejam mais presentes, o diagnóstico de câncer não é parte do esperado. Por isso, quando acontece, vem carregado de sentimentos de medo e angústia, sofrimento pela possibilidade de interrupção precoce da vida, preocupação com a continuidade familiar, a estabilidade profissional, a situação financeira e a perda da independência. É uma notícia que também traz ruptura, mas agora no empoderamento, na autoestima e na autoconfiança que a pessoa adquiriu no decorrer do seu desenvolvimento. Assim, ela fica insegura e sente que perdeu o controle, o que resulta em grande risco de depressão e de complicação dos processos de luto intrínsecos a esse momento (Aujoulat, Luminet e Deccache, 2007; Francis *et al.*, 2016).

Como vimos, as adversidades e perdas comuns no adoecimento por câncer levam ao enlutamento. Porém, o adulto (tanto o jovem como o de meia-idade), por estar num período de auge vital, não tem permissão social para sofrer, de modo que as perdas são invisíveis para os que estão à sua volta, sendo consideradas insignificantes e pequenas para a ativação do luto. Em consequência, o enfermo experiencia maior estresse emocional, isolamento e desamparo.

CÂNCER NO IDOSO: ENFRENTANDO A SOLIDÃO

O envelhecimento é um momento desafiador, pois está relacionado com a consciência da maior possibilidade de adoecimento e a aproximação da finitude. Trata-se de uma etapa em que o corpo está cansado, debilitado e impõe limitações sensoriais e motoras que podem levá-lo à maior dependência do outro; os papéis familiares mudam (agora são avós ou bisavós), assim como o lugar na sociedade (deixam de ser produtivos para serem aposentados). As etapas da vida já se passaram e com elas as possibilidades de realização de alguns projetos e sonhos; a convivência com as outras gerações se torna tensa e desigual, uma vez que são considerados ultrapassados em suas concepções, métodos e razões.

Em uma sociedade em que a sabedoria advinda da idade não tem valor e a juventude dos corpos perfeitos e competitivos é um ideal ser alcançado, o idoso é tido como rabugento, rude, ultrapassado, um ser metódico que reclama demasiadamente. Nessa mesma sociedade não se suportam rugas, lentidão, dores, o antigo, as doenças. Nesse sentido, o idoso é excluído e perde o direito à voz ativa e a um lugar social. A esses confrontos, soma-se o fato de o sujeito na terceira idade enfrentar perdas por morte de amigos, parentes e pares. Em suma, é uma etapa da vida em que o indivíduo lida com sucessivas perdas, concretas e simbólicas, que ativam processos diversos de luto (Abras e Sanches, 2004; Santana, 2008; Kovács, 2010; Cocentino e Viana, 2011).

Diante de um cenário tão complexo e dolorido, a notícia do câncer é menos avassaladora do que nas demais etapas do desenvolvimento humano, uma vez que o adoecimento é considerado parte do envelhecimento (Kahana *et al.*, 2016). Contudo, isso não significa que o diagnóstico da doença para o idoso não seja sofrido. Há um medo muito grande de se tornar dependente, de sentir dor, de perder a autonomia e a capacidade de decisão. Além disso, ocorre uma despersonalização e infantilização do paciente pela crença de que o velho enfermo volta a ser criança, o que aumenta ainda mais sua angústia diante da possibilidade de morte.

O adoecimento pode acelerar e potencializar as vivências das outras perdas e os processos de luto decorrentes delas. E, como as perdas e o adoecimento são intrínsecos ao envelhecimento, acabam sendo naturalizados. O sofrimento, as dores e processos de luto são minimizados, fazendo que os cuidados sejam focados apenas no âmbito físico, com pouco apoio e suporte emocional e falta de preocupação com a qualidade de vida. Diante disso, a depressão é frequente no idoso, e o luto não reconhecido se torna uma condição (Abras e Sanches, 2004; Kovács, 2008; Cocentino, 2011).

Todavia, um horizonte potencialmente promissor é revelado: no decorrer da sua história, o indivíduo da terceira idade precisou construir mecanismos de enfrentamento, resiliência e autoestima para lidar com os momentos estressantes e a resolução de problemas; assim, está mais consciente de sua força interna. Logo, se houve o reconhecimento das perdas e dos lutos e se o cuidado integral for realizado, a experiência do adoecimento pode dar novo sentido à vida; nesse caso, cada experiência adquire um significado especial, já que revela o existir e o estar vivo.

Em consequência, o idoso investe mais na construção de uma vida ativa e na reinvenção de uma identidade que lhe permita colher os frutos de seu trabalho, desfrutar dos lazeres adiados e aproveitar os momentos com as pessoas que ama (Abras e Sanches, 2004; Kovács, 2008 e 2010; Kahana *et al.*, 2016).

CONSIDERAÇÕES FINAIS

O adoecimento por uma condição que ameaça a vida leva à redefinição de si mesmo e da própria identidade, a mudanças na visão de mundo e à regulação dos mecanismos de enfrentamento. Porém, para que esse processo seja efetivo e saudável, é necessário que haja maior empatia por parte da família, dos amigos e dos profissionais para com os sofrimentos, perdas e lutos inerentes a esse caminho. As intervenções precisam ajudar o paciente e seus familiares a entender que as perdas são reais e constantes, que os sentimentos são legítimos e precisam ser expressos e reconhecidos e que o distanciamento entre família e doente necessita ser reduzido. Ao ser validado, o paciente se fortalece, tornando-se mais disposto ao convívio social. O reconhecimento do luto também facilita o enfrentamento da doença, o crescimento e a reconstrução da identidade.

Diante da inevitabilidade da morte, necessitamos de "perspicácia e sensibilidade para apreender o conhecimento humano da finitude e, para tal, é preciso olhar para a frente e para o que nos cega e, por isso, nos seca" (Dóro et al., 2004, p. 131), reconsiderando valores e prioridades e reconfigurando nossa identidade em sintonia com as ideias adquiridas no decorrer da jornada.

REFERÊNCIAS

ABERASTURY, A.; KNOBEL, M. *Adolescência normal*. 10 ed. Porto Alegre: Artes Médicas, 1981.

ABRAS, R.; SANCHES, N. R. "Idoso e a família". In: FILHO, J. M.; BURD, M. (orgs). *Doença e família*. São Paulo: Casa do Psicólogo, 2004.

AGUIAR, M. A. F. *Luto antecipatório em crianças com câncer*. Dissertação (mestrado em Psicologia Clínica), Pontifícia Universidade Católica de São Paulo (PUC-SP), São Paulo, 2005.

ALVES, R. *A doença – Sobre o tempo e a eternidade*. 9. ed. Campinas: Papirus, 2000.

ANDERS, J. C.; SOUZA, A. I. J. "Crianças e adolescentes sobreviventes ao câncer: desafios e possibilidades". *Revista Ciência, Cuidado e Saúde*, v. 8, n. 1, 2009, p. 131-37.

ANDREA, M. L. M. de. "Oncologia pediátrica". In: CARVALHO, V. A. et al. (orgs.). *Temas em Psico-oncologia*. São Paulo: Summus, 2008, p. 491-92.

ANUK, D. et al. "The characteristics and risk factors for common psychiatric disorders in patients with cancer seeking help for mental health". *BMC Psychiatry*, v. 19, 2019, p. 269-80.

ARRUDA-COLLI, M. N. F. de; PERINA, E. M.; SANTOS, M. A. "Experiences of Brazilian children and family caregivers facing the recurrence of cancer". *European Journal of Oncology Nursing*, v. 19, 2015, p. 458-64.

ARRUDA-COLLI, M. N. F. de; SANTOS, M. A. dos. "Aspectos psicológicos da recidiva em oncologia pediátrica: uma revisão integrativa". *Arquivos Brasileiros de Psicologia* [on-line], v. 67, n. 3, 2015, p. 75-93. Disponível em: <http://pepsic.bvsalud.org/scielo.php?script=sci_arttext&pid=S1809-52672015000300007&lng=pt&nrm=iso>. Acesso em: 4 jun. 2020.

ARRUDA-COLLI, M. N. F. de et al. "Intervenção psicológica com familiares enlutados em oncologia pediátrica: revisão da literatura". *Psicologia: Teoria e Prática* [on-line], v. 17, n. 2, 2015, p. 20-35. Disponível em: <http://pepsic.bvsalud.org/scielo.php?script=sci_arttext&pid=S1516-36872015000200002&lng=pt&nrm=iso>. Acesso em: 4 jun. 2020.

ARRUDA-COLLI, M. N. F. de et al. "A recidiva do câncer pediátrico: um estudo sobre a experiência materna". *Psicologia USP* [on-line], v. 27, n. 2, 2016. Disponível em: <http://www.scielo.br/scielo.php?script=sci_arttext&pid=S0103-65642016000200307&lng=en&nrm=iso>. Acesso em: 4 jun. 2020.

AUJOULAT, I.; LUMINET, O.; DECCACHE, A. "The perspective of patients on the experience of powerlessness". *Qualitive Health Research*, v. 17, n. 6, 2007, p. 772-85.

AVIS, N. E.; CRAWFORD, S.; MANUEL, J. "Psychosocial problems among younger women with breast cancer". *Psycho-Oncology*, v. 13, n. 5, 2004, p. 295-308.

BAIDER, L. et al. "Is perceived family support a relevant variable in psychological distress? A sample of prostate and breast cancer couples". *Journal of Psychosomatic Research*, v. 55, n. 5, 2003, p. 453-60.

BATHIA, S.; BLATE, J.; MEADOWS, A. "Late effects of childhood cancer and its treatment". In: PIZZO, P. A.; POPLACK, D. G. *Principles and practice of pediatric oncology*. Filadélfia: Lippincott William & Wilkins, 2002, p. 1490-514.

BATHIA, S.; MEADOWS, A. T. "Long-term follow-up of childhood cancer survivors: future directions for clinical care and research". *Pediatric Blood & Cancer*, v. 46, 2006, p. 143-48.

BAUM, A.; POSLUSZNY, D. M; "Traumatic stress as a target for interventions with cancer patients". In: BAUM, A.; ANDERSEN, B. L. (orgs.). *Psychosocial interventions for cancer*. Washington: American Psychological Association, 2001, p. 143-72.

BESSA, L.C.L. *Conquistando a vida – Adolescentes em luta contra o câncer*. São Paulo: Summus, 2000.

BLOS, P. *Adolescência: uma interpretação psicanalítica*. São Paulo: Martins Fontes, 1985.

BOFF, L. *Saber cuidar: ética do humano – Compaixão pela terra*. Petrópolis: Vozes, 1999.

BOTEGA, N. J. "Reação à doença e a hospitalização". In: BOTEGA, N. J. *Prática Psiquiátrica no hospital geral: interconsulta e emergência*. Porto Alegre: Artmed, 2006, p. 49-66.

BOWLBY, J. *Perda – Tristeza e depressão*. Apego e Perda, v. 3. São Paulo: Martins Fontes, 1985.

BURNEY, S. "Psychological issues in cancer survivorship". *Climacteric*, v. 22, n. 6, 2019, p. 584-88.

BURY, M. "Chronic illness as biographical disruption". *Sociology of Health and Illness*, v. 4, n. 2, 1982, p. 167-82.

CADIZ, D, V.; RONA, R. E. "Problemas psicológicos después de finalizado el tratamiento en el niño y su familia". In: BECKER, K. A.; VARGAS, P. L. *Dejé atrás el cáncer: una guía para el futuro*. Chile: Fundación Niño y Cáncer, 2004, p. 47-67.

COCENTINO, J. M. B.; VIANA, T. C. "A velhice e a morte: reflexões sobre o processo de luto". *Revista Brasileira de Geriatria e Gerontologia*, v. 14, n. 3, 2011, p. 591-600.

Doka, K. J. "Grief: the constant companion of illness". *Anesthesiology Clinics of North America*, v. 26, n. 1, 2006, p. 205-12.

_____. "When illness is prolonged: implications for grief". In: Doka, K.; Davidson, J. (orgs.). *Living with grief: when illness is prolonged*. Routledge: Taylor & Francis Group, 2016.

Doka, K. J.; Davidson, J. D. (orgs.). *Living with grief: who we are how we grief*. Abingdon: Routledge, 2014.

Dóro, M. P. et al. "O câncer e sua representação simbólica". *Psicologia, Ciência e Profissão*, v. 24, n. 2, 2004, p. 120-34.

Ferreira, A. S. et al. "Prevalência de ansiedade e depressão em pacientes oncológicos e identificação de variáveis predisponentes". *Revista Brasileira de Cancerologia*, v. 62, n. 4, 2016, p. 321-28.

Francis, L. E. et al. "Cancer patient age and family caregiver bereavement outcomes". *Support Care Cancer*, v. 24, n. 9, 2016, p. 3987-96.

Fukumitsu, K. *Perdas no desenvolvimento humano: um estudo fenomenológico*. São Paulo: Digital Publish & Print, 2012.

Gabay, G. A. "Non-heroic cancer narrative: body deterioration, grief, disenfranchised grief, and growth". *Omega – Journal of Death and Dying*, v. 0, n. 0, 2019, p. 1-23.

Glaser, S.; Knowlers, K.; Damaskos, P. "Survivor guilt in cancer survivorship". *Social Work in Health Care*, v. 58, n. 8, 2019, p. 764-75.

Hughes, N.; Closs, S. J.; Clark, D. "Experiencing cancer in old age: a qualitative systematic review". *Qualitative Health Research*, v. 19, n. 8, 2009, p. 1139-56.

Instituto Nacional do Câncer. *Câncer da criança e adolescente no Brasil: dados dos registros de base populacional e de mortalidade*. Rio de Janeiro: Inca, 2008.

_____. *Epidemiologia dos tumores da criança e do adolescente*. 2010. Disponível em: <http://www.inca.gov.br/conteudo_view.asp?id=349>. Acesso em: 28 ago. 2010.

_____. *Incidência, mortalidade e morbidade hospitalar por câncer em crianças, adolescentes e adultos jovens no Brasil*. 2016. Disponível em: <https://www.inca.gov.br/publicacoes/livros/incidencia-mortalidade-emorbidade-hospitalar-por-cancer-em-criancas-adolescentes>. Acesso em: 20 jan. 2020.

_____. *Estatísticas de câncer*. 2019. Disponível em: <https://www.inca.gov.br/numeros-de-cancer>. Acesso em: 4 jan. 2020.

Instituto Oncoguia. *Incidência de câncer no Brasil pode aumentar 78% nos próximos 20 anos*. 2018. Disponível em: <http://www.oncoguia.org.br/conteudo/incidencia-de-cancer-no-brasil-pode-aumentar-em-78-nos-proximos-20-anos/12191/7/>. Acesso em: 4 jan. 2020.

Kahana, E. et al. "Elderly cancer survivor reflect on coping strategies during the cancer journey". *Journal of Gerontology & Geriatric Research*, v. 5, n. 5, 2016.

KAPAH, A. "Disenfranchised grief tools used in the treatment of bereavement, are used in the therapy of cancer patients". *Journal of Thoracic Oncology*, v. 14, n. 10S, 2019, p. 16-31.

KOVÁCS, M. J. "Morte no processo de desenvolvimento humano – A criança e o adolescente diante da morte". In: KOVÁCS, M. J. *Morte e desenvolvimento humano*. São Paulo: Casa do Psicólogo, 1992, p. 48-56.

_____. "Psico-oncologia: definições e área de atuação". In: CARVALHO, V. A. et al. (orgs.). *Temas em psico-oncologia*. São Paulo: Summus, 2008.

_____. *Morte e desenvolvimento humano*. São Paulo: Casa do Psicólogo, 2010.

KÜBLER-ROSS, E. *Sobre a morte e o morrer*. Rio de Janeiro: Martins Fontes, 1985.

NATHOO, D.; ELLIS, J. "Theories of loss and grief experienced by patient, family and healthcare professional: a personal account of a critical event". *Journal of Cancer Education*, v. 34, n. 4, 2019, p. 831-35.

ORGANIZAÇÃO PAN-AMERICANA DA SAÚDE; ORGANIZAÇÃO MUNDIAL DA SAÚDE. *Folha Informativa – Câncer*. 2018. Disponível em: <https://www.paho.org/bra/index.php?option=com_content&view=article&id=5588:folha-informativa-cancer&Itemid=1094>. Acesso em: 4 jan. 2020.

PARKES, C. M.; PRIGERSON, H. G. *Bereavement: studies of grief in adult life*. Nova York: Routledge, 2010.

PERINA, E. M. *Estudo clínico das relações interpessoais da criança com câncer nas fases de progressão da doença*. Dissertação (mestrado) – Instituto de Psicologia, Universidade de São Paulo, 1992.

_____. "Câncer infantil: a difícil trajetória". In: CARVALHO, M. M. M. J. *Introdução à psiconcologia*. Campinas: Psy, 1994, p. 79-94.

_____. *Estudo da qualidade de vida de adolescentes sobreviventes de câncer na infância*. Tese (doutorado em Saúde da Criança e do Adolescente) – Universidade de Campinas, Campinas, 2010.

_____. "O papel do pediatra na terminalidade". In: LOGGETTO, S. L. *Oncologia para o pediatra*. Porto Alegre: Ateneu, 2012.

PERINA, E. M.; MASTELARO, M. J.; NUCCI, N. A. G. "Efeitos tardios do tratamento do câncer na infância e na adolescência". In: CARVALHO, V. A. et al. (orgs.). *Temas em psico-oncologia*. São Paulo: Summus, 2008, p. 496-504.

PERINA, E. M.; NUCCI, N. A. G. (orgs.). *As dimensões do cuidar em psico-oncologia pediátrica – Desafios e descobertas*, v. 1. Campinas: Livro Pleno, 2005.

PILLAI-FRIEDMAN, S.; ASHLINE, J. L. "Women, breast cancer survivorship, sexual losses, and disenfranchised grief – A treatment model for clinicians". *Sexual and Relationship Therapy*, v. 29, n. 4, 2014, p. 436-53.

SANTANA, C. S. "Envelhecimento, temporalidade e morte nos relatos de idosos: proposta de cuidados". In: KOVÁCS, M. J. (org.). *Morte e existência humana: caminhos de cuidados e possibilidades de intervenção*. Rio de Janeiro: Guanabara Koogan, 2008.

SANTOS, R. C. S.; CUSTÓDIO, L. M. G. "Psico-oncologia pediátrica e desenvolvimento: considerações teóricas sobre o adoecimento e os lutos decorrentes do câncer infantil". *Psicologia.pt*, 2017. Disponível em: <https://www.psicologia.pt/artigos/textos/A1130.pdf>. Acesso em: 5 jun. 2020.

SONTAG, S. *A doença como metáfora*. Rio de Janeiro: Graal, 1984.

STRAIN, J. J. *Psychological interventions in medical practice*. Nova York: Appleton, 1978.

SUNG, H. et al. "Emerging cancer trends among young adults in the USA: analysis of a population-based cancer registry". *The Lancet Public Health*, v. 4, n. 3, 2019, p. 137-47.

VALLE, E. R. M. do. "Vivências da família da criança com câncer". In: CARVALHO, M. M. (org.). *Introdução à psico-oncologia*. Campinas: Psy, 1994.

_____. *Câncer infantil: compreender e agir*. Campinas: Psy, 1997.

VALLE, E. R. M. do. (org.). *Psico-oncologia pediátrica*. São Paulo: Casa do Psicólogo, 2001.

VALLE, E. R. M. do; FRANÇOSO, L. P. C. "O tratamento do câncer infantil: visão de crianças portadoras da doença". *Acta Oncológica Brasileira*, v. 12, n. 3, 1992, p. 102-07.

VALLE, E. R. M. do; RAMALHO, M. A. N. "O câncer na criança: a difícil trajetória". In: CARVALHO, V. A. et al. (orgs.). *Temas em psico-oncologia*. São Paulo: Summus, 2008, p. 505-16.

VEIT, M. T.; CARVALHO, V. A. "Psico-oncologia: definições e área de atuação". In: CARVALHO, V. A. et al. (orgs.). *Temas em psico-oncologia*. São Paulo: Summus, 2008.

VUIK, F. E. R. et al. "Increasing incidence of colorectal cancer in young adults in Europe over the last 25 years". *BMJ*, v. 68, n. 10, 2019, p. 1820-26.

WASSERMAN, A. L. "Princípios de tratamento psiquiátrico de crianças e adolescentes com doenças físicas". In: GARFINKEL, B. D.; CARLSON, G. A.; WELLER, E. B. *Transtornos psiquiátricos na infância e adolescência*. Porto Alegre: Artes Médicas, 1992.

WU, S. et al. "Evaluating intrinsic and non-intrinsic cancer risk factors". *Nature Communications*, v. 9, n. 1, 2018, p. 1-12.

LUTOS DO CUIDAR

11. Quando se nega a dor por causa da fé: morte e luto na vida de um sacerdote católico

Francisco de Assis Carvalho

SACERDOTE, PRESBÍTERO OU PADRE é aquele que recebe o sacramento da ordem em segundo grau, sendo o primeiro grau o de diácono e o terceiro, o de bispo. Poucos ofícios ou profissões exigem um período tão longo de formação quanto o desse líder católico. São necessários, no mínimo, três anos de estudos filosóficos e quatro de estudos teológicos. No decreto *Presbyterorum ordinis,* do Compêndio do Vaticano II, n. 3, com o título "Os presbíteros no mundo", a Igreja salienta que os presbíteros, "assumidos dentre os homens e estabelecidos em favor dos homens em suas relações com Deus", não poderiam ser ministros de Cristo nem poderiam servir aos homens "caso se mantivessem alheios à sua existência e condições de vida". Por isso, o sacerdote, sendo um homem de Deus, necessita ser também um homem que se distingue por sua relação com os outros, que deve ser marcada pela atitude de acolhida.

Jones (1995, p. 195) esclarece que "a definição clássica do sacerdote é daquele que oferece sacrifício". Sacrifício é o ato pelo qual se faz alguma coisa tornar-se sagrada (*Sacrum facere*). O sacerdócio tem a função social de reconhecer o mundo como lugar sagrado ou santo e tratá-lo como tal. Certamente é por isso que o sacerdote abençoa as coisas e as pessoas – é um modo de lembrar--nos de sua qualidade sagrada, e quem e o que elas realmente são. Abençoar é chamar alguém por seu nome verdadeiro na condição de imagem de Deus. O sacerdote sabe que é abençoado e por isso retribui com bênçãos.

Durante todo o período formativo existe a finalidade implícita ou explícita de permitir ao futuro intermediador do divino que seja também capacitado para ser um especialista em pessoas, configurando-se um bom pastor. O sacerdote é também pastor porque, à frente de uma comunidade de fé, na partilha da vida com as pessoas, ele experimenta momentos de alegria, esperança e vida, sobretudo quando celebra sacramentos como o matrimônio, o batismo das crianças e a eucaristia. Momentos plenos de gratidão e de esperança, como no ofertório, à mesa do altar, quando são apresentadas as oferendas do pão e do vinho que retratam paradoxalmente contextos de alegrias e dores vividas pelo povo e quando se reza pelos vivos e pelos mortos, celebram-se vitórias e fracassos, acolhidas e despedidas, momentos felizes e infelizes que desbordam nos acontecimentos da vida e são entrecortados multifacetadamente pela fé. A vida é sempre feita de oferendas. No dizer poético de Miranda (1996, p. 56), "oferecemos um pedaço de nós, e pela Graça de Deus, muitos transformam realidades difíceis em crescimento e alívio". A oferenda do povo a Deus é feita pela mediação do sacerdote – que é um humano tocado pelo divino.

Nas palavras do papa Francisco (2019): "Cientes de trazer um tesouro em vasos de barro (2 Cor. 4, 7), sabemos que o Senhor se manifesta vencedor da fraqueza (2 Cor. 12, 9), não deixa de nos sustentar e chamar, dando-nos cem por um (Mc. 10, 29-30), porque é eterna a sua misericórdia". E, certamente, porque o padre carrega em si a condição de fragilidade de ser humano, inúmeras vezes se vê confrontado na sua finitude e com interrogações sobre os acontecimentos da vida.

A particularidade da consagração sacerdotal católica refere-se ao celibato como exigência de doação e de liberdade para um melhor serviço ao rebanho e, por isso, o sacerdote não constitui família. A exortação apostólica pós-sinodal *Pastores Dabo Vobis* esclarece, no número 29, que o presbítero é chamado ao celibato para "oferecer, pela graça do Espírito e com a resposta livre da própria vontade, a totalidade do seu amor e da sua solicitude a Jesus Cristo e à Igreja". E acrescenta, no mesmo número, que, "em vista do compromisso celibatário, a maturidade afetiva deve saber incluir o âmbito das relações humanas de serena amizade e profunda fraternidade".

É no cuidado com o outro que o sacerdote realiza a sua missão. Leonardo Boff, em sua obra *Saber cuidar: ética do humano – compaixão pela terra* (2003, p. 3), ensina que o cuidado é elemento integrador da natureza humana e que precisamos resgatá-lo como algo que foi preterido na essência de nossa humanidade, afirmando que "o cuidado é, na verdade, o suporte real da criatividade, da liberdade e da inteligência. No cuidado se encontra o *ethos* fundamental do humano". O termo "cuidado" traduz essencialmente o aspecto afetivo das relações humanas e, por isso, o teólogo refere-se ao sacerdote como aquele que afetivamente cuida dos outros. Conhecemos nas línguas latinas a expressão "cura d'almas" para designar o sacerdote ou o pastor cuja missão reside em cuidar do bem espiritual das pessoas. Boff (*ibidem*, p. 34) estabelece uma nítida conexão com o pensamento de Martin Heidegger quando afirma que "cuidado significa um fenômeno ontológico-existencial básico" porque, dentro da concepção heideggeriana, se desenvolve uma ideia que aponta o sentido de estar no mundo, numa relação de projeção recíproca entre o homem e o mundo. Com isso podemos entender que a estrutura fundamental da existência como ser no mundo é o cuidado. Ser no mundo significa cuidar das coisas, ocupar-se delas e, ao mesmo tempo, ser entre os demais, existir com os outros e coexistir. Conclui com sabedoria Montes (2003): "De tal forma que a existência como cuidado é outra parte da existência submergida no cotidiano, que implica que o *Dasein* vive atento a todas as coisas e aos outros e vira-se de costas para si".

AMAR E SOFRER

A formação ampla e intelectualizada, calcada nas sendas da racionalidade, do ponto de vista psicológico, pode causar a dessensibilização do sacerdote no que se refere, sobretudo, às suas angústias e às dores dos outros, além de uma frieza para a capacidade de amar, criando uma forma tangencial para os seus relacionamentos afetivos. Essa condição de racionalidade pode também funcionar como um mecanismo de defesa que torna o líder religioso refugiado em uma trincheira protetiva que não o deixa aproximar-se do "próximo". Em sua obra *O coração dos padres* (2010), Rigoldi reafirma a necessidade de amar como fator primordial na vida sacerdotal. Essa necessidade caracteriza a existência humana e, no imaginário popular, frequentemente está associada à fraqueza. Entretanto, sua negação pode tornar-se uma afirmação de soberba e de independência dos afetos, substituindo o amor concreto pelas pessoas por um amor abstrato, como se na vida sacerdotal essa fosse a forma correta de amar.

Necessariamente, o amor, o afeto, a amizade e o bem-querer não devem ser identificados com sensualidade e erotismo: "Um abraço pode ser um prazer da alma e do corpo, não necessariamente um excitamento da libido" (*ibidem*, p. 34). Rigoldi explica que talvez exista um aspecto dessa rasura afetiva relacionado ao "nomadismo" do padre, que acredita que não deve aprofundar nenhuma relação com as pessoas: "Se devo abandonar esta comunidade paroquial, por que devo criar amizades importantes e estáveis?" (*ibidem*, p. 35).

Ocorre aqui o perigo de que se crie uma situação contraditória em que se vincule o afeto a todos e, ao mesmo tempo, se desvincule-o de ninguém, tal como no sujeito inexistente da gramática. O sacerdote pensa que ama todos, mas não ama ninguém. Aqui se produz o mesmo efeito do niilismo, tudo e nada podem confundir-se. Para todos pode significar para nenhum (*ibidem*, p. 42), de tal forma que a negação do afeto por medo da dependência afetiva não é um atalho, mas um beco sem saída para o homem celibatário. Porque uma coisa é respeitar o celibato, outra coisa é congelar o coração (*ibidem*, p. 45). O risco pode ser mesmo o de uma vida insensível de quem não ama e, por consequência, não sofre por ninguém. No viés psicopático, à guisa de comparação, pode ocorrer a destruição da essência humana quando não se ama nem se sofre por ninguém, na triste afirmação de amar todos e sofrer por todos. Amor e sofrimento estão entrelaçados na afetividade humana e talvez seja por isso que Parkes (1998, p. 22), ao descrever o sofrimento do luto, afirme que ele "é o preço que pagamos pelo amor, o preço do compromisso".

A perspectiva do amor cristão, muito bem salientada por Bento XVI na encíclica *Deus caritas est*, desenha-se entre as dimensões de *eros* e *ágape*, que se manifestam no amor filial, esponsal da paixão e da amizade, até o amor para Deus e de Deus. Assim, quando se fala do amor ágape, pode-se compreendê-lo como aquele que se manifesta como cuidado do outro e pelo outro.

Pode ser que, frequentemente o sacerdote que escuta e busca servir aos outros não consiga viver relações afetivas, profundas e duradouras com os outros, o que parece ser contraditório e pode levar "à aridez afetiva e à evaporação do sonho que o motivou a consagrar a sua vida desde o início" (Garzonio, 2010, p. 29). Certamente a falta de afetos determinados e reconhecidos pelos outros é um dos caminhos que conduzem à depressão. E a solidão do coração é um mal dos nossos tempos que afeta também muitos sacerdotes. Se o amor é necessário, pode ser que ocorra a tentação de classificá-lo como fraqueza que deve ser rejeitada. Afirmar que "me basta o amor de Deus", negando assim a necessidade de afeto e de ternura entre as pessoas, é também esquecer que o amor pelos outros, amor dado e recebido, é um mandamento igual ao amor de Deus. É no afeto cotidiano que aprendemos a buscar e a construir as relações amorosas. Em consonância com a Primeira Carta de São João, se alguém diz "Eu amo a Deus", mas odeia o seu irmão, é mentiroso, pois ninguém pode amar a Deus, a quem não vê, se não amar o seu irmão, a quem vê. O mandamento que Cristo nos deu é este: quem ama a Deus, que ame também o seu irmão (1 Jo., 4, 20).

Todos precisamos do afeto dos outros, de acordo com Garzonio (2010, p. 46): "Deus não cobre as ondas do nosso coração. O amor de Deus não responde a todas as dimensões do coração do homem, nem do coração do monge". Por isso, soa falsa a afirmação de que "me basta o amor de Deus". Nós, padres, principalmente, nunca devemos afirmar, pregar e cantar uma afirmação do tipo "Vós, meu Deus, sois tudo para mim, tenho necessidade somente de vós, sou sozinho e o mundo não conta". Como todos os seres humanos, temos necessidade da comunidade, da amizade das pessoas com as quais rimos e em cujos ombros podemos chorar as nossas dores. Tal como assinalou Jesus Cristo, quando disse aos próprios amigos: "Nisto reconhecerão todos que vós sois meus discípulos, se amardes uns aos outros" (João, 13, 35). Amar a si mesmo e permitir-se ser amado são aspectos indissoluvelmente ligados à capacidade de amar os outros.

Henry Nouwen (2001, p. 113) corrobora essa ideia com as seguintes interrogações: "Como o sacerdote vê a si mesmo em sua relação com as outras pessoas? Como ele relaciona privacidade e companheirismo, intimidade e relações sociais?" É exatamente nesse ponto que o sacerdote pode ter problemas, já que, sendo amigo de todos, ele muitas vezes não tem amigos para si mesmo. Sempre dando auxílio e conselhos, com frequência não tem ninguém a quem recorrer com suas próprias dores e problemas. O paradoxo é que ele, que foi ensinado a amar todos, na realidade pode se dar conta de que não tem amigos e, muitas vezes, não consegue ficar a sós consigo próprio. As paredes do espaço íntimo de sua privacidade caíram e não há mais lugar para ser ele mesmo, ou, ainda, ele pode chegar à conclusão de que, ao dar tanto de si mesmo, cria uma necessidade inexaurível de estar constantemente com os outros a fim de se sentir uma pessoa completa.

E também se pode perguntar: quem guia aquele que guia o povo? Nenhum psicoterapeuta se sentirá competente para ajudar as pessoas se não estiver disposto a reavaliar constantemente sua própria saúde mental com ajuda profissional. "Mas qual sacerdote tem um conselheiro espiritual que o ajuda a encontrar seu caminho em meio às complexidades de sua vida espiritual e da dos outros?" (Nouwen, 2001, p. 114).

A constituição pastoral *Gaudium et spes*, do Compêndio do Vaticano II, n. 1, expressa o interesse da Igreja pela realidade do ser humano: "As alegrias e as esperanças, as tristezas e as angústias dos homens de hoje, sobretudo dos pobres e de todos aqueles que sofrem, são também as alegrias e as esperanças, as tristezas e as angústias dos discípulos de Cristo". A dimensão afetiva transborda a realidade da vida humana. O afeto, entretanto, não pode se desvincular da sensibilidade física, corpórea e concreta. Ao falar disso, o também sacerdote Henri Nouwen (2007, p. 108) conta:

> Eu estava me preparando para celebrar a Comunhão durante um dos cultos na capela da Comunidade L'Arche. Uma mulher, com muita dificuldade para falar por causa de sua deficiência, veio a mim e perguntou-me: – Você pode me dar uma bênção? – Claro! – respondi e preparei-me para fazer uma oração formal, erguendo meus braços cobertos por uma toga. – Não – interrompeu ela. – Quero uma bênção de verdade! Ela queria um abraço! Ela queria que eu pusesse todo o meu ser ali. Claro que eu a abracei e ainda lhe disse: você é amada de Deus. E você é única! Ela saiu feliz.

Chama muito a minha atenção a obra "A criação de Adão", da Capela Sistina, pela maneira como Michelangelo a concebeu, quando Deus despertou Adão para a existência pelo toque. Ele estende a mão em sua direção para insuflar-lhe as centelhas da vida. Parece que o poder simbólico de tocar é tamanho que Michelangelo se esqueceu de que Deus criou o mundo pelo verbo.

Ao falar do toque afetivo no outro, Le Breton (2016, p. 269) esclarece que "a individualização de nossas sociedades tende a construir um espaço de reserva entre o si e o outro, permitindo a preservação do si no âmago de sociedades onde sempre menos se vive juntos". Podemos inferir, de uma perspectiva psicológica, num contexto de sofrimento, que tocar reaviva a lembrança da presença materna e restaura a confiança pessoal em si e no mundo. A mão é instrumento de apaziguamento. O toque é também uma forma de palavra que provoca uma resposta. A mão de Cristo cura os doentes. Na sinagoga, um homem estendeu uma de suas mãos, que estava paralisada, Jesus a tocou, "e ela ficou sã como a outra" (Mt.,12, 9). Ele toca as feridas, e elas ficam curadas; toca as frontes febris, e a febre desaparece. Ele põe a mão sobre o leproso e nos olhos do cego e retira as enfermidades. A mão de Jesus é depositária do poder de Deus. Os apóstolos da Igreja Primitiva herdaram o privilégio de curar com as mãos e distribuir o Espírito Santo sobre os fiéis. Tocar permite o sentido de si e daquilo que representa a exterioridade. Por isso, sabiamente, o papa Francisco, na *Carta aos presbíteros por ocasião dos cento e sessenta anos da morte do Cura D'Ars* (2019), exorta:

> Nada é mais urgente do que isto: proximidade, vizinhança, abeirar-se da carne do irmão que sofre. Quanto bem faz o exemplo dum sacerdote que não evita, mas se aproxima das feridas dos seus irmãos. É reflexo do coração do pastor que aprendeu o gosto espiritual de se sentir um só com o seu povo.

No exercício do cuidado pastoral, onde o sacerdote se torna o mediador do amor divino, os gestos falam mais do que as palavras e se tornam como que formas de manifestação onde a esperança abraça o luto.

Morto pelos nazistas em 1945, Dietrich Bonhoeffer ensina que "Cristo não ajuda em virtude de sua onipotência, mas sim em virtude de sua fraqueza, de seu sofrimento, aqui está a diferença determinante em relação a qualquer outra religião" (*apud* Reale e Antiseri, 2006, p. 367).

Bonhoeffer cunhou a expressão "polifonia da existência": "O risco implícito em cada grande amor é aquele de extraviar a polifonia da existência". Ele queria dizer que Deus e a sua eternidade devem ser amados na profundidade do coração, sem que o amor terreno seja danificado ou enfraquecido; alguma coisa como um *cantus firmus*, em relação ao qual as outras vozes da vida formam o contraponto. "Somente quando encontramos esta polifonia é que a vida é total". No dizer de Ermes Ronchi (*apud* Garzonio, 2010, p. 64), a perda dessa polifonia foi uma das consequências mais negativas de um mal-entendido amor sagrado, que se traduz e se mostra em muitos ambientes religiosos, em desconfiança para com a amizade, frieza nos relacionamentos, acidez nas relações, gelidez nas manifestações sentimentais e distorções afetivas. E, sobretudo, a doença mais temida por Jesus, a *sklerokardia*, a dureza do coração. O coração que não ama se desidrata na ilusão de amar a Deus porque não ama ninguém sobre a terra. Se existe alguma coisa sobre a terra que abre o caminho da transcendência, é o amor. O amor é polifônico. Todos devem ser amados com "todo o coração". A totalidade do coração não significa exclusividade.

Ocorre também que, muitas vezes, como rotina, o sacerdote católico, no desempenho de sua missão, é confrontado com as realidades humanas mais difíceis, tais como o sofrimento, a doença e a morte. Sobre o poder religioso e o sofrimento, Vergely (2000, p. 90) afirma que ter tido uma experiência religiosa é passar por algo excepcional na vida, talvez na ilusão de que "o céu se abria e todos os problemas que o homem podia colocar-se tinham solução em algum lugar". Assim como os astronautas que viveram muito tempo no espaço são frágeis ao entrarem na atmosfera, também os visionários de Deus são frágeis quando retomam contato com o mundo. Não podem evitar ser feridos pelo que veem e ouvem. E, em particular, "pelo fato de serem tratados de loucos e iluminados pela multidão, quando lhes acontece de falarem de suas experiências". Ainda mais diante da dor e da morte. "Eles, que tinham o sentimento de terem recebido tudo, veem subitamente esse tudo reduzido a nada."

MINHA HISTÓRIA

Em minha experiência de 25 anos de vida sacerdotal, inúmeras vezes tenho experimentado o confronto entre a minha dor e a dor do outro. Ainda padre novo, perdi simultaneamente minha mãe e meu pai num curto tempo, e também algumas pessoas que eram extremamente próximas e importantes para a minha rede de apoio. Em nenhum momento pude afastar-me das funções sacerdotais na Igreja, já que, estando à frente de uma paróquia e de uma escola, continuar era uma questão de honra e sobrevivência. Entretanto, quando me recordo da intensidade daqueles três meses, do diagnóstico do câncer de minha mãe, com seus exames e internações e toda a demanda de sua morte, seguida da morte de meu pai, percebo que fui obrigado a relativizar a minha dor, ocultando-me dentro das verdades da fé, talvez por temer parecer fraco ou descrente ao povo, relegando, assim, a minha humanidade a um segundo plano.

Sendo minha mãe muito religiosa, ela também tinha certa idealização do filho padre, e recordo-me dela dizendo-me: "Reze, meu filho, para que Deus me cure, porque a sua oração Ele escuta". A mulher forte, roceira e grandona que me carregara nos braços e um dia desatara a fita de minhas mãos ungidas agora estava sendo carregada por mim porque não mais se sustentava nas pernas. E, quanto mais rezava, mais o sofrimento dela aumentava. E naquele período, à frente de uma paróquia, obrigatoriamente deveria falar das coisas da fé e animar o povo a crer, mas existencialmente eu vivia a condição do desamparo e da solidão, numa dor incompreendida e solitária, ainda que o povo se fizesse tão próximo e amigo, e que meu bispo e alguns colegas estivem sendo muito solidários. De fato, hoje compreendo que, diante da demanda dos trabalhos e também da própria estrutura eclesial, não houve possibilidade de expressar minha dor e meu luto e, por isso, não tive tempo nem oportunidade para chorar e elaborar essas perdas. Afinal, até aquele momento, tudo sempre tinha dado certo em minha vida, e eu reunia uma porção de conquistas que sustentavam a felicidade do meu ego. Não havia experimentado a dor para além do seu lado teórico. Mas, em seguida, após todo o sofrimento de minha mãe cancerosa e de seu sepultamento, exatamente em uma quinzena, meu pai, enfraquecido e inconsolável, também morreu de um mal súbito. Experimentei, então, a condição de orfandade num momento em que tantas coisas ainda precisavam ser ditas e tantos sonhos ainda deveriam se realizar. Havia em mim um desejo, agora cortado, de proporcionar aos meus pais um pouco de alegria e de ficar mais perto deles, já que havia saído tão cedo de casa para os estudos.

Após os funerais, destroçado, lembro-me das vezes em que, paramentado para as missas, de frente para o povo, eu tinha a impressão de que estava fora da realidade, como que "a chorar sorrindo" ou falando de coisas que não tinham sentido e nas quais eu não conseguia acreditar, tais como: "Deus é bom e sempre nos atende", "Jesus cura as enfermidades" ou "Ele nos protege contra o mal"...

Mesmo acolhendo manifestações de apreço e de carinho das pessoas, em especial dos paroquianos, vivenciei a situação de que, como "um representante de Cristo", as pessoas talvez achassem que a minha dor era diferente. E, por isso, ouvia algo assim: "Que situação difícil o senhor está passando, perder a mãe e o pai seguidamente. Mas o senhor é padre e tem outra compreensão das coisas e sabe aceitar a vontade de Deus". Havia como que uma projeção de invulnerabilidade que, na verdade, não existia na minha pessoa.

Compreendo que, talvez, de maneira inconsciente, a sociedade atribua um papel de onipotência ao sacerdote, como se as questões que se ligam às fraquezas humanas, tal como a doença e a morte, estivessem controladas. Essa mitificação do sacerdote é vivida como um dom divino, em que dele se esperam serenidade e calma em todas as circunstâncias da vida, e nunca a manifestação da angústia e do sofrimento. Talvez o homem do altar que fala sobre as verdades transcendentais tenha de pagar o preço de que a ele não é permitido sofrer como os outros seres humanos e que o seu modo de sofrer deva ser diferente, tal como na sentença que se diz equivocadamente ao menino: "homem não chora". Isso lembra o mito de Prometeu, que estabelece a ideia do desenvolvimento de um papel social imortal e poderoso e, por isso, inalcançável pelas dores humanas.

Porém, o desfecho de minha história foi a constatação de que, por não ter chorado nem manifestado a minha dor pelos olhos e pelas palavras, e também por não ter encontrado tempo e permissão para sofrer, em um curto tempo após os acontecimentos não conseguia dormir e meu intestino, ora preso, ora solto, estava me impedindo de quase tudo. Emagreci muito e entrei num desprazer imenso por tudo. E, depois de muitos exames e consultas médicas, recebi os diagnósticos de síndrome do intestino irritável e depressão. Então, tive forçosamente de interromper minhas atividades para voltar à normalidade da minha vida. Trouxe para o meu corpo físico, num processo de somatização, a dor que fora negada, comprometendo minha saúde e minha capacidade laboral, o que demandou vários tratamentos médicos e também muitas horas de terapia no enfrentamento das questões do meu luto e na apropriação da minha dor, permitindo-me chorar e sofrer.

De lá para cá, já se passou um bom tempo, e foi pelos caminhos da psicologia e pelos estudos do luto que passei a compreender a minha dor e também o lugar de Deus na minha vida, reconciliando-me com Ele. Mais ainda, posso constatar hoje que o chamado à vida sacerdotal não me imuniza dos sofrimentos humanos nem me oferece uma blindagem para o confronto com os sofrimentos e a morte. Eis a razão pela qual agora me sinto livre para falar a respeito de minha mãe, a quem amei com tanta ternura e cuja morte me causou tristeza tão profunda. De muitas maneiras diferentes, ela me disse – e ainda me diz – que o mais universal é também o mais pessoal, e é certo que em mim se desfez a condição de "ser especial" para tornar-me mais humano. Tudo o que vivi me fez mais sacerdote, quebrando distâncias e estabelecendo empatia com os outros que também sofrem, de tal forma que, quando digo a um filho que perdeu a mãe ou o pai, ou a uma mãe que perdeu o filho, "Eu compreendo o que você está sentindo e a proporção de seu sofrimento", posso dizê-lo hoje com mais propriedade e veracidade e com a autorização do já vivido. Entretanto, sendo o sacerdote porta-voz do divino e arauto de verdades metafísicas, na contramão da realidade do sofrimento, da dor e da morte, algumas interrogações se levantam: como este homem, divinizado pela sua função, lida com os seus sentimentos e com a sua dor? Ou de que maneira, pela fé que proclama, pode ele elaborar o próprio luto diante de suas perdas e das dos outros? Será que a Igreja e a sociedade permitem ao sacerdote elaborar o luto?

MORTE E LUTO

A morte faz parte da vida. Ela se faz presente na rotina cotidiana: nas notícias dos jornais, na convivência com os outros, no processo de envelhecimento em que se inserem todas as formas de vida. Concomitante à sua realidade e presença está a sua interdição. Não se deseja falar dela nem pensar nela. É melhor a conspiração do silêncio. Algo quase de uma total obscuridade se delineia em nossa sociedade atual, num padrão de ocultamento da morte. Cada vez ela se oculta mais, tornando-se quase invisível. Ariés (2003) chama isso de "desumanização da morte".

A morte, impondo uma situação de limite à vida, gera uma descontinuidade e, assim, institui a temporalidade. Nascer e morrer são fatos que instituem limites de temporalidade e definem a finitude, constituindo as duas pontas da estrutura do arco da vida. Tal como explica Corrêa (2008, p. 106), "convidam a dar sentido à nossa presença na história, nos impulsionando a fazer projetos, a organizar nossa semana, a dividir o tempo entre o trabalho, a amizade e o amor, o descanso e o lazer". E se, de fato, o que resta é somente o *carpe diem*, já que o passado se foi e o futuro não é, pensar na morte como realidade presente na vida faz que se tome consciência da necessidade de se viver bem.

Luto vem do latim *luctus* e significa morte, perda, dor e mágoa. Para Bowlby (1993), luto é um processo psicológico que se inicia com a perda de um objeto querido. Ele se manifesta como um sofrimento que se segue à perda e acompanha o enlutado por um período. Já Parkes (1998) o define como uma resposta que se processa por meio de várias mudanças características, mas ao mesmo tempo únicas na vida de um indivíduo, quando ele experimenta uma perda que pode ser real ou simbólica. Para esse autor, o luto é fundamentalmente um processo que acontece mediante três fases: a saudade, ou a procura pelo outro; a desorganização e o desespero; e a reorganização. Elas ocorrem de maneira diferenciada e variam de modo peculiar para cada pessoa e situação.

André Comte-Sponville tem razão ao escrever que o luto marca o fracasso do narcisismo. "Sua majestade, o 'eu', perde o trono. O eu está nu e, por isso, entra na verdadeira vida. Como saber-se vivo sem se saber mortal?" O luto é um aprendizado: o homem é um aluno; a dor e a morte, suas professoras. "Não sabemos renunciar a nada, dizia Freud. É por isso que o luto é sofrimento e trabalho" (Vergely, 2000, p. 77).

O processo do luto pode adquirir várias trajetórias e assumir contornos patológicos se não for vivenciado de forma natural pelo indivíduo. Essa vivência contribui para a redução do estresse e também favorece a aceitação e a elaboração da perda. De acordo com Doka (2002), a sociedade muitas vezes estabelece "normas" claras ou escondidas que permitem ou não o enlutamento de certas pessoas, em determinadas situações ou papéis sociais, dando ao sofrimento de algumas delas uma condição de insignificância. E, em consequência, tais pessoas não são autorizadas a manifestar a sua dor e acabam isoladas "num silêncio tácito em resposta à sua dor e/ou na sua forma de expressá-la" (Casellato, 2015, p. 16).

Por luto não autorizado entende-se aquele que não pode ser manifestado abertamente, porque de algum modo ele está proibido pelo ambiente circunstante ou pela sociedade em geral. Assim, a pessoa não pode manifestar publicamente a sua dor. Essa dificuldade de expressar as emoções e legitimar o sofrimento traz como consequência complicações que complexificam o processo, já que quando se busca sufocar a dor pode-se causar o efeito de aumentá-la.

A respeito do luto não autorizado, Franco (2003) salienta que, muitas vezes, a expressão do luto por alguns profissionais não é franqueada porque pode ser interpretada como "uma fraqueza" do profissional. Em consonância, Doka (2002) vê nessa atitude uma falta de apoio social e legal para as emoções, que, em troca, fazem emergir sentimento de culpa, vergonha, raiva e medo. Casellato (2005) define essa situação como dor silenciada, em que se estabelecem regras de como, quando, quem, por quem e por quanto tempo o processo de luto deve ser vivido. Posteriormente, a mesma autora chamou essa configuração do luto de "não reconhecido", explicando que tal denominação pode ser empregada quando a pessoa experiencia uma perda que não pode ser admitida abertamente; o luto não pode ser expresso ou socialmente suportado (Casellato, 2015, p. 15).

J. William Worden (*apud* Beckwith, 1996) identificou quatro reações de luto complicado: 1. luto crônico, em que o pesar continua durante vários anos; 2. reação marcada por uma expressão emocional insuficiente quando da perda, que posteriormente reaparece com intensidade; 3. reação exagerada, que leva o enlutado oprimido a um comportamento desadaptado; 4. reações mascaradas, que podem ser caracterizadas por sintomas físicos, sintomas psiquiátricos ou comportamentos *acting out*. No entanto, o indivíduo não associa nenhuma delas à perda.

A VIVÊNCIA DO LUTO PELOS PADRES

Na relação com outros colegas sacerdotes, percebo também que a questão da morte e do luto necessita ser refletida e elaborada, englobando duas esferas: a cognitiva e a emocional. A primeira refere-se à perspectiva de que os sacerdotes deveriam ter maior conhecimento sobre a morte e o processo do luto dentro de uma dimensão psicológica; e a segunda se relaciona à questão do manejo das emoções em um amparo também terapêutico, e não somente espiritual. No anseio de amplificar a questão para além de minha experiência, realizei uma enquete que envolveu 37 sacerdotes da diocese de Campanha, sul de Minas Gerais, que constou de uma entrevista aberta e um questionário com questões de múltipla escolha. Essa pesquisa de opinião foi feita de maneira informal e nos intervalos das reuniões e confraternizações. Assim, perguntei-lhes: "Como você lida com a morte e o luto?" Dentre as respostas, selecionei as seguintes:

- "O que posso fazer nessas situações senão me esconder atrás do dia a dia e fazer de conta que não estou sofrendo? Às vezes não é bom nem falar para ninguém o que estou sentindo – aliás, nem tenho para quem falar..."
- "Eu sempre rezo muito, mas, quando se trata de morte de criança e de jovem, muitas vezes fico sem dormir."
- "É aquela velha história, a gente não pode se envolver muito com as pessoas a ponto de sofrer o sofrimento delas. Cada um tem uma cruz para carregar. Mas não é fácil, porque a tristeza é contagiante."

- "De fato, a comunidade espera de mim que eu seja o esteio, mas há vezes em que estou dilacerado também pela dor, mas prefiro não manifestar e nem chorar publicamente."
- "Tem situação que é melhor nem pensar porque senão a gente não dorme nem come, e a minha função me obriga a ser sinal de esperança para aqueles que sofrem."
- "Eu sou humano e ainda não sei lidar com muita clareza com esses momentos. Não gosto de jeito nenhum de ver uma pessoa morta e faço o que posso para evitar velórios, mas são ossos do ofício."
- "Uma vez um tio meu me censurou porque eu estava chorando no velório de uma prima e não quis ir para o momento do sepultamento. Ele me dizia que eu era obrigado a ir, e que 'onde se viu um padre ter medo de enfrentar isso?', que isso era falta de fé."
- "A gente é formado para falar das coisas da fé. Não fomos formados para conviver com a morte e a doença de maneira que elas deixem de tocar a nossa humanidade. Ainda que sejamos pastores de almas, a gente se comove muito com a morte das pessoas, mesmo sem manifestar."
- "No confronto com a morte do outro, não é difícil ser misericordioso e falar de um Deus amoroso e presente, mas, quando se trata de nossa família, tenho de admitir que sou ser humano e que tenho também medos e, muitas vezes, não sei lidar com as minhas emoções."
- "Para quem eu vou falar da minha dor? Só para Deus. Só ele sabe como às vezes me sinto desanimado. Se for contar para os paroquianos, eles vão me achar manteiga derretida. Se contar para os poucos amigos sacerdotes que tenho, eles podem achar que estou me vitimizando e vão achar que estou doente. Se contar para o meu bispo, ele pode me transferir. Assim, prefiro rezar. A vida é difícil para todo mundo."

Apresento, no quadro a seguir, as perguntas e os resultados do questionário.

PERGUNTAS	RESULTADO
1. Você se permite chorar em público diante da perda de um ente querido, amigo ou membro da comunidade?	51%: Não tenho problemas em demonstrar os meus sentimentos. 27%: Evito demonstrar os meus sentimentos. 22%: Tenho dificuldades de expressar os meus sentimentos em público e prefiro vivenciá-los de forma discreta e solitária.
2. Em sua opinião, a morte de um ente querido é um momento:	54%: Difícil, mas que deve ser vivido com serenidade e fé. 35%: É algo comum pelo qual todos vamos passar e, por isso, precisa ser enfrentado de maneira natural. 11%: Difícil e quase sempre desconcertante no que se tem a dizer para consolar os familiares.
3. Em sua opinião, as pessoas da comunidade entendem o líder religioso que "sofre e chora" como:	73%: Humano como todos o são. 27%: Fraco nas situações difíceis da vida.
4. Nos momentos difíceis da comunidade, tais como a morte violenta ou repentina de um fiel, qual deve ser a postura do líder religioso?	54%: Para poder melhor ajudar as pessoas, deve manter-se um pouco distante da situação e lidar com racionalidade. 41%: Deve sofrer com as pessoas e dar a elas uma mensagem de esperança. 5%: Não deve se envolver com o sofrimento das pessoas para se proteger e melhor ajudar no enfrentamento do momento.
5. Ainda em sua opinião, a comunidade tem a seguinte expectativa de um líder religioso diante de momentos difíceis como a morte e o luto:	81%: Deve ser próximo, humano, sofrendo com cada pessoa a sua dor. 19%: Deve oferecer uma mensagem de paz e de segurança aos enlutados, evitando demonstrar fraqueza diante da dor.
6. Diante de suas perdas, como você reage?	46%: Busco ajuda para aprender a lidar com minhas questões, admitindo a minha dor. 27%: Não tenho problema em demonstrar a minha vulnerabilidade diante do fracasso e das perdas. 27%: Evito tocar no assunto, porque "é vida que segue".
7. Como você se vê diante do que fala na igreja sobre a morte para as pessoas?	54%: Completamente convicto do que falo sobre a existência da vida eterna. 35%: Humanamente fragilizado pela dor dos outros, mas dando a eles o máximo de esperança. 11%: Existencialmente confuso com as minhas próprias certezas.

PERGUNTAS	RESULTADO
8. Você já viveu em sua vida pessoal a condição de um sofrimento desamparador pela perda de um ente querido?	95%: Sim. 5%: Não.
9. Em momentos difíceis e confusos da vida, com quem você pode abrir o seu coração e contar tudo o que se passa?	54%: Com um amigo também líder religioso. 27%: Com familiares. 13,5%: Com Deus. 5,5%: Com um profissional de escuta psicológica.

Com base na pesquisa efetuada, observa-se que o sacerdote, como todo ser humano, é alguém que se vincula às pessoas e, por isso, também ama e sofre – e, consequentemente, enluta-se. Ainda que nele se projetem expectativas e que a expressão da dor, muitas vezes, não lhe seja autorizada, ele precisa aprender a lidar de maneira saudável com os seus sentimentos. Entretanto, se muitos se permitem chorar sem medo de que isso pareça "fraqueza", alguns evitam demonstrar o sofrimento publicamente e se esforçam para ter sempre as rédeas da emoção. Outrossim, para o sacerdote, quase que numa constatação presumida, a morte e o luto devem ser enfrentados dentro da perspectiva da fé, que lhe dá cobertura e sentido. Todavia, a fé não deve sufocar o lado humano, ou ser um mecanismo de fuga, tornando-se uma prerrogativa de não enfrentamento para a dor, de modo que a "naturalização" do sofrimento é sempre uma possibilidade que conduz à dessensibilização. Manter-se distante do sofrimento do outro para não sofrer talvez seja ir na contramão do caminho da verdadeira humanização cristã, já que o sofrimento nos desaloja e nos enche de dúvidas e perguntas. Admiti-lo e permiti-lo pode conduzir a um enfrentamento mais saudável, ainda que isso suscite angústia e ansiedades.

O papa Francisco (2015) exortou os sacerdotes à necessidade de exprimir o sentido da fé no confronto com a experiência do luto, sem negar o direito ao choro, dizendo: "Devemos chorar no luto porque também Jesus explodiu em pranto e ficou profundamente perturbado pelo grave luto de uma família que amava" (Jo., 11, 33). A morte e o luto estão dentro da dimensão do mistério e, ao mesmo tempo, da fragilidade da condição de todos os seres humanos. O sacerdote é chamado a estar em contato com essa fragilidade que tem muito que ver com a precariedade da existência humana e, por isso, corre o risco de se tornar uma pessoa que somente é procurada por aqueles que sofrem (eu mesmo posso contar nos dedos as situações em que fui procurado por alguém para compartilhar comigo coisas boas e sucessos).

Corroborando com o que já foi dito, alguns pesquisadores têm se debruçado sobre o estudo da vida dos sacerdotes e de suas dificuldades, sobretudo com relação às questões que se ligam à dimensão psicológica. Luciana Campos, como psicoterapeuta especializada no atendimento de padres e pastores, em sua obra *A dor invisível dos presbíteros* (2018), afirma que parece ser do senso comum que os mediadores do divino estejam sempre disponíveis para auxiliar no sofrimento humano, e, por essa razão, eles são vistos como pessoas fortes, inabaláveis, quase intocáveis. Assim, quando se defrontam com a humanidade do padre, as pessoas podem ter uma sensação de desamparo e, por isso, talvez seja mais fácil negar essa fragilidade.

Ênio Brito Pinto, em *Os padres em psicoterapia* (2012), esclarece que a vida religiosa não dá superpoderes aos padres. Pelo contrário, eles são tão falíveis como todas as pessoas e, em muitos casos, a fé pode não ser forte o suficiente para superar os momentos difíceis.

De acordo com William Pereira, em *Sofrimento psíquico dos presbíteros* (2013, p. 135), uma das possibilidades de complicações de luto em sacerdotes da Igreja Católica é a síndrome de *burnout*, que tem como sintomas fadiga, distúrbios de sono, depressão, dores físicas e, em situação de gravidade, pode conduzir ao suicídio. Na base dessa síndrome pode estar também a dificuldade de lidar com a morte e o luto, bem como a impossibilidade de expressar o seu pesar. As estatísticas apontam que, em alguns países, de cada três sacerdotes, um é acometido pela síndrome de *burnout* (Vidal, 2012). Pesquisa realizada em 2008 pela organização Isma Brasil, voltada para o estudo e tratamento do estresse, apontou que a vida sacerdotal é uma das ocupações mais estressantes: dos 1.600 padres entrevistados naquele ano, 448 (28%) se disseram emocionalmente exaustos, um percentual superior ao dos policiais (26%), dos executivos (20%) e dos motoristas de ônibus (15%). Em sintonia, Ana Maria Rossi, coordenadora da pesquisa, salienta que os padres diocesanos são os que estão mais propensos a sofrer de estresse, porque não têm muita privacidade e "não interessa se estão tristes, cansados ou doentes, eles precisam estar à disposição dos fiéis 24 horas por dia, sete dias por semana" (Aleteia Brasil, 2017).

CONSIDERAÇÕES FINAIS

Ao enfeixar as ideias que conduziram esta reflexão, busquei mostrar que o sacerdote, ainda que seja divinizado pela sua função, é alguém que carrega em si a fragilidade humana e deve se permitir amar e sofrer, bem como a ele deve ser permitido essa condição. De fato, por exercer uma profissão de ajuda, ele necessita desenvolver em si uma grande solidez pessoal, religiosa, mental e psicológica para poder ajudar os outros, ainda que, de forma ambígua, nele convivam o entusiasmo de quem se sente diferenciado e escolhido por Deus e, por outro lado, a condição humana que o faz experimentar também a dor dos outros.

Por ser celibatário, o sacerdote, muitas vezes, convive com a situação de não possuir um suporte externo nem da família nem da sociedade e, por isso, para além de toda projeção e idealização, necessita ser acolhido e compreendido pelas pessoas de sua comunidade de fé. Para terminar, retomo as palavras do papa Francisco (2019), dirigidas a todos os sacerdotes do mundo: "A missão a que fomos chamados não comporta ser imunes ao sofrimento, à dor e até à incompreensão [...] Um bom 'teste' para saber como está o nosso coração de pastor é perguntar-se como enfrentamos a dor".

REFERÊNCIAS

ALETEIA BRASIL. "Depressão e suicídio na Igreja: quando os padres precisam de ajuda". *Revista Aleteia*, 3 maio 2017. Disponível em: <https://pt.aleteia.org/2017/05/03/depressao-e-suicidio-na-igreja-quando-os-padres-precisam-de-ajuda>. Acesso em: 19 jan. 2020.

ARIÉS, P. *História da morte no Ocidente*. Rio de Janeiro: Ediouro, 2003.

BECKWITH, S. *Complicated bereavement: definitions, diagnosis, and implications*. Department of Human Resource Development, College of Education and Human Development, University of Southern Maine, 1996.

BENTO XVI. *Carta encíclica Deus é amor*. São Paulo: Loyola, 2006.

BOFF, L. *Saber cuidar: ética do humano-compaixão pela terra*. Petrópolis: Vozes, 2003.

BOWLBY, J. *Formação e rompimento de laços afetivos*. São Paulo: Martins Fontes, 1993.

CAMPOS, L. *A dor invisível dos presbíteros*. Petrópolis: Vozes, 2018.

CASELLATO, G. *Dor silenciosa ou dor silenciada? Perdas e lutos não reconhecidos por entidades e sociedade*. Campinas: Livro Pleno, 2005.

_____. *O resgate da empatia: suporte psicológico ao luto não reconhecido*. São Paulo: Summus, 2015.

CASELLATO, G. (org.). "Intervenção do profissional de saúde mental em situações de perda e de luto no Brasil". *Revista M. - Estudos sobre a Morte, os Mortos e o Morrer*, v. 4, n. 8, Rio de Janeiro, 2019. Disponível em: <http://seer.unirio.br/index.php/revistam/issue/view/391>. Acesso em: 21 fev. 2020.

COMPÊNDIO DO VATICANO II. São Paulo: Paulus, 1997.

COMTE-SPONVILLE, A. *Impromptus – Entre la pasión y reflexión*. Barcelona: Paidós, 2016.

CORRÊA, J. de A. *Morte*. São Paulo: Globo, 2008.

DOKA, K. J. *Disenfranchised grief: new directions, challenges and strategies for practice*. Illinois: Research Press, 2002.

FRANCISCO. *Udienza generale*, 17 jun. 2015. Disponível em: <http://www.vatican.va/content/francesco/it/audiences/2015/documents/papa-francesco_20150617_udienza-generale.html>. Acesso em: 19 jan. 2020.

_____. *Carta aos presbíteros por ocasião dos cento e sessenta anos da morte do Cura D'Ars*. 4 ago. 2019. Disponível em: <https://jesussacerdote.org.br/

noticias/igrejanomundo/carta-do-papa-francisco-aos-presbiteros-por-ocasiao-dos-cento-e-sessenta-anos-da-morte-do-cura-dars/>. Acesso em: 23 jan. 2020.

FRANCO, M. H. P. "Cuidados paliativos e o luto no contexto hospitalar". *O Mundo da Saúde*, v. 27, n. 1, 2003.

GARZONIO, M. *Il cuore dei preti – L'educazione sentimentale ed affettiva dei sacerdote*. Torino: Edizioni San Paolo, 2010.

JOÃO PAULO II. *Exortação apostólica pós-sinodal pastores Dabo Vobis*. São Paulo: Paulinas, 1992.

JONES, A. *Sacrifício e alegria – Espiritualidade para o ministro religioso*. São Paulo: Paulus, 1995.

LE BRETON, D. *Antropologia dos sentidos*. Petrópolis: Vozes, 2016.

MIRANDA, E. E. de. *Agora e na hora – Ritos de passagem à eternidade*. São Paulo: Loyola, 1996.

MONTES, J. J. M. "Artículos". *Utopia y práxis latino-americana*, ano 8, n. 21, 13 fev. 2003. Disponível em: <https://www.redalyc.org/pdf/279/27902105.pdf>. Acesso em: 19 jan. 2020.

NOUWEN, H. *Intimidade – Ensaios de psicologia pastoral*. São Paulo: Loyola, 2001.

_____. *Transforma meu pranto em dança – Cinco passos para sobreviver à dor e redescobrir a felicidade*. Rio de Janeiro: Thomas Nelson Brasil, 2007.

PARKES, C. M. *Luto – Estudos sobre a perda na vida adulta*. São Paulo: Summus, 1998.

PEREIRA, W. C. C. *Sofrimento psíquico dos presbíteros – Dor institucional*. Petrópolis: Vozes, 2013.

PINTO, E. B. *Os padres em psicoterapia – Esclarecendo singularidades*. Aparecida: Ideias & Letras, 2012.

REALE, G.; ANTISERI, D. *História da filosofia – De Nietzsche à escola de Frankfurt*. São Paulo: Paulus, 2006.

RIGOLDI, G. "La necessità di amare". In: GARZONIO, M. *Il cuore dei pretti – L'educazione sentimentale ed affettiva dei sacerdoti*. Torino: Edizioni San Paolo, 2010.

VERGELY, B. *O sofrimento*. Bauru: Edusc, 2000.

VIDAL, J. M. "Los curas están estresados". *El Mundo*, Madri, 18 mar. 2012. Disponível em: <https://www.elmundo.es/elmundo/2012/03/17/internacional/1331974559.html>. Acesso em: 19 jan. 2020.

12. Luto da equipe de cuidados paliativos

Daniela Achette
Paula da Silva Kioroglo Reine
Ingrid Maria (Mia) Olsén de Almeida

> "Não acredito que o sofrimento sozinho ensine algo. Se bastasse o sofrimento a ensinar, o mundo todo seria sábio, visto que todos sofremos. Ao sofrimento é necessário acrescentar a elaboração, a compreensão, o amor, a abertura e o desejo de continuarmos vulneráveis."
> (ANNE M. LINDBERGH)

NO CENÁRIO DE ATUAÇÃO dos cuidados paliativos, é sempre premente colocar em pauta as necessidades dos profissionais envolvidos. Diante disso, o presente capítulo apresenta reflexões e traz contribuições sobre a importância e a dificuldade de colocar em prática essas propostas. Para tanto, dialogaremos com os seguintes eixos: luto não reconhecido; sofrimento da equipe; autoconhecimento; autocuidado; promoção de saúde e saúde mental.

Que equipe é essa? Ela é "especial"? Apresenta características diferenciadas? Necessita de uma manutenção mais frequente? Como é esse luto? A equipe de cuidados paliativos está constantemente em contato com a perspectiva da morte e do morrer, além de lidar com a dor e o sofrimento em todas as suas dimensões (físico-funcional, psíquica, social e espiritual-existencial). Tem como desafios manter-se próxima do corpo e das emoções do outro. E, para além desse cuidado, necessita enfrentar as incertezas e limitações do conhecimento técnico, que se contrapõem às demandas e expectativas dos pacientes, de suas famílias e/ou de outros profissionais.

Dessa forma, ela está sujeita ao estresse constante, uma vez que todos os seus membros precisam manejar as emoções que as situações lhes despertam. A complexidade desse equilíbrio reside no fato de ser preciso lidar frequentemente com as suas perdas e as perdas dos outros. Assim, o profissional precisa conciliar o "cuidado do outro" com o "cuidado de si".

COMPREENSÃO DA VIVÊNCIA DE LUTO DE UMA EQUIPE DE CUIDADOS PALIATIVOS

É possível separar o luto do profissional pela "sua perda" do luto do profissional pela "perda do outro"? Ele pode ser visto como alguém que "tem a obrigação de suportar qualquer coisa", de "estar sempre disponível". Isso permite que ele mesmo e os outros validem seu sofrimento e suas angústias? Como fica o respeito aos seus limites?

Partindo do modelo de compreensão do luto proposto por Stroebe, Schut e Stroebe (2007), ocorre um processo contínuo e dinâmico em que se faz presente uma oscilação entre entrar em contato com as perdas e o movimento de reconstrução e ressignificação. Lembrando que os cuidados paliativos se propõem à prevenção do sofrimento desde o diagnóstico de uma doença potencialmente fatal e ao controle dos sintomas em sua integralidade, como fica o profissional quando isso não é possível, seja em função de aspectos clínicos ou psicodinâmicos do paciente/familiar, seja por limitações do sistema de saúde ou da cultura institucional?

Para responder a esse questionamento, convém compreender os processos que o profissional de cuidados paliativos perpassa em sua trajetória diária ao lidar com o sofrimento. Para se trabalhar em cuidados paliativos, é necessário ter:

- capacidade de compaixão;
- capacidade de empatia;
- capacidade de estabelecer um processo empático.

Com essas "capacidades", o profissional se vincula e, consequentemente, permanece, de forma transitória, imerso no sofrimento alheio.

O processo empático é um fenômeno da empatia humana que oscila entre a dimensão biológica e a dimensão cognitiva/simbólica. A dimensão biológica decorre de um processo de mimetização fisiológica, da experiência de sentir a dor do outro, também presente em outras espécies animais gregárias. Isso impulsiona a "fazer algo" e também favorece o "contágio emocional". No contágio emocional, pode ocorrer uma "fusão" entre as emoções do paciente e as do profissional, que passa "a sofrer da dor que deveria tratar".

Em cuidados paliativos pediátricos, "sofrer a dor que deveria tratar" é muito comum, infelizmente. Essa equipe encontra desafios complexos e peculiares, pois mesmo profissionais experientes, ao cuidarem de uma criança com uma doença potencialmente ameaçadora, sentem-se tensos e emocionalmente desafiados. Stuber e Bursch (2009) destacam duas dificuldades profissionais ao cuidar de crianças: aquela de estabelecer objetivos de cuidado e integrar a abordagem paliativa precocemente, em vez de reduzi-la aos cuidados de fim de vida; a tendência a uma tentativa de sustentar a vida da criança a todo custo, incluindo tratamentos iatrogênicos que geram sofrimento em todos ao redor do paciente.

A criança em cuidados paliativos geralmente mobiliza no cuidador profissional a ideia de uma trajetória inesperada e interrompida de forma errônea e no tempo incorreto. Ele tem a percepção de que um ser inocente está sujeito ao sofrimento logo no início da vida, fato intensificado quando um comportamento de distanásia se faz presente e sugere, inclusive, uma equipe também em sofrimento.

A equipe de cuidados paliativos pediátricos percebe-se lidando com maiores níveis de distanásia, mediando conflitos em nome de controle de sintomas em todos os níveis e cuidando de familiares que, mobilizados pela intensa angústia da perda, podem solicitar objetivos de cuidado muito distorcidos e distanciados da real necessidade da criança – inclusive indo contra aquilo que a equipe consideraria indicado e proporcional, levando em conta o sofrimento imposto. Esse equilíbrio fino entre as necessidades da equipe de cuidados primários da criança, de seus familiares e da própria criança, que usualmente não tem "voz" para expressá-las, torna o trabalho do profissional emocionalmente árduo.

Tanto no cenário pediátrico quanto naquele que envolve adultos e idosos, estaremos suscetíveis a esses conflitos e manejos complexos. Viver repetidamente tal intensidade muitas vezes transforma essa equipe de cuidados paliativos em um alvo potencial de desenvolvimento de adoecimento psíquico, incluindo a fadiga por compaixão moral, distresse e *burnout* (Fumis *et al.*, 2017). Tais fenômenos podem ser complicadores para o processo de assimilação e acomodação do luto do profissional e trazer consequências que, se não reconhecidas e cuidadas, certamente o afetarão de modo negativo – não apenas na esfera profissional, mas também nos vínculos pessoais.

Já a dimensão cognitivo-simbólica permite colocar as coisas em perspectiva e refletir sobre elas. Possibilita distinguir o "eu" do "outro". Isso instrumentaliza o profissional a intervir de forma mais apropriada, eficaz e protegida na dor do paciente. Por outro lado, é exatamente essa questão cognitivo-simbólica que faz que um simples relato possa sensibilizar a equipe. Também fazem parte da dimensão simbólica "os ecos" do mundo social em que vivemos, nossos valores e representações, nosso "mundo presumido".

Assim, a capacidade de estabelecer um processo empático, que pode ser um dos mais importantes instrumentos de trabalho, um grande aliado, também é por vezes o principal algoz da equipe de cuidados paliativos. Nesse contexto, como promover a saúde mental sem deixar de acolher e validar as perdas?

A teoria salutogênica de Aaron Antonovsky (1993) oferece algumas respostas a essa pergunta. Segundo o autor, saúde e doença não são compreendidas como um *continuum* dicotômico, e sim como um processo dinâmico dual. Cada vez mais são necessários serviços de saúde que entendam e facilitem o movimento das pessoas em direção à saúde nesse *continuum*. Assim, seria preciso compreender os estímulos internos e externos que afetam o paciente, a fim de personalizar as informações transmitidas a ele. Isso favorece a compreensão dos dados e dá certa previsibilidade ao processo. Tal previsibilidade ajuda os sujeitos a lidar com as demandas ligadas ao processo saúde-doença, pois eles adquirem maior clareza dos recursos disponíveis para enfrentá-las. Mobilizando recursos, é possível encontrar um sentido ao que está acontecendo, já que as demandas são desafios que merecem investimento e engajamento que façam sentido.

Assim, é possível construir um sentido de coerência e congruência (um sentimento de confiança internalizado e duradouro, apesar de fluido e dinâmico), "uma forma de ver o mundo que facilita o enfrentamento bem-sucedido dos inúmeros e complexos estressores que nos confrontam no curso de nosso viver" (Antonovsky, 1993).

Outro processo que nos apresenta polos de dualidade é a fadiga por compaixão *versus* a satisfação por compaixão (Lago, 2008).

A compaixão leva a querer ajudar, a fim de aliviar a dor e o sofrimento do outro. Dessa forma, acabamos sentindo pelo outro, em parte com base em nossas experiências. A fadiga por compaixão acontece quando o profissional vê seus recursos exauridos na tentativa de intervir na dor alheia. O processo começa com o desconforto, leva ao estresse e culmina na fadiga.

Nesse sentido, o problema não se resume à fadiga fisiológica decorrente do constante estado de tensão oriunda da exposição ao sofrimento alheio. Por outro lado, também não se refere apenas às mudanças cognitivas e simbólicas derivadas da exposição à dor e ao sofrimento. Ele é as duas coisas – juntas, integradas e, muitas vezes, contraditórias.

Já a satisfação por compaixão (Figley, 1995) ocorre quando o profissional se sente responsável pela melhora dos sintomas do paciente e percebe que traz uma mudança positiva para a qualidade de vida deste. Também estão presentes aspectos biológicos, históricos, sociais, cognitivos e simbólicos. Ajudar o outro alivia a tensão e o estresse em nível fisiológico; enquanto nos níveis social e religioso o ajudar é valorizado, no nível profissional é um dever e reflete a humanização dos cuidados.

É o que faz que a maioria dos profissionais não adoeça, o que lhes possibilita "significar" sua atuação sabendo que "podem fazer diferença" – o que gera um sentimento de satisfação com o seu papel e desempenho.

Assim, teríamos três processos duais e dinâmicos:

1. o modelo do processo dual do enfrentamento do luto (Stroebe, Schut e Stroebe, 2007);
2. o modelo dual salutogênico de Antonovsky (1993);
3. o modelo dual fadiga por compaixão-satisfação por compaixão (Lago, adaptado de Figley e Stamm, 1996).

PREVENÇÃO E MANEJO DE SINTOMAS NA EQUIPE DE CUIDADOS PALIATIVOS

A fim de prevenir e manejar sintomas, é primordial primeiro avaliar quais deles estão (ou não) presentes. O objetivo da avaliação é compreender o processo do luto da equipe de cuidados paliativos, identificar os fatores de risco para seu adoecimento e os elementos complicadores para o seu luto, planejar, desenvolver ações preventivas e levantar os recursos disponíveis tanto da equipe quanto de cada um dos seus membros.

A avaliação pode ser feita de forma observacional, por meio de questionários ou entrevistas, ou de forma combinada (Bromberg, 2000; Parkes, 1998; Franco, 2002).

Os questionários podem ser utilizados quando se quer avaliar a prevalência de sinais/sintomas (por exemplo, ansiedade, depressão, *burnout* etc.) nos especialistas em cuidados paliativos. Uma entrevista semiestruturada possibilita que a dor da perda possa ser ouvida, acolhida e entendida, além de carregar uma função terapêutica que favorece o controle e o alívio do sofrimento.

Após a avaliação da equipe, é essencial construir um plano de cuidados personalizado às demandas encontradas. Essas informações podem auxiliar a justificativa de implantar, na instituição, um serviço de promoção de saúde mental dos profissionais. O manejo vai depender de onde a equipe de cuidados paliativos atua (*hospice, home care*, hospital público, hospital privado, *home care* ligado ao hospital, entre outros). Cada local tem características singulares e desafios únicos. Uma equipe de cuidados paliativos inserida no hospital particular, por exemplo, apresenta uma complexidade diferente por estar inserida em um ambiente com diversas outras equipes de culturas e filosofias diversas.

A seguir listamos algumas estratégias – formais e informais – que podem auxiliar o profissional a reconhecer seu sofrimento e seu processo de luto e a lidar com eles.

ESPAÇOS FORMAIS	ESPAÇOS INFORMAIS
» Reunião de equipe – a partir das discussões dos casos, identificar o impacto nos profissionais e elaborar ações para o cuidado.	» Confraternizações em equipe – espaços que promovam a aproximação e o fortalecimento de vínculos.
» Carta de condolências – permite a expressão de sentimentos e a ritualização do processo.	» "Hora do cafezinho" – pode ser disparada por qualquer colega que perceba o outro imerso em sofrimento e necessitando de escuta e acolhimento. Essa "pausa" pode ser breve, saudável e organizadora.
» Supervisão clínica – com foco em como o profissional é afetado pelo cuidado.	» Participação no velório, no sepultamento e em ritos nos religiosos e espirituais – na medida do que cada situação e cada vínculo solicita.
» Oferta de cuidados integrativos (musicoterapia, reiki, ioga, calatonia, *mindfulness* etc.).	» Práticas relacionadas com a espiritualidade do cuidador profissional.
» Atividades de autocuidado dirigidas (grupo de suporte ao luto, hora lúdica, dinâmicas, suporte psicológico individual ou grupal).	

Aqui descreveremos a experiência por nós vivida como equipe de cuidados paliativos numa proposta de cuidado ao profissional. O grupo de supervisão clínica promove a "manutenção" da equipe e, para isso, deve receber orientação e supervisão de um profissional que não seja da equipe diretamente, mas tenha conhecimento de sua realidade, além de ampla *expertise* na área de cuidados paliativos.

Além disso, uma "supervisão clínica" é permeada por menos estigma dentro da instituição, favorecendo a adesão. Entretanto, não deve se configurar estritamente como um espaço de discussão de casos, também estando presentes a expressão e a validação de emoções em um espaço protegido. Entre seus benefícios, fortalece a coesão da equipe e o sentimento de "pertencimento". A própria equipe acaba por se transformar no principal fator preventivo de sintomas emocionais e mentais, uma vez que é no dia a dia que ela se ampara, se cuida e se supera. Mas é na supervisão que isso é conquistado, uma vez que esta delimita um "tempo" precioso e compõe um espaço de relações de suporte para o processo de luto, favorecendo a "continência".

A supervisão também tem papel psicoeducativo, já que possibilita o aprendizado do processo de luto em uma visão salutogênica. Ao informar os sintomas do luto complicado, favorece sua identificação pela equipe e pelo supervisor, abrindo a possibilidade de encaminhamentos protegidos.

Ao integrar o cuidado do processo de luto, a supervisão informa, instrumentaliza e favorece a experiência de "dar sentido" pelas próprias interações dos membros da equipe. Cria um espaço em que estes podem acolher, validar e dar suporte ao sofrimento uns dos outros, assim como permite estruturar rituais de luto adequados.

Ela pode também promover o treinamento das habilidades de comunicação e de manejo das situações de luto, favorecendo a sensação de competência e autoestima, além de estimular o autoconhecimento e autocuidado dos enlutados, conscientizando-os para a necessidade de buscar o apoio de que a instituição dispõe (terapias complementares subvencionadas no local), encaminhamentos possíveis e recursos externos (atividades físicas, apoio espiritual, equilíbrio entre vida pessoal e vida profissional).

Em relação aos formatos do grupo, é necessário adequá-los à rotina e às características da instituição. Usualmente, são viáveis os subgrupos "transdisciplinares", por serem mais enriquecedores. O objetivo é que os encontros sejam realizados no horário de trabalho da equipe.

A instituição também se beneficia ao promover comportamentos e atitudes adequados por serem refletidos e validados na supervisão. Em consequência, há uma diminuição no número de afastamentos e demissões por problemas decorrentes do exercício profissional e nos custos da instituição com recontratações e treinamentos.

Nem sempre o psicólogo é necessário, uma vez que, instrumentalizados, membros-chave da equipe presentes em determinados espaços poderão estar disponíveis para isso. O ideal seria um sistema de plantão que pudesse ser acionado tanto para a manutenção da equipe quanto para o atendimento de situações especiais envolvendo pacientes e/ou a família.

A implementação das estratégias mencionadas, principalmente as que envolvem investimento de profissionais não diretamente inseridos na equipe, mantém-se como parte do desafio cotidiano, pois na grande maioria das instituições o reconhecimento da necessidade de acolhimento do luto do profissional e a oferta de espaços que promovam sua saúde mental permanecem no discurso.

CONSIDERAÇÕES FINAIS

Percebemos a importância de criar espaços, sabendo que cada grupo/profissional precisará identificar o que melhor se aplica à sua realidade, levando em consideração o contexto em que está inserido e as particularidades de cada um no modo de se relacionar e se expressar. Também notamos que há responsabilidades individuais e institucionais na inclusão de espaços para o reconhecimento e a elaboração do processo de luto do profissional.

REFERÊNCIAS

ANTONOVSKY, A. "The structure and properties of the sense of coherence scale". *Social Science & Medicine*, v. 36, n. 6, 1993, p. 725-33.

BROMBERG, M. H. P. F. *A psicoterapia em situação de perdas e luto*. Campinas: Livro Pleno, 2000.

FIGLEY, C. R. "Compassion fatigue as secondary traumatic stress disorder: an overview". In: FIGLEY, C. R. (org.). *Compassion fatigue*. Nova York: Brunner/Mazel, 1995, p. 1-20.

FIGLEY, C. R.; STAMM, B. H. "Psychometric review of compassion fatigue self test". In: STAMM, B. H. (org.). *Measurement of stress, trauma, and adaptation*. Lutherville: Sidran Press, 1996, p. 127-30.

FRANCO, M. H. P. *Estudos avançados sobre o luto*. Campinas: Livro Pleno, 2002.

FUMIS, R. *et al.* "Moral distress and its contribution to the development of burnout syndrome among critical care providers". *Annals of Intensive Care*, v. 7, n. 1, 2017. Disponível em: <https://doi.org/10.1186/s13613-017-0293-2>. Acesso em: 24 ago. 2020.

LAGO, K. C. *Fadiga por compaixão: quando ajudar dói*. Dissertação (mestrado em Psicologia Social, do Trabalho e das Organizações). Instituto de Psicologia da Universidade de Brasília, Brasília (DF), 2008.

PARKES, C. M. *Luto – Estudos sobre a perda na vida adulta*. São Paulo: Summus, 1998.

_____. "Bereavement as a psychosocial transition: processes of adaptation to change". In: STROEBE, M. S.; STROEBE, W.; HANSSON, R. O. *Handbook of bereavement: theory, research, and intervention*. Cambridge: Cambridge University Press, 2003, p. 91-101.

STROEBE, M.; SCHUT, H.; STROEBE, W. "Health outcomes of bereavement". *Lancet*, v. 370, n. 9603, 2007, p. 1960-73.

STUBER, M. L.; BURSCH, B. "Psychiatric care of the terminally ill child". In: CHOCHINOV, H. M.; BREITBART, W. (eds.). *Handbook of psychiatry in palliative medicine*. 2. ed. Oxford: Oxford University Press, 2009, p. 519-30.

13. Órfão de terapeuta: como lidar com essa perda

Claudia Petlik Fischer

> "Cada vez que respiramos, afastamos a morte que nos ameaça. [...] No final, ela vence [...] Mas continuamos vivendo com grande interesse e inquietação pelo maior tempo possível, da mesma forma que sopramos uma bolha de sabão até ficar bem grande, embora tenhamos absoluta certeza de que vai estourar."
> (YALOM, 2016, p. 9)

PODE SER DIFÍCIL LIDAR com a morte de um terapeuta, sobretudo se o paciente estabeleceu com ele um vínculo estreito, se a morte foi súbita ou se não houve um final compartilhado ou uma despedida.

Quando essa aliança funciona bem, o terapeuta por vezes sabe mais sobre o paciente do que a maioria das outras pessoas, e a morte dele pode ter grande impacto. Perder um terapeuta é ser afetado pela morte de uma fonte confiável de apoio.

A interrupção na terapia sempre gera reações no paciente, sejam elas conscientes ou inconscientes. O enlutado talvez manifeste sentimentos confusos, inclusive raiva, decepção e sensação de abandono. Às vezes se sente muito sozinho, não é compreendido facilmente por outras pessoas e ouve coisas como: "Não é como se fosse um familiar ou amigo", "Ele prestou um serviço. Era o trabalho dele. Ele foi pago por isso", "Você encontrará outro", "Se você sente tanta dor, talvez tenha se aproximado demais, o que mostra que ele não era um bom profissional", entre outras. As respostas diante da morte devem ser reconhecidas como naturais vindas de alguém que se tornou apegado ao profissional.

A morte do terapeuta impõe também um paradoxo: o "salvador onipotente", que poderia ajudar o paciente diante dessa crise, não apenas não pode fazê-lo como é, na verdade, a causa dela (Lord, Ritvo e Solnit *apud* Garcia-Lawson, Lane e Koetting, 2000).

A qualidade da relação terapêutica é fundamental para o resultado da psicoterapia. Neste capítulo, a abordagem discutida será a teoria do apego, em que a perspectiva de apego é indispensável.

TEORIA DO APEGO

Primeiramente, convém definir o que é apego. Desde o início da vida, em comum com outros mamíferos, desenvolvemos conexões com quem cuida de nós e nos protege. Elas são motivadas pela necessidade da criança de sobreviver – não apenas fisicamente – e mantidas e elaboradas pelos pais. Assim, apego é um sistema dinâmico ativado por ameaças (reais ou imaginárias) para garantir segurança e sobrevivência.

Podemos considerar a teoria do apego um modelo pragmático e conceitual cientificamente embasado para pensar nos relacionamentos. Um terapeuta que usa a teoria do apego atua a fim de oferecer condições nas quais seu paciente pode explorar os modelos representacionais de si mesmo e de suas figuras de apego, com o objetivo de reavaliá-los e reestruturá-los à luz da nova compreensão que ele agora tem e da nova experiência vivida na relação terapêutica.

Se o terapeuta não puder ajudar seu paciente a sentir segurança, a terapia dificilmente começa. Assim, seu papel é oferecer uma base segura, a partir da qual o paciente poderá explorar os diversos aspectos difíceis de sua vida.

Com esse processo, uma relação se estabelece, na qual o paciente traz todas as percepções, construções e expectativas de como uma figura de apego tende a sentir e a se comportar em relação a ele, determinadas pelos modelos funcionais dos pais e de si (Bowlby, 1989, p. 134).

Esses princípios têm muito em comum com os descritos por outras abordagens, que consideram os conflitos provenientes das relações interpessoais a chave para a compreensão dos problemas dos pacientes e levam em conta a transferência e as experiências iniciais destes com seus pais. "Ao oferecer uma base segura, a partir da qual [o paciente] pode explorar e expressar seus pensamentos e sentimentos, o papel do terapeuta é parecido ao da mãe, que dá a seu filho uma base segura, a partir da qual ele pode explorar o mundo" (Bowlby, 1989, p. 136).

Além disso, durante todo o processo, o profissional evita julgamentos morais e permanece com a mente aberta, aceitando os relatos trazidos e estabelecendo a empatia. Esse vínculo influencia, além da qualidade da terapia, o luto do paciente que vive a morte de seu terapeuta, bem como a história de perdas vividas por ele e seus padrões de apego internalizados na infância.

LUTO NÃO RECONHECIDO

Há lutos que não são reconhecidos e validados socialmente, o que torna a elaboração mais difícil para o enlutado. Entre eles está aquele relacionado à perda do terapeuta.

O termo "luto não reconhecido" é usado quando a pessoa vivencia uma perda que não pode ser admitida abertamente (Corr *apud* Casellato, 2015). Sem suporte social, ela é isolada diante de um silêncio em resposta à sua dor. É o resultado do fracasso da empatia.

Por mais desafiadoras que sejam, perdas tendem a ser elaboradas naturalmente se há apoio na sociedade. No entanto, nossas dores muitas vezes são silenciosas/silenciadas e, em consequência, o enlutado sente-se desamparado quando sua dor não é validada (Casellato, 2015).

O luto dos pacientes pelo terapeuta pode encontrar resistência em ser reconhecido pelo fato de a relação ser de natureza profissional. Em geral, os pacientes ficam mais vinculados aos terapeutas do que o contrário, à medida que o compartilhamento de emoções e pensamentos durante as sessões não acontece de forma recíproca.

Para alguns pacientes, perder o terapeuta pode ser análogo a perder um dos pais. A diferença é que, no segundo caso, o luto é reconhecido e validado socialmente.

Diante da morte, o enlutado deve ser amparado não só pela comunidade familiar e social ou pelas palavras de conforto e solidariedade, mas também pelos rituais, que são facilitadores da transição de uma rotina com a presença daquele que morreu para uma nova organização de vida, da qual ele não mais fará parte.

FUNERAL

Os funerais, assim como outros rituais, são mecanismos organizadores no processo de luto. Ajudam a aproximar as pessoas envolvidas, facilitam a expressão do sofrimento, auxiliam o enlutado a dar sentido à perda e trazem previsibilidade a um contexto desorganizado. Nesse sentido, quando os rituais são omitidos ou não permitidos ao enlutado, a elaboração e o reconhecimento desse luto são dificultados.

Durante o funeral do terapeuta, os pacientes podem acabar se sentindo "intrusos" e angustiados por não serem parentes nem amigos. Além disso, alguns por vezes sentem ciúmes ao ver a família dele, já que o vínculo entre paciente e terapeuta tem outras peculiaridades, não sendo, via de regra, de amizade. Pode ser um desafio até mesmo notificar os pacientes quando um terapeuta falece, pois eles nem sempre dizem às famílias que estão em terapia e alguns profissionais não deixam lista de clientes.

Em estudo realizado na Filadélfia, 81% dos participantes que perderam o terapeuta compareceram ao seu velório ou funeral (Garcia-Lawson e Lane, 2016). Suas reações variaram: muitos se sentiram confortados por outros que passaram pela mesma perda e relataram ter sido uma oportunidade de saber mais a respeito dele (*ibidem*).

MORTE REPENTINA *VERSUS* INTERRUPÇÃO PLANEJADA

Nesse mesmo estudo, dois grupos de pacientes foram comparados: aqueles que tiveram um término planejado do tratamento e aqueles que vivenciaram um término súbito em consequência da morte do terapeuta. Os resultados indicaram que os que enfrentaram morte repentina do terapeuta demonstraram reações de luto mais intensas, com sentimentos de raiva, desesperança, despersonalização e somatização. Além disso, a natureza da relação com o profissional no momento da morte parece influenciar a próxima relação terapêutica.

Observou-se, ainda, que esses mesmos pacientes enfrentam um dilema: de um lado, podem sentir necessidade de compartilhar os sentimentos de culpa e luto com outro terapeuta; de outro, tendem a se sentir desleais ao profissional que morreu, se assim o fizerem. Muitos não estão prontos para começar uma nova relação enquanto não tiverem processado, até certo ponto, o luto.

Uma revisão da literatura revela que poucos estudos focaram nas reações de pacientes à morte do terapeuta, o que parece refletir o silêncio que permeia o tema da morte, revelando a relutância desses profissionais em discutir a própria morte, tornada tabu. Nesse estudo observou-se, também, que o luto prolongado foi mais frequente em pacientes mais velhos.

Embora alguns terapeutas estivessem de fato doentes, seus pacientes desconheciam esse fato e nenhum estava ciente de que eles estavam prestes a morrer.

Todos os participantes da pesquisa afirmaram que o vínculo com o segundo terapeuta não foi tão forte como com o primeiro.

Os profissionais que atenderam esses pacientes posteriormente relataram constante comparação entre eles.

Shwed (*apud* Garcia-Lawson e Lane, 2016) examinou as reações de pacientes após a morte repentina de seu colega e observou que as 48 horas seguintes ao ocorrido constituíram um período de crise aguda. Também relatou que, por muito tempo, os pacientes negavam a experiência devastadora. Após vários meses, o choque dava lugar a sentimentos de traição e abandono, seguidos de raiva e rejeição. Um achado inesperado foi que a família e os amigos dos pacientes expressaram reações hostis em relação ao terapeuta falecido.

Outro achado interessante é que o relacionamento do terapeuta com o paciente no momento da morte parece impactar a qualidade e intensidade das reações de luto. Os participantes inclinados a relatar mais transferências negativas e mistas no momento do término da terapia sentiram mais ansiedade diante da morte do que aqueles que reportaram transferência positiva. Essa ansiedade pode ser uma resposta à crença inconsciente de ter causado a morte do profissional. Talvez, na fantasia inconsciente do paciente, o terapeuta estivesse sobrecarregado por suas identificações projetivas (Garcia-Lawson e Lane, 2016).

Após a morte do terapeuta, os pacientes podem ter, ainda, sentimentos positivos, como sentir que evitou o perigo de uma relação de dependência (Dewald *apud* Garcia-Lawson e Lane, 2016). Também podem se entusiasmar por não ter mais essa despesa de dinheiro e tempo.

Na pesquisa citada, 50% dos participantes descreveram efeitos positivos de suas experiências; mencionaram ter ganhado força interna ao enfrentar a tragédia e que esse enfrentamento os ajudou a lidar de forma mais efetiva com outras experiências de perda e separação.

COMO SEGUIR EM FRENTE?

> "Felizmente, o psiquismo humano, assim como os ossos humanos, está fortemente inclinado à autocura."
> (BOWLBY, 1989)

"Como vou continuar? Ele era a única pessoa que sabia tudo sobre mim."

Essa é uma pergunta comum depois que o terapeuta morre.

O profissional, quando companheiro do paciente nas explorações de si mesmo e de suas experiências, permite que a aliança terapêutica se constitua como uma base segura. O paciente que vivenciou condições nas quais a autocura pôde ocorrer da melhor forma, isto é, que foi encorajado a acreditar que podia, por si só, ser livre para ressignificar suas experiências de vida, poderá se sentir mais bem preparado para seguir em frente. A "ironia" da dinâmica de apego é que, quanto mais seguras e conectadas as pessoas se sentem, mais aptas estão para explorar o mundo longe de seus cuidadores. Nesse sentido, se o terapeuta teve tempo para estabelecer uma base segura para o paciente, este conseguirá seguir em frente confiante de seus recursos internos até encontrar outro profissional que lhe agrade.

Após a morte do terapeuta, é compreensível a resistência em iniciar uma terapia com um novo profissional. O paciente pode questionar se deve procurar ajuda imediata com outro terapeuta ou interromper temporariamente a terapia. Flesch (*apud* Garcia-Lawson e Lane, 2016) sugere que os sentimentos dos pacientes sobre mudar de terapeuta estão mais relacionados com o apego emocional ao profissional anterior do que com a duração do tratamento. Ela pontua que a resposta do paciente à perda do terapeuta e à contratação de um novo é determinada pela natureza da transferência.

Possivelmente, a nova terapia se concentrará em lidar com a morte do antigo terapeuta. Os profissionais devem estar cientes de que esses pacientes, ao menos de início, serão difíceis de tratar e de estabelecer confiança. Podem estar relutantes, temendo que essa nova relação acabe da mesma forma que a anterior.

Algumas sugestões para o enfrentamento dessa perda podem ajudar o enlutado:

- Dependendo das circunstâncias de sua experiência, é possível receber ajuda de outras pessoas que o terapeuta possa ter instruído no caso de sua morte.
- Pensar em um ritual (um ato de lembrança ou homenagem) para fazer sozinho, a seu tempo.
- Visitar novamente o local ou o bairro onde ocorriam as sessões. Talvez isso seja doloroso, mas pode ajudar a elaborar o luto.
- Reservar um tempo no mesmo dia e horário de atendimento e fazer uma sessão sozinho, em um lugar onde se sinta confortável e seguro. Ter uma conversa imaginária com o terapeuta e falar sobre como se sente costuma ajudar.
- Escrever uma carta. Colocar sentimentos em palavras pode ajudar a processar emoções difíceis e organizá-las diante de uma situação desorganizadora.
- Escolher um novo terapeuta que conheça o anterior.
- Não há problema em perguntar sobre a saúde do novo terapeuta.

TESTAMENTO

Poucos terapeutas têm planos de contingência para a própria morte. Devido a isso, muitos pacientes sofrem consequências. Nesse mesmo estudo realizado na Filadélfia, fica claro que 90% dos profissionais que morreram não tinham procedimento planejado para cuidar dos pacientes em uma fase póstuma. Apenas 10% do grupo que vivenciou a morte repentina do terapeuta havia recebido uma referência ou nomes de colegas para contatar em caso de uma crise que pudesse acontecer durante o tratamento.

Após a morte, 94% dos participantes não receberam seus prontuários nem tiveram a oportunidade de ser encaminhados para outro terapeuta (Garcia-Lawson e Lane, 2016).

Os pacientes deveriam ser informados no começo da terapia sobre procedimentos para auxiliá-los em caso de situação inesperada, como nomes de outros terapeutas para contatar em uma emergência.

Após a revisão dos códigos de ética de associações profissionais de diversos países, é possível observar que grande parte delas oferece diretrizes para que os terapeutas façam um planejamento a fim de direcionar os pacientes e proteger material confidencial em caso de morte, incapacidade ou necessidade de interrupção do tratamento. O Código de Ética da American Psychological Association (2017, p. 7), por exemplo, demanda que os psicólogos se esforcem para "planejar e facilitar serviços caso o atendimento psicológico seja interrompido por fatores como doença, morte, indisponibilidade, mudança de endereço, aposentadoria ou limitações financeiras do paciente/cliente". Também sugere que os profissionais façam planos com antecedência para facilitar uma transferência adequada e o sigilo dos dados.

No Brasil, o Conselho Regional de Psicologia (CRP) diz não haver normatização específica a respeito disso. Segundo a resolução CFP 03/07, se um familiar ou colega psicóloga(o) da(o) profissional que faleceu entrar em contato com o CRP/SP, solicita-se que se verifique a existência de um profissional que possa ficar responsável pelos arquivos confidenciais desta(e). Na Flórida e em alguns poucos estados dos Estados Unidos, os herdeiros de terapeutas falecidos devem colocar anúncios de jornal informando que o profissional morreu e onde seus arquivos podem ser encontrados. Na Califórnia, uma terapeuta conseguiu que seus arquivos pudessem ser destruídos após a sua morte, protegendo a privacidade dos pacientes. Alguns terapeutas escrevem sobre os pacientes em seus testamentos, inclusive deixando objetos pessoais para que tenham uma lembrança de algo deles.

Sugere-se que os terapeutas façam um testamento, o que ajudaria outros profissionais a atender às necessidades dos pacientes. Nem sempre há aviso prévio de que algo pode acontecer. Portanto, é um assunto que deveria ser pensado desde o início das atividades e revisado anualmente. Alguns pontos a considerar no testamento: indicar alguém que possa se responsabilizar por avisar os pacientes e colegas; indicações de outros terapeutas; o que fazer com informações confidenciais, como prontuários e mensagens, cobranças etc.

Por ser um tabu, como muitos outros lutos não reconhecidos socialmente, o tema não é discutido nas universidades, tampouco entre terapeutas. É preciso refletir mais sobre os sentimentos em relação à morte e à doença e discutir estratégias para tratar o assunto de modo a ajudar o paciente que enfrentará esse tipo de perda.

Os terapeutas têm a responsabilidade ética de prever situações desagradáveis e evitar reveses na terapia (Garcia-Lawson e Lane, 2016). Assim, recomendam-se o reconhecimento da vulnerabilidade e da mortalidade, a familiaridade com a literatura sobre o tema e a elaboração de um testamento de trabalho (*ibidem*).

REFERÊNCIAS

AMERICAN PSYCHOLOGICAL ASSOCIATION. *Ethical principles of psychologists and code of conduct*. Washington, 1º jan. 2017. Disponível em: <https://www.apa.org/ethics/code/index>. Acesso em: 7 jan. 2020.

BOWLBY, J. *Uma base segura: aplicações clínicas da teoria do apego*. Porto Alegre: Artes Médicas, 1989.

CASELLATO, G. *O resgate da empatia: suporte psicológico ao luto não reconhecido*. São Paulo: Summus, 2015.

GARCIA-LAWSON, K. A.; LANE, R. C.; KOETTING, M. G. "Sudden death of the therapist: the effects on the patient". *Journal of Contemporary Psychotherapy*, v. 30, mar. 2000, p. 85-103.

HOLMES, J.; SLIDE, A. *Attachment in therapeutic practice.* Londres: Sage Publications, 2018.

SIEGER, K. *The death of a therapist, coach, or mentor – How to cope.* Londres, 5 ago. 2019. Disponível em: <https://karinsieger.com/death-of-a-therapist-coach-mentor-how-to-cope/>. Acesso em: 7 jan. 2020.

THE WALL STREET JOURNAL. *The empty chair: how patients cope with the death of their therapist.* Nova York, 4 ago. 2004. Disponível em: <https://www.wsj.com/articles/SB109165345365483094>. Acesso em: 7 jan. 2020.

YALOM, I. *A cura de Schopenhauer.* São Paulo: HarperCollins, 2016.

14. O luto do cuidador informal do portador de Alzheimer

Vera Anita Bifulco

O SENSO COMUM COSTUMA entender que o luto se instala quando o corpo físico morre, mas diversas outras "pequenas" mortes acontecem no processo de adoecimento antes que se chegue à morte física derradeira. Essas "pequenas" mortes cotidianas não são percebidas pelos cuidadores informais. É o caso, por exemplo, de viúvas de maridos vivos que não reconhecem mais a pessoa com quem construíram uma longa existência. Há uma presença física e uma ausência psicológica, caracterizando o que Pauline Boss (2014) chama de "perda ambígua".

Para os cuidadores, sobretudo os informais, faz-se necessário aprender a lidar com o paradoxo gerado pelo estresse da ambiguidade, aceitando as oscilações de sentimentos gerados pelo cuidar contínuo e pelo avanço da doença. As pessoas que vivem perdas ambíguas oscilam entre a esperança e a desesperança, emoções que podem amortecer os sentimentos e impedir que elas voltem a se ocupar da própria vida. Nesse sentido, trabalhar o luto antecipatório protege os cuidadores e os fortalece para enfrentar as perdas rotineiras até chegar à morte final e ao recomeço sem a presença física do ente querido (Carter e McGoldrick, 1995).

O luto antecipatório desperta também a consciência da mortalidade do ente querido e da própria pessoa, além de permitir aos familiares expressar os sentimentos que esse discurso envolve. Ele facilita a troca de impressões, pois cada cuidador sente a perda de forma diferente, conforme os laços que foram construídos no decorrer de sua história.

O luto, como todo processo, é dinâmico; implica a elaboração de perdas – reação normal e esperada – e o trabalho de reorganizar-se, de harmonizar-se com a experiência mais fundamental que existe: a morte. Tudo isso requer tempo, constituindo uma elaboração psíquica de afetos confusos, muitas vezes paradoxais: alívio e culpa. Há sofrimento, tristeza, pesar, desgosto, angústia, entorpecimento, exaustão, remorso, solidão e tantos outros. Entre esses sentimentos, a solidão é o mais angustiante. O cuidador está só, mas acompanhado, e cabe a ele continuar protegendo aquele que ama – ainda que este tenha se tornado um estranho.

Lya Luft (2008), num brilhante ensaio sobre o mal de Alzheimer escreveu: "O portador não precisa de repreensão, nem de repetição, precisa de proteção".

ENTENDENDO A DOENÇA

O processo fisiopatológico fundamental no mal de Alzheimer – e nas demências afins – é a degeneração progressiva das células e a perda de vasta quantidade de células nervosas nas porções do córtex cerebral associadas às chamadas funções mais elevadas, como memória, aprendizado e julgamento. Em decorrência da atrofia do sistema nervoso central, ocorre a deterioração global do funcionamento intelectual. Até o presente momento, trata-se de uma doença incurável, ativa, degenerativa e irreversível, com progressiva evolução até o óbito.

Aqui se fazem necessários parênteses elucidativos: demência não é sinônimo de velhice, por duas razões principais: a) uma minoria de adultos mais velhos desenvolve sintomas de demência; b) a demência pode ocorrer em qualquer idade. É a probabilidade de desenvolver a doença que aumenta com a idade (Lown, 2008).

Seguindo esse pensamento, podemos deduzir que a gravidade da demência para o portador, em qualquer tempo determinado, é proporcional ao número e à localização das células que foram afetadas, o que pode explicar a perda crescente de funções cognitivas. Ocorre, também, um decréscimo marcante de acetilcolina, a molécula utilizada por essas células para transmitir mensagens.

Com a demência, o portador perde tudo que existe ou pode existir real ou abstratamente. Ele começa se esquecendo de pequenos fatos, como aniversários, número de telefone e nomes; depois, passa a se esquecer de coisas mais importantes como sua capacidade de dirigir, de cozinhar, de limpar. Perde, assim, a independência. Perde a capacidade de medir cronologicamente as coisas, o contexto de seu dia a dia. Qualquer fato é esquecido rapidamente. As coisas que sabia antes parecem estar desaparecendo e ele, por não ter outra opção, espera o tempo passar.

Esse tempo sem resposta corre para o cuidador de forma dramática. Não há consolos. A angústia pode ser mitigada com um bom tratamento, grupos de apoio e a proximidade dos amigos e da família, mas no fim será necessário que o paciente e os entes queridos caminhem juntos por aquele vale muito tortuoso de sombras, em cujo curso tudo muda para sempre. Não há dignidade nesse tipo de morte (Nuland, 1995). Trata-se de um ato arbitrário da natureza e de uma afronta à humanidade de suas vítimas. Se há alguma sabedoria a ser encontrada, ela deve estar no amor e na lealdade, que transcendem não apenas a decadência física, mas também o cansaço espiritual dos anos de tristeza.

O CUIDADOR INFORMAL E A VIVÊNCIA DO LUTO

Durante a evolução da doença, é o familiar mais próximo – isto é, aquele que cuida do paciente – quem mais sofre. Esse cuidador informal é obrigado a lidar com perdas rotineiras.

O cuidador informal "desponta" na família como a pessoa mais disponível para exercer o cuidar contínuo, não havendo regras para essa escolha. Tudo depende do contexto no qual o diagnóstico se deu. Caso isso ocorra num lar em que um dos cônjuges ainda é hígido, possivelmente será esse cônjuge o designado a acompanhar o parceiro portador de demência nos cuidados cotidianos. Isso não impede – nem deve impedir – que haja também um cuidador formal ou outro membro da família que o auxilie, a fim de que ele não fique sobrecarregado.

O cuidar do outro não deve jamais excluir o autocuidado. Essa regra de ouro implica que só cuidamos com excelência de alguém se soubermos primeiro cuidar de nós mesmos.

O luto de um cuidador de portador de Alzheimer pode ser definido como "um trabalho de desconstrução da presença e reconstrução da ausência" (Souza, 2016).

A perda é uma transição que transtorna os padrões de interação do ciclo vital, implica reorganização familiar e desafios compartilhados para a adaptação. O luto nesse contexto é definido como uma crise porque ocorre um desequilíbrio entre a qualidade de ajustamento necessário de uma única vez e os recursos imediatamente disponíveis para lidar com ele – ou seja, requer da família uma demanda sistêmica de ordem emocional e relacional que vai além daquilo com que ela consegue lidar.

O CUIDADOR FORMAL

Trata-se da pessoa designada pela família ou instituição para exercer o cuidado. Nessa relação não há vínculo familiar: trata-se de um contrato de trabalho preestabelecido, com remuneração e folgas semanais.

Contratar um cuidador formal ou mesmo institucionalizar um ente querido não significa menos amor ou menos cuidado: não deve haver culpa nessa decisão. O amor está na presença, no zelo, em não abandonar, no olhar atento ao cenário onde o cuidar se desenrola.

Com o passar do tempo, as forças do cuidador informal se mitigam e por vezes temos dois doentes em vez de um. Na maioria das vezes, encontramos um idoso cuidando de outro idoso. Com frequência, na sala de espera dos geriatras, não conseguimos distinguir quem é o paciente e quem é o cuidador. Nesse sentido, delegar cuidados técnicos, como banho, troca de fraldas, mudanças de decúbito, alimentação e medicação não diminui o amor.

Aceitar ajuda pode vir a ser um ato de humildade e coerência, dando oportunidade para que o amor e a dedicação perdurem por um tempo bem mais longo.

Estar ao lado, administrar o ambiente do cuidar, proteger e amparar são ações amorosas louváveis. Lidar com nossos limites de atuação pode garantir uma dedicação longa e generosa, sem prejuízo para nenhuma das partes que compõem o ato de cuidar.

O cuidador informal precisa ficar atento à "síndrome do super-herói", que pode boicotar as melhores propostas de cuidado. É preciso que haja folgas, fins de semana dedicados ao descanso ou pequenas viagens. Tais folgas melhoram substancialmente o humor do cuidador e beneficiam o doente.

CUIDADOS PALIATIVOS NAS DEMÊNCIAS

Hoje, a aplicação de cuidados paliativos no caso de doenças neurológicas vem crescendo e acena para um grande desafio – assim como o foram o câncer avançado, a aids e outras doenças metabólicas. O processo de envelhecimento da população mundial aponta para essa necessidade. Cabe lembrar, usando uma frase de Elisabeth Kübler-Ross (2011, p. 268), algo inerente à condição humana e particularmente aplicável aos cuidadores de Alzheimer: "Há em cada um de nós um potencial para a bondade que é maior do que imaginamos; para dar sem buscar recompensa; para escutar sem julgar; para amar sem impor condições".

No momento do diagnóstico de uma enfermidade como a doença de Alzheimer – ou outra forma de demência –, é necessário que o médico deixe claro sua condição de irreversibilidade e que o fim, por melhor que seja o cuidado dedicado a esse portador nos longos anos que se sucederão, será o óbito. A expectativa de vida pode chegar a 15 anos.

Questões de fim de vida nunca deveriam ser deixadas para o fim da vida (Bifulco e Caponero, 2018). É necessário que a família tenha essa lucidez, pois desde o início deverá haver uma logística do cuidar. Esta só será satisfatória se todos entenderem que se trata de uma doença ativa, progressiva e incurável.

Nas demências, os cuidados paliativos têm uma atribuição especial: ajudar o cuidador a tomar decisões. Diferentemente da grande maioria das doenças – em que o cognitivo está preservado e o paciente, junto com seu médico, pode decidir as melhores alternativas para seu tratamento –, em pacientes com comprometimento neurológico mental essas decisões recaem sobre a família. Se já é difícil decidir sobre questões da nossa vida, que dirá definir o que é melhor para a vida dos que amamos.

Pensamentos como "E se não for a melhor escolha?", "Ele(a) não gostaria que fosse assim" e "Ele(a) não merece esse fim" envolvem os familiares numa impotência brutal. Nesses momentos cruciais, em que parece que a vida do ente querido depende exclusivamente de uma decisão do cuidador, é preciso ter plena confiança no médico que está atendendo o caso. Será com ele que o cuidador partilhará diversas decisões, principalmente relacionadas com o sofrimento físico.

Para que haja serenidade nas decisões, é necessário que assuntos de vida e morte tenham norteado os momentos de vida em comum. Dessa forma, o portador de demência vivenciará seus momentos derradeiros conforme sua vontade e os familiares terão mais serenidade, sabendo que estão sendo cumpridas as vontades e os desejos de seu ente querido.

CONSIDERAÇÕES FINAIS

O tipo de morte e as condições nas quais se dá a perda influenciam sobremaneira toda a família no trabalho de elaboração do luto.

Se o portador de demência ou qualquer outra doença morre bem, com serenidade e sem sofrimentos maiores, os que ficam sentirão tristeza, mas ficarão bem. São sentimentos normais e esperados, pois existe o conforto de saber que tudo foi feito e nada ficou pendente.

Já questões mal resolvidas muitas vezes culminam em luto complicado – senão em adoecimento. Nesses casos, os sobreviventes arrastam a culpa até o fim da vida. E vidas ceifadas pela culpa têm difícil recomeço.

Quando trabalhamos o luto antecipatório, damos à família condições de lidar com decisões e/ou questões pendentes por meio de soluções possíveis, em tempo hábil.

Nas últimas décadas, a medicina vem tentando desenvolver medicamentos que retardem o máximo possível a evolução da doença de Alzheimer e de demências afins. Apesar disso, o tratamento dessas enfermidades mudou da tentativa de curar para a excelência no cuidar. Sabe-se agora que, dependendo da qualidade do cuidado, o portador pode apresentar melhor evolução de seu quadro clínico e retardar o agravamento da doença.

Isso se deve a esforços multiprofissionais que agregam saberes de outras especialidades além da medicina, como psicologia, fisioterapia, terapia ocupacional, enfermagem, odontologia, serviço social, nutrição e, até mesmo, direito – o advogado pode ser crucial para questões legais de proteção, como a interdição e a curatela.

Dessa etapa tortuosa, a grande lição que fica é o sentido que foi dado ao ato de cuidar e como crescemos como seres humanos nessa doação de amor e das lembranças reconfortantes do que significamos uns para os outros.

REFERÊNCIAS

BIFULCO V. A.; CAPONERO, R. (orgs.). *Cuidados paliativos: um olhar sobre as práticas e as necessidades atuais*. Manole: Barueri, 2018.

Boss, P. *La pérdida ambigua: cómo aprender a vivir con un duelo no terminado*. Barcelona: Gedisa, 2014.

CARTER, B.; MCGOLDRICK, M. (orgs). *As mudanças no ciclo de vida familiar: uma estrutura para a terapia familiar*. Porto Alegre: Artes Médicas, 1995.

KÜBLER-ROSS, E. *A roda da vida*. Rio de Janeiro: Sextante, 2011.

LOWN, B. *A arte perdida de curar*. São Paulo: Peirópolis, 2008.

LUFT, L. "Diagnóstico: Alzheimer". *Veja*, São Paulo, v. 41, n.15, p. 22, 16 abr. 2008.

NULAND, S. B. *Como morremos: reflexões sobre o último capítulo da vida*. Rio de Janeiro: Rocco, 1995.

SOUZA, A. C. R. "O direito ao luto sem pressa". *Slow Medicine*, 1 nov. 2016. Disponível em: <https://www.slowmedicine.com.br/o-direito-ao-luto-sem-pressa/>. Acesso em: 27 jul. 2020.

ENGAJAMENTO SOCIAL: DO SILÊNCIO À AÇÃO

15. Do luto ao inFINITO

Tom Almeida

Aos 44 anos de idade, dona Lourdes, minha mãe, anunciou que estava morrendo. Eu tinha 6.

No momento do "anúncio de morte" não havia nenhum diagnóstico de doença terminal ou algo parecido. Mas aquilo ficou gravado em mim: a cena do dia em que, pela primeira vez, me dei conta de que minha mãe poderia morrer.

Ela fez o comunicado enquanto me contava onde ficava guardada a carteirinha do seguro funerário que ela tinha da Apeoesp – Sindicato dos Professores do Ensino Oficial do Estado de São Paulo. Ao longo dos outros tantos anos de vida, minha mãe seguiu confirmando que morreria em breve. Arrisco dizer que ela vivia com esse medo e, por isso, o expressava assim, visto que a mãe dela morreu cedo. Hoje acredito que essa insistente lembrança sobre seu fim tinha o objetivo de me preparar. Ela não queria que eu fosse pego de surpresa, como ela fora.

Minha mãe tinha 38 anos de idade quando eu nasci. Isso foi em 1970, no final de outubro, em uma pequena cidade do interior de São Paulo, um lugar e um tempo em que ela era considerada velha para isso. Sempre me disse que cheguei de surpresa, que pensou que estava entrando na menopausa. A vida provou o contrário: ao invés do fim de um ciclo, ou seja, da morte do seu período fértil, o que estava acontecendo era justamente o oposto, a chegada de uma nova vida.

Ela morreu 43 anos depois do primeiro "anúncio". Passei quase 40 anos da minha vida com muito medo da morte dos meus pais –

principalmente da morte dela. Um medo infantil que levei para a vida adulta. Em virtude daquele contexto, com frequência imaginava o velório dos meus pais. Via minha mãe no caixão, de preto, com algodão no nariz, com todos os estereótipos e detalhes esperados para esse dia, quem estaria lá... Vivia uma tortura. Mas nunca falei com ela sobre esses medos. Nunca disse que não queria que ela morresse. Nunca disse que passei a vida toda com medo da morte dela. Nunca contei que o meu choro frequente no Natal, quando eu a abraçava, era um choro de alegria, por ela ainda estar viva. Nunca contei que na mesma lágrima, no mesmo suspiro, havia um medo paralisante de imaginar que ela não estaria ali no próximo Natal para eu dar aquele abraço.

Fui aprendendo a não contar com a minha mãe porque "sabia" que, em breve, ela ia faltar. Fui tentando resolver sozinho todas as minhas questões emocionais, pois eu ia ficar só.

Em minhas fantasias, por quase 40 anos de espera, sempre me imaginei devastado, destruído no momento em que ela morresse. Tinha dúvidas se daria conta. A forma como eu projetava o sofrimento era dramática e quase insuportável. Mas já na realidade do velório eu comecei a me sentir errado.

Eu estava aceitando naturalmente aquela morte que tanto temia. Havia, sim, muita tristeza, mas também um entendimento e uma aceitação inconcebíveis para mim. Não era nada daquilo que eu havia imaginado. E depois do enterro me senti muito culpado (muito mesmo) pelo fato de o velório da minha mãe não ter sido o pior dia da minha vida. Culpado por ter visto beleza naquela situação. Culpado pela forma como eu estava vivendo e olhando para aquele momento.

No velório estavam presentes muitos amigos e amigas de uma vida toda, que vinham até mim contando histórias vividas com minha mãe. Histórias que eu não conhecia. E eu, curioso que sou, queria saber mais. Ouvir as histórias que a minha mãe havia vivido com aquelas pessoas me aquecia o coração, trazia um sorriso ao meu rosto e alegrava a minha alma. Eu ouvia as histórias, olhava para o caixão e pensava: ela está aqui, nesta história, nesta lembrança. Está tudo certo. Ela está aqui.

Houve ainda outra culpa que surgiu logo depois: a de sentir alívio com a morte da minha mãe. Sim, um alívio por não ser mais refém daquele medo. O telefone não mais tocaria de madrugada com a notícia real da morte dela. E a realidade era muito mais tranquila do que todo aquele medo e terror que eu havia premeditado. Lidava bem com o fato, muito melhor do que tinha imaginado.

Durante mais de um ano o meu luto foi em forma de culpa por não sofrer. Comecei a sofrer calado por não estar sofrendo, com pensamentos frequentes e que ainda me visitam ocasionalmente: não estou sofrendo *como* eu deveria. Não estou sofrendo *quanto* eu deveria. Não estou sofrendo *quando* eu deveria. Não estou sofrendo *onde* eu deveria.

Sentia-me envergonhado por isso. Sentia que estava vivendo meu luto de forma errada. E, ainda pior, que nem havia luto. Com todas essas dúvidas, coloquei em prova meu amor pela minha mãe. Eu a havia amado de verdade? Eu ainda a amava?

Nossa relação foi construída com base no medo de ela morrer. Uma unha encravada na nossa vida. A presença da morte como uma ameaça que eu não tinha coragem de olhar, da qual eu tentava fugir. Sinto que olhei para o lado errado do caminho que separa a vida e a morte. Olhei para o "depois da morte", sem ela, em vez de olhar para o "hoje", com ela.

Nesse mesmo ano da partida da minha mãe, a morte se apresentou também em outra forma. Meu querido primo-irmão Eduardo, o Du, recebeu aos 38 anos o diagnóstico de uma doença no fígado muito séria, cuja única saída poderia ser o transplante, mas, ainda antes dessa chance, a doença evoluiu para um câncer. Com isso, a possibilidade de transplante foi descartada, e ele morreu aos 41 anos.

Foram três anos e três meses entre o descobrimento da doença e a sua morte. Tive a honra de estar muito perto dele durante toda essa trajetória. Ao contrário do que vivi com a minha mãe, com o Du eu tive coragem de olhar para a morte de frente, reconhecendo a sua presença e lidando com isso.

Nesse processo, fui descobrindo em mim uma habilidade de sustentar o desconforto de falar sobre a morte, de reconhecer a sua presença e entender que ela poderia ser muito mais do que somente dor, sofrimento e medo. Aprendi o poder curativo de transformar o não dito em palavras. E quanto esse falar cria conexão, intimidade e amor.

A morte do Du trouxe um sentido completamente novo para a minha vida. Mudou o meu entendimento sobre mim mesmo e o meu lugar no mundo.

O Du morreu no ano seguinte à morte da minha mãe, que era sua madrinha e a quem ele chamava carinhosamente de Mãe Ude. As mesmas dúvidas e culpas me frequentaram após a morte dele. Sentia que não estava vivendo o luto corretamente. E agora eram duas culpas, e eu já nem sabia mais qual era qual...

Foi quando voltei para a terapia, que me ajudou muito nesse processo.

A partir de tudo que eu havia aprendido e continuava a aprender sobre olhar para a morte de frente e estabelecer uma nova forma de me relacionar com ela, senti que havia chegado a hora de abrir essa conversa com meu pai. Seu Getúlio tinha 86 anos quando juntei toda minha coragem e perguntei se ele tinha medo de morrer. A pergunta saltou da minha boca enquanto eu o barbeava – um dos momentos mais íntimos que tínhamos em minhas visitas a ele.

Na sequência, uma conversa linda e honesta aconteceu:

— Pai, o senhor tem medo de morrer?

— Não, não tenho, não.

— Mas o senhor acha que já deu? Que não vale mais viver?

— Imagina, tá bom assim. Quero viver mais. (Nesse momento me surpreendi e tive uma grande lição. Olhando para a vida que ele levava, eu achava que talvez para ele já não fizesse mais sentido viver, mas eu estava enganado.)

— E quando não vai valer mais a pena viver?
— Se eu não puder mais comer ou precisar de cuidados 24 horas em uma cama, daí não vai fazer mais sentido.

Essa breve conversa foi superimportante e moldou a forma como cuidamos dele no final da sua vida, que aconteceu exatamente nove meses depois da primeira e mais difícil pergunta.

Por conta da morte da minha mãe e também pela progressão do Parkinson, meu pai foi ficando cada vez mais frágil e dependente. Fomos criando um ninho de amor e cuidado. Ele demostrou lindamente como receber amor, como se abrir para ser cuidado e receber sem nenhum pudor esse carinho. Ele sempre foi uma pessoa especial, daquelas difíceis de não amar já no primeiro encontro. Sempre otimista, doce, carinhoso e com um sorriso no rosto. Com a proximidade do fim da sua vida, todas essas características lindas se acentuaram. Tenho muito orgulho da forma como cuidamos dele e o amamos nos últimos anos da sua vida. Em especial minha irmã, Deisy, e os meus sobrinhos, Maria Júlia e Pedro. Foi lindo assistir a tanta demonstração de amor e cuidado.

Eu sabia que ele estava partindo. Ao contrário do que havia vivido com a minha mãe e com o Du, dessa vez decidi olhar para a vida com ele aqui, e não com medo de como eu ficaria ou me sentiria após a sua morte. Com essa consciência, abri espaço para os sentimentos que vão além da dor e do medo e que dão um significado muito mais nobre para a terminalidade, como amor, gratidão, cumplicidade e pertencimento.

A maneira como eu discutia e abordava a morte naquele momento era outra, e isso impactou diretamente a relação que estabelecemos com a equipe médica. Ao contrário do que aconteceu com minha mãe, tivemos uma participação ativa nas decisões, e uma das mais importantes foi ter conseguido que ele ficasse no quarto em vez ser transferido para a UTI. Sabíamos que o impacto de ele ficar sozinho seria traumático e que a "vigilância 24 horas" oferecida na UTI poderia ser provida, no quarto, por nós. Cercado de amor e carinho, criaríamos para ele uma atmosfera familiar com a nossa presença.

Ele morreu no quarto do hospital, onde tivemos a oportunidade de ficar com ele o tempo todo cuidando, amando e nos despedindo. E isso foi fundamental! Assim que ele partiu, ainda no quarto, eu pude fazer a sua barba pela última vez, e isso me trouxe um sentimento tão bom que nem consigo descrever em palavras. Esse foi um dos momentos mais bonitos e importantes da minha vida, do qual nunca mais vou esquecer, e sou grato por ter tido a coragem de fazer isso. Foi lindo.

No sensacional livro *Longe da árvore*, de Andrew Solomon, leio esta frase que faz todo sentido: "O enigma deste livro é que a maioria das famílias aqui descritas acabou agradecida por experiências que teriam feito qualquer coisa para evitar".

Essas três mortes me deram um motivo para estar vivo e um propósito que vinha buscando fazia muitos anos. Hoje eu entendo que vivi meu luto em ação, em criação. Criei o Movimento inFINITO, que promove experiências e ferramentas para que as pessoas assumam o comando de sua vida na saúde, na doença e na morte. Acredito que, ao tomar consciência da finitude, é possível viver com mais inteireza.

Sonho muito com os meus pais. E adoro quando isso acontece, porque quando acordo e me lembro eu abro um sorriso e quero logo contar para alguém: sonhei com meu pai! Sonhei com minha mãe! A verdade é que não sinto tristeza, sinto só alegria quando isso acontece. Sinto que eles vieram me visitar, estão presentes.

Vivo meu luto dedicando a vida a esse tema, criando espaços para que essas conversas sobre terminalidade, morte e vida aconteçam sem tabu, de forma segura, verdadeira e amorosa. Para que as pessoas possam falar sobre seus medos, suas dúvidas, suas vontades e, principalmente, sobre a vida que acontece até o último suspiro. É sobre olhar o lado de cá do caminho, sobre como estamos vivendo, como estamos nos relacionando, que memórias estamos construindo para que nossas histórias sejam inFINITAS.

Nas diversas experiências e encontros que o Movimento inFINITO promove, como o Cineclube da Morte, A Morte no Jantar e o Festival inFINITO, assim como nas nossas redes sociais @infinito.etc, tenho encontrado muitas pessoas que, apesar da dor – ou melhor, por conta dela –, transformaram totalmente o sentido da sua vida e se tornaram seres humanos mais humanos e amorosos. Várias se posicionaram de forma muito mais autêntica e singular no mundo, habitando suas paixões e passando a honrar a vida.

As experiências das mortes que vivi, somadas às conversas com milhares de pessoas por meio do inFINITO, reforçam um sentimento que já existia em mim: o desejo profundo de honrar a vida, de fazer valer a pena.

Tenho aprendido que o luto não é o fim, mas um recomeço, e que, ao seu tempo, novas vidas, novas versões de nós mesmos podem surgir a partir das perdas. Quanto antes começarmos a nos relacionar com a finitude, mais vida teremos na nossa vida, e isso nos levará a viver lutos mais saudáveis.

16. Vamos falar sobre o luto?

Cynthia de Almeida[1]

TUDO COMEÇOU COM ESSA pergunta. Nós, sete amigas envolvidas no projeto que leva esse nome, já a havíamos feito – e respondido – em diferentes momentos da nossa jornada de perdas. Cada uma de nós, sem nenhuma formação na área da saúde (somos jornalistas, publicitárias e profissionais de marketing), sabia por experiência própria que, sim, era muito bom e importante falar. E ser ouvida. Nem imaginávamos, porém, enquanto estávamos imersas na dor e confusão, que falar sobre o próprio luto, como pudemos fazer, fosse também um privilégio. Uma oportunidade concedida apenas aos que têm acesso a uma rede de apoio: família empática, amigos presentes, grupos de ajuda mútua, ambiente de trabalho acolhedor, orientadores espirituais, terapeutas especializados. Falar sobre o luto, descobrimos, era privilégio de quem tinha, por circunstâncias especiais, direito à voz.

O luto parte o nosso coração e é socialmente desconfortável. O tabu em volta da morte se torna uma camada extra e desnecessária de dor com a qual precisamos lidar. Logo depois dos primeiros dias de solidariedade (que é real e muito bem-vinda, obrigada), o enlutado é instado a seguir adiante. Bola pra frente! Vida que segue! Mas segue para onde? E tem de ser agora? O mundo não nos ensina nada sobre o luto, esse desconhecido. Perdidas nesse território estranho, nós fizemos aquilo que, como

---

[1]. Com colaboração de Amanda Thomaz, Fernanda Ferraz Figueiredo, Gisela Adissi, Rita Almeida e Sandra Soares.

profissionais de comunicação, sabemos fazer: perguntar e ouvir. Vamos falar sobre o luto?

Para começar essa conversa que não tem dia nem hora para acabar, fomos ler, pesquisar e entrevistar estudiosos e especialistas a fim de entender o que vinha depois daquele ponto cinza no calendário que divide a vida em antes e depois da perda de alguém muito querido. Marcamos consultas com psicólogos e aprendemos bastante com eles. Alguns *insights* e imagens nos ajudaram a compreender como a morte tira tudo do lugar: a gente, além de não reconhecer o mundo sem a pessoa amada, não se reconhece também dentro dele. É como se tivéssemos caído em uma caverna escura onde tateamos, meio aos tropeços, até ver a luzinha da saída. Sairemos por essa fresta em algum momento, mais rápido ou mais lentamente. O mundo atrás da saída, no entanto, será um novo lugar. Não melhor, não necessariamente pior, mas com toda certeza diferente. E para chegar lá, descobrimos, a gente tem de percorrer a própria trilha. Sem mapa, sem bússolas, sem aplicativos de geolocalização. O mundo não nos prepara para perder quem amamos. Não ensina ninguém a enfrentar o luto (que, diga-se de passagem, todos nós vivemos ou viveremos), muito menos a ajudar alguém a acomodar a sua dor. O que a sociedade oferece, além das breves flores na despedida, é a urgência de seguir adiante. E a imposição de alguns limites aleatórios: o tempo certo de sofrer, o lugar e a hora de chorar, a hierarquia das perdas e as respectivas doses permitidas de sofrimento para elas.

Nós sete já havíamos, cada uma a seu tempo, saído da caverna (mesmo que, ainda e para sempre, a gente escorregue e volte às vezes para lá). E, quando vimos que o exercício da empatia era uma poderosa fonte de conforto, voltamos a nos fazer esta pergunta: vamos falar sobre o luto? Mais vezes? Com mais gente?

Agora já era um chamado para a ação. As colegas publicitárias fizeram o primeiro movimento, de forma simples e objetiva: a publicação de uma página na internet com um convite a quem quisesse contar sua experiência de luto. Era o lançamento do espaço virtual que, depois, no nosso site, chamaríamos de "confessionário" e que, hoje, reúne mais de 3 mil depoimentos (ou histórias de amor, como gostamos de chamar). A página foi compartilhada nas nossas redes sociais. Não sabíamos se alguém ia ler ou aderir à ideia de escrever e enviar sua história sem nenhum propósito definido. Quinze minutos depois de a página entrar no ar, para nossa grata surpresa, chegou a primeira mensagem! Nossa depoente zero, fundamental para a continuidade do projeto, era a Karina, amiga da nossa colega Gisela Adissi. Sua história foi reveladora em muitos sentidos: ela nos falava sobre a perda da sua avó, 14 anos antes! E terminava com um agradecimento: "Obrigada pela oportunidade, acho que eu nunca tinha escrito sobre isso antes". Nossa primeira remetente nos ensinou diversas coisas: a primeira foi que, mesmo que obedeça ao ciclo natural da vida, a morte de um avô ou pessoa idosa não é menos dolorosa para a família que o ama; segundo, que o tempo não é, como gostaríamos, a pílula mágica da "cura" da dor; e, por fim, que a simples oportunidade de falar (ou escrever) sobre quem se foi é motivo de alívio e gratidão.

Depois da mensagem da Karina, recebemos muitas mais. Foram precisamente 170 histórias com experiências diversas e sentimentos comuns. Nossa colega Mariane Maciel mergulhou na leitura delas para identificar os pontos sensíveis e as pistas para sua compreensão e acolhimento. Logo, a parede da casa da Mari virou nosso laboratório do luto, forrada com os papéis impressos das histórias que chegavam on-line, repleta de *post-its* colados e marcadores de texto coloridos circundando as palavras-chave: dor, amor, saudade, tristeza, solidão, isolamento, incompreensão.

    A segunda fase do desenvolvimento do projeto foi a das oficinas de criação. Convidamos algumas das pessoas que haviam nos escrito e outras conhecidas de nossos círculos para, em torno de uma mesa, falar sobre suas experiências de perda e nos contar o que poderia ajudá-las. Perguntamos de novo: vamos falar sobre o luto? Elas toparam, e as conversas fluíram com delicadeza e entusiasmo inesperados. Fizemos grupos de pais que perderam filhos, de filhos que perderam pais, de jovens que perderam amigos, irmãos, namorados, companheiros. Ouvimos histórias, mais uma vez, repletas de amor e da necessidade reprimida de falar o nome de quem se foi. Foram inúmeros nomes, muitas lembranças, memórias por vezes represadas por não terem com quem ser compartilhadas. Com maior ou menor intensidade, todos os lutos ali eram de certa forma não autorizados. Ou tinham data de validade estipulada pela própria família, por amigos e, principalmente, pelos colegas ou chefes no trabalho. "Mas você ainda está falando sobre ele?", desabafou uma das nossas entrevistadas ao relatar como as pessoas em volta costumavam reagir quando ela falava do filho que perdera havia dez anos. Ouvimos relatos de como as pessoas evitavam tocar no nome daquele que se foi na frente dos pais, do marido ou da mulher. A justificativa, muitas vezes bem-intencionada, era "não se lembrar da pessoa para não entristecer quem a perdeu". Uma ideia considerada absurda, quase cômica, pelos enlutados. "Como se pudéssemos nos esquecer, por um único minuto, do ser amado", nos diziam. O que preferiam, afinal, era exatamente o contrário do que se buscava evitar: falar de quem morreu! Entristecer-se ou se alegrar com as lembranças deixadas é a melhor forma de aquietar o coração. De amenizar a saudade e garantir que, em algum lugar dentro de nós, quem amamos permanece vivo para sempre.

As rodadas de conversa nos deram a clara direção para o projeto. Os participantes nos contaram que gostariam de falar mais e também de estar com outras pessoas que tivessem experiências de perda. Queriam compartilhar e conhecer histórias semelhantes, diversas, inspiradoras. A decisão de reuni-las em um espaço virtual foi uma consequência natural. O propósito do projeto estava muito claro diante de nós e não era mais uma pergunta, mas uma afirmação: vamos falar sobre o luto.

Organizamos um evento em que reunimos amigos e convidados para contar sobre as nossas descobertas. Era uma noite fria de junho em 2015, e a plateia que lotou um espaço de eventos acolhedor em São Paulo para ouvir a nós e às terapeutas que convidamos mostrou que estávamos no caminho certo. Em pouco tempo, toda aquela vontade e inspiração trazidas por quem nos acompanhava até ali ganhariam a forma de um ponto de encontro digital: em janeiro de 2016 entrava no ar, graças aos fundos arrecadados por meio de apoiadores que nos contemplaram em um financiamento coletivo, o site Vamos Falar Sobre o Luto?

Planejamos uma plataforma muito simples e de navegação amigável que reunia aquilo que julgávamos mais importante: um espaço para o enlutado se expressar e também entrevistas com especialistas e estudiosos sobre a morte, indicações de livros, filmes e palestras, grupos e serviços de atendimento psicológico e, ainda, informações para os amigos, familiares e colegas que querem apoiar mas não sabem como. Como nosso objetivo era ajudar a quebrar o tabu, fizemos um projeto gráfico luminoso e arejado, bem diferente do que costuma ser o *layout* da morte na mídia ou no imaginário coletivo. A ideia era tratar o tema com delicadeza e leveza. Nosso site ganhou fundo claro, com pinceladas de aquarela em tons pastel. Escolhemos como símbolo os *tsurus*, aves mitológicas japonesas cuja representação em origamis remete à longevidade e à esperança.

Abrimos uma página no Facebook e ganhamos a adesão de vários voluntários para ajudar no nosso trabalho. Lembro-me até hoje com emoção de como jornalistas, *designers*, ilustradores e programadores digitais "compraram" o projeto e se dispuseram a fazê-lo *pro bono* ou cobrando valores mínimos. Nossa linda coleção de cartões foi feita e praticamente doada pela artista gráfica Marina Papi. Nossa lojinha virtual foi concebida para preencher outra lacuna na vida do enlutado: que recado carinhoso ele poderia receber nesse momento tão difícil, em que o mínimo gesto de amor e solidariedade tem tanto valor? Os cartões e moleskines, com imagens e textos que levam nossa mensagem e nossas crenças sobre o luto ("Quem amamos está sempre vivo dentro de nós", "Eu estou aqui para você", "Eu vejo o mundo de outro lugar" e tantas outras frases singelas e fundamentais), nos ajudaram a manter o site, que é alimentado por todas nós de forma voluntária.

Entendemos que o coração do projeto seriam as histórias, os depoimentos que buscávamos na nossa rede de conhecidos e que recebemos de todos os lugares do país. A estreia do site, como tudo desde o nascimento desse projeto, foi mágica. Um dos muitos "milagrinhos" que têm acontecido na nossa vida, como entre nós costumamos chamar os sinais que presenciamos com frequência e atribuímos à nossa legião particular de anjos.

A história que inaugurou nosso site no dia 9 de janeiro de 2016 foi a do publicitário Paulo Camossa, que, sete anos antes, havia perdido (ou visto partir, como ele prefere dizer) a filha única Amanda, então com 18 anos, de forma totalmente repentina. Amanda assistia à TV em seu quarto quando, como conta o pai, simplesmente "desligou", vítima de um edema pulmonar agudo. Paulinho era separado da mãe da Amanda e vivia sozinho com a filha desde que a menina tinha 8 anos. Ela havia acabado de entrar na faculdade, a mesma que o pai cursara. Os dois tinham uma vida plena de cumplicidade, alegria e cuidado mútuo. Ressalto aqui os contornos impactantes do cenário em que pai e filha se separaram para mostrar como foi importante e simbólico lançar o site com o texto do Paulo, que nada tinha de trágico ou desesperador, mas era lindo e inspirador como a relação que marcou a vida de ambos. Intitulado "Vai viver, cara", o relato de Paulo, ilustrado por uma foto de um abraço sorridente dos dois, é uma lição de amor que transcende a vida. "Em nenhum momento achei que ela tivesse desaparecido. Aprendi a lidar com a dor enxergando a partida como algo natural, um pedaço da própria existência – a morte significa um novo jeito de existir", escreveu Camossa, abrindo o caminho que queríamos trazer para a reflexão do nosso público. Não há apenas uma forma de luto, não existe o luto-padrão, o luto ideal, todas as formas de processá-lo são válidas e merecem respeito. Sua forma de lidar com a ausência da filha era torná-la presente, para sempre, em seu coração. Inspirador sem ser impositivo.

O belo relato do Paulo promoveu o milagrinho que não esperávamos: nosso servidor fora projetado para receber em média entre 2 mil e 5 mil visitas por dia. A nossa primeira história viralizou de tal forma nas redes sociais que tivemos mais de 150 mil *views*. O site caiu, saiu do ar, tivemos de reprogramá-lo para um volume maior de acessos. A repercussão também chamou a atenção da mídia e, sem que fizéssemos nenhum esforço de divulgação, passamos a ser procuradas para dar entrevistas, explicar nosso trabalho e falar do nosso propósito. Ao longo do primeiro ano no ar, foram centenas de reportagens em jornais e revistas e muitas entrevistas na TV. Até no programa de variedades da Regina Casé estivemos, para falar da importância de viver e respeitar o luto. Fomos convidadas para palestras, TED Talks, *workshops*. O interesse inesperado por um tema que costuma ficar "no armário", silenciado nos limites domésticos dos enlutados, mostrava a "demanda reprimida" e o pioneirismo de uma iniciativa na contramão do tabu: vamos falar sobre o luto?

Depois de estrear com o relato de uma perda que goza de total reconhecimento social, a de um filho, fomos recebendo, às vezes em tom constrangido, os depoimentos de enlutados que não se sentem autorizados a falar e sofrer pelos seus. Como o da perda gestacional, em que os pais dilacerados pela tristeza costumam ouvir algo pior ainda do que o "bola pra frente", que é: "Vocês ainda podem ter outro". Ou da perda de um familiar por doença prolongada, quando se tem o direito de chorar suprimido pela ideia de que é egoísmo querer manter aquela pessoa viva ao seu lado. Ou da perda diária de um pai ou mãe por doença degenerativa como Alzheimer, que é um luto antecipatório em que a família é mantida em julgamento permanente por "sofrer demais ou de menos". E também a perda de um animal de estimação, em que a família tutora é quase repreendida por derramar lágrimas prolongadas, porque, afinal, é "só um cachorro" ou "só um gatinho". Foram muitos os personagens corajosos que nos honraram com suas histórias e trouxeram o outro lado dessa dor sem aval, cujo ambiente mais perverso, vimos, é o do trabalho. Se no âmbito familiar e social falta o acolhimento para o luto, nas empresas ele é praticamente banido. Ignorado ou superdimensionado como patologia. "João perdeu a mulher e está deprimido." Ok, pode estar, mas geralmente está triste, muito triste, e precisa apenas ser respeitado e acolhido em seu tempo e espaço de dor. Publicamos relatos sobre como, ao voltar de suas eventuais licenças, as pessoas viam que colegas e chefes não tinham a menor pista sobre o que dizer, como agir. Os risos e conversas no cafezinho eram contidos à sua aproximação, os convites para o almoço escasseavam. O choro só era livre no banheiro. Na minha história pessoal, na volta ao trabalho depois da morte do meu filho, vi pessoas me evitando no corredor ou tentando não pegar o mesmo elevador. Alguns desses colegas tiveram a franqueza de, mais tarde, confessar essa atitude, o que achei particularmente corajoso e comovente. Os enlutados precisam de gestos autênticos, mais do que de platitudes sem significado. Os departamentos de RH das empresas não sabem onde colocar o luto em meio aos seus programas de treinamentos de liderança, produtividade, inovação etc. Terapeutas especializados nos contam que jamais são chamados às empresas para tratar do tema da morte como pauta preventiva ou educativa. São, entretanto, convocados para apagar eventuais incêndios, como o da morte trágica de um funcionário e o consequente luto coletivo.

Vamos educar para a morte? Essa é outra meta do projeto. Divulgar a ideia de que, quanto mais falamos, ouvimos e lemos, mais aprendemos a agir. Mais nos desfazemos dos véus do preconceito e nos tornamos aptos a ajudar ou ver o mundo desse lugar desconhecido de quem está sofrendo. Alguns relatos foram marcantes: o pai do jovem suicida, a mulher que reinventa a vida depois do suicídio do marido, pessoas dilaceradas pela dor que têm de conviver com a camada extra do estigma e do preconceito. "O suicida não é covarde nem herói", escreveu-nos uma sobrevivente, a psicóloga Luciana Rocha, que perdeu o marido e hoje é especialista no tema.

Ao longo de três anos no ar, publicamos mais de uma centena de histórias sobre os mais diferentes aspectos do processo do luto. Histórias de mães, pais, filhos, irmãos, amigos, netos, maridos, mulheres. Cada relato inspirou mais e mais pessoas a nos contar suas histórias. Foram mais de 3 mil mensagens, enviadas e respondidas amorosamente por uma de nossas parceiras, a Fernanda Ferraz Figueiredo, que já compartilhou em palestras e entrevistas o aprendizado dessa prática tão desafiadora. Fernanda define as mensagens como "cartas de amor". Em cada uma delas encontrou uma forma diferente de expressar o amor por quem partiu e, com isso, chegou a uma conclusão: guardamos boa parte de nossos sentimentos dentro de nós. Falar é libertador!

As mensagens continuam a chegar e a ser respondidas: vêm em forma de poemas, descrição detalhada do processo de partida e pedidos de ajuda. Os sentimentos que delas afloram são raiva, medo, arrependimento e gratidão. Muitas contêm a maior das perguntas: será que ele se foi sabendo do tamanho do meu amor? Fernanda conta que a princípio achava que não suportaria sozinha a missão de receber e responder às mensagens, mas, ao se propor cumprir o desafio, entendeu que ouvir a dor do outro, acolher os próprios medos e transformá-los em afeto e generosidade era mais uma bênção do que um ônus. Isso a ajudou a reviver o próprio luto e preparar-se para novos.

Se pudéssemos resumir aqui todo o nosso aprendizado sobre o luto em mais de três anos envolvidas nessa jornada, seriam os seguintes pontos a destacar:

- Há um desejo reprimido e uma necessidade imensa de falar.

- O processo de escrever é difícil, mas materializa os sentimentos mais represados.
- O efeito de ter sua história publicada provoca uma mudança de fase no luto.
- Tornar pública a sua história materializa a memória.
- É possível reinventar a vida. Mudanças de rumo, carreira ou expectativas dão novo significado à dor da perda.
- Há criatividade no luto.
- Há poesia no luto.
- Há muito julgamento no luto.
- Há um enorme respeito entre os enlutados, que entendem a dor do outro sem compará-la nem hierarquizá-la.
- Há muitos lutos que doem mais por serem subestimados.
- Há esperança de sobreviver à tristeza.
- A resistência e a permanência do amor são eternas.
- Há uma nova relação com o tempo.
- Temos de praticar a humildade de pedir e receber ajuda.
- A vida é soberana.

Para nossa alegria, testemunhamos uma visível transformação no acolhimento do assunto na sociedade desde que iniciamos o trabalho. Falar em morte e luto já não é o assunto mórbido a ser trancado no armário. A morte, a finitude, o luto já inspiram outros projetos, eventos, programas de rádio e TV, documentários, *podcasts*. E essa é a nossa grande recompensa.

Por fim, o maior aprendizado de todos é a resposta certeira à pergunta original que continua a nos inspirar a seguir com nosso projeto: vamos falar sobre o luto!

Falar é "liberta-dor"!

17. Luto na infertilidade após tentativas sucessivas de tratamento

Eliane Souza Ferreira da Silva
Hélia Regina Caixeta
Juliana Sales Correia
Simone Maria de Santa Rita Soares

> "Em termos de futuro uma criança representa uma promessa. Uma nova vida, um bebê significa aspirações, sonhos, fantasias e novos começos."
> (RANDO, 1997)

"Você só VAI SABER o que é amor de verdade quando tiver um filho"; "Ser mãe é a melhor coisa do mundo". Frases ditas sem a intenção de magoar e que até soam doces no contexto comum, mas podem doer muito quando ecoam o profundo vazio que a mulher infértil sente.

De acordo com Maria Tereza Maldonado (*apud* Quevedo, 2010), a maternidade faz parte do desenvolvimento psicológico da mulher e constitui um contínuo que se prolonga muito além da adolescência, pois o ser humano nunca cessa de crescer, tem sempre a chance de evoluir, de integrar algo novo à sua personalidade. No ciclo vital da mulher, há três períodos críticos, considerados de transição e que compõem fases do desenvolvimento da personalidade: a adolescência, a gravidez e o climatério[1]. Tais fases são caracterizadas por mudanças complexas, como reajustamentos e alterações interpessoais e intrapsíquicas. A gestação é um momento de importante reestruturação na vida da mulher e nos papéis que

---

1. Climatério é a fase de transição entre os períodos reprodutivo e não reprodutivo da mulher, que provoca a queda progressiva das concentrações de estrógeno e progesterona. Climatério não é sinônimo de menopausa.

ela exerce, pois durante esse período ela tem de passar da condição de filha à de mãe, revivendo com isso experiências anteriores de sua infância com as figuras parentais. A idealização de tornar-se mãe é um processo preparatório para receber o bebê, no qual profundas mudanças no psiquismo feminino podem ser observadas: desejos, fantasias, interesses e medos voltam-se para temas ligados à maternidade (Houzel *apud* Casellato, 2015). Nesse processo de reestruturação, conteúdos inconscientes podem tornar-se conscientes. Assim, existe a possibilidade de que conflitos psíquicos sejam elaborados, proporcionando transformações importantes para a identidade feminina (Piccinini *et al. apud* Quevedo, 2010).

Uma gravidez bem-sucedida decorre de um processo biológico complexo que se inicia, na mulher, antes do seu nascimento. A mulher já nasce com todas as células reprodutoras, as quais ficarão, durante toda a vida, armazenadas em seus ovários – ao contrário do homem, que produz novos espermatozoides durante toda a sua vida fértil.

Os óvulos, que são as células reprodutoras femininas, ficam dentro de agregados celulares chamados de folículos. Durante o ciclo menstrual, por ação hormonal, ocorre um processo denominado ovulação, no qual um folículo se desenvolve e libera um óvulo, que é expelido pelo ovário, migra pelas tubas uterinas e chega à cavidade uterina. Nesse caminho, ele pode ser fertilizado por um espermatozoide, dando origem a um zigoto, célula que, após multiplicação e desenvolvimento adequados, pode fixar-se no útero, dando origem a uma gravidez.

A infertilidade se dá quando há um problema significativo em uma ou mais fases desse processo, impedindo que a gravidez ocorra. Esse diagnóstico só é dado a um casal após 12 meses de tentativas malsucedidas de engravidar[2], ou seja, tendo relações sexuais regulares sem uso de contraceptivos.

---

2. Quando a mulher tem mais de 35 anos, seis meses de tentativas são suficientes para iniciar uma investigação.

Cerca de 10% a 15% dos casais em todo o mundo é infértil, sendo um terço das causas de origem masculina, um terço feminina e um terço combinada ou indefinida. Diversas são as causas de infertilidade, sendo necessária uma profunda investigação para tentar determinar a etiologia. Para o homem, essa avaliação é mais simples: ocorre mediante a realização de um espermograma[3], exame realizado em uma amostra de esperma obtida em laboratório por meio da masturbação. Apesar de não ser uma investigação extensa nem invasiva, muitos homens se sentem desconfortáveis ao realizar a coleta. Já no caso da mulher, em geral, são necessários diversos exames para a avaliação, alguns deles invasivos e dolorosos.

Uma vez definida a etiologia da infertilidade, trata-se sua causa. Em caso de condição não passível de tratamento ou de não ser encontrada a etiologia, procede-se à reprodução assistida. E aqui se inicia uma jornada extenuante e onerosa em termos físicos, financeiros e emocionais. Procura por um médico ou clínica que trate infertilidade, avaliação dos custos, da alternativa mais viável de tratamento, de quando será melhor começar a estimulação, entre outros, são etapas dessa fase. Alguns casais começam com um procedimento menos complexo, a inseminação artificial, em que se estimula a ovulação em geral com comprimidos administrados de forma oral e depois se injeta o esperma do homem dentro do útero, a fim de facilitar a fecundação. No caso da fertilização *in vitro* (FIV)[4], modalidade de tratamento mais invasiva, dispendiosa e, por isso, habitualmente reservada a casos mais complexos, uma vez iniciado o tratamento é necessário ir à clínica diversas vezes por ciclo para ver se os

---

3. Analisa, entre outros aspectos, a morfologia e a quantidade de espermatozoides no esperma.
4. Nesse método, a fertilização, ou seja, a fusão do espermatozoide com o óvulo, é feita em laboratório. Em geral, utiliza-se o método de injeção intracitoplasmática de espermatozoide (ICSI), no qual o espermatozoide é injetado diretamente no óvulo feminino.

folículos estão se desenvolvendo adequadamente após injeções diárias de hormônios, bem como para a coleta de óvulos[5] ao fim do estímulo e posterior fecundação. Essa etapa costuma ser particularmente difícil para a mulher, pois é comum haver efeitos colaterais relacionados a oscilações hormonais, como alterações do humor e ganho de peso, além da dúvida: tudo correrá bem ao fim do processo? Após a coleta, verifica-se quantos óvulos estavam maduros, ou seja, em condições de ser fertilizados, e os imaturos são descartados. O passo seguinte é a fertilização desses óvulos com espermatozoides obtidos do homem por meio da masturbação. São necessários três a cinco dias para avaliar se os embriões se desenvolveram adequadamente, multiplicando suas células no prazo previsto. Alguns são perdidos durante esse processo, e os restantes são classificados de acordo com sua qualidade, indicando maior ou menor chance de gravidez. Os melhores embriões são implantados e, após alguns dias, a mulher realiza o teste de gravidez. Os demais podem ser congelados para eventuais futuras implantações.

Cada uma dessas etapas envolve uma espera, que pode ser demasiado longa para o tempo interno de quem vivencia o tratamento. Por vezes, as expectativas são frustradas em diversas etapas, trazendo uma dolorosa compreensão de que o processo para gerar um bebê é bastante complexo, o que inicialmente não seria de se cogitar, uma vez que tantos bebês são gerados nas condições o mais adversas possível.

O mundo interno do casal fica voltado para o tratamento e para seu resultado, mas a vida e as obrigações seguem a todo vapor no mundo externo, o que dificulta uma adequada elaboração dessa dor por quem a vivencia.

Quanto mais brevemente a gravidez for alcançada, menores tendem a ser as consequências emocionais do processo, pois a vida

---

5. Processo realizado em centro cirúrgico, com sedação, no qual é feita uma punção dos folículos guiada por ultrassonografia a fim de se retirar os óvulos contidos em seu interior.

"normal" é retomada e a conexão com os demais é restabelecida. No entanto, quanto mais longo e frustrante for o tratamento, maiores as cicatrizes deixadas por ele. O afastamento dos amigos e familiares se aprofunda, é comum que casais ao redor tenham filhos e acabem marcando encontros ligados às crianças, como festas de aniversário, viagens para hotéis com atividades voltadas para os pequenos etc. Essas situações remetem à ausência, vivida pelo casal, do filho tão desejado que não chegou a nascer, e frequentemente o próprio casal opta por certo distanciamento social.

A vida profissional também pode ser afetada. A energia que antes era dedicada ao trabalho agora se encontra depositada nas expectativas relacionadas com o tratamento para engravidar. A incerteza acerca da gravidez e da maternidade também gera impacto, levando, por exemplo, ao adiamento de planos ou projetos.

No âmbito da vida a dois, diversos aspectos tendem a sofrer impacto. A vida sexual passa a ser determinada pela necessidade de ter relações em dias específicos, independentemente de desejo, cansaço, desconfortos pessoais ou com o parceiro. O sexo torna-se mecânico, apenas um meio para gerar o filho tão desejado. A luxúria e o gozo com a vida sexual se perdem e por vezes não são retomados após o fim do tratamento.

A autoestima fica abalada, sobretudo naquele que foi diagnosticado com a infertilidade. A identidade masculina/feminina está intimamente ligada à capacidade de procriar. Ser incapaz de gerar uma prole pode ser sentido como incapacidade de cumprir com o seu papel social, o que às vezes se agrava por uma cobrança velada por parte da sociedade, com questionamentos relativos a quando o casal pretende ter filhos.

A vida financeira também costuma sofrer um impacto, uma vez que os tratamentos são onerosos. Eventuais divergências sobre até onde prosseguir com eles podem contribuir para um distanciamento, ampliando as perdas.

Cada casal vive a infertilidade de um lugar muito particular. Enquanto alguns se afastam, outros se aproximam, por compreenderem a dor do parceiro e encontrarem nele o seu maior esteio. Entender essa dinâmica é de extrema valia para o profissional que atende pessoas nessa situação.

Quando o tratamento se estende, sem sucesso, surge o questionamento sobre até onde prosseguir. Situações concretas como limitações financeiras ou de saúde podem definir um ponto-final que, mesmo que involuntário, marca o início de uma nova fase, de constatação definitiva da impossibilidade de ter filhos biológicos. Quando não há limites tão definidos, a decisão é baseada em critérios subjetivos, que variam para cada membro do casal. A incerteza sobre se não valeria a pena tentar mais um ciclo não tem resposta clara. Nem sequer os médicos que coordenam o tratamento podem auxiliar nesse esclarecimento, deixando o peso dessa decisão sobre o casal, já fragilizado pelo extenuante processo vivenciado. E não há uma única resposta correta, sendo necessário que cada casal busque dentro de si sua verdade. A escolha costuma ser feita e desfeita diversas vezes, prós e contras precisam ser vistos e revistos, linhas divisórias são traçadas e apagadas em seguida. Mas em algum momento a resposta parecerá mais clara, permitindo que o casal siga para a fase de elaboração das suas perdas.

Os caminhos a percorrer a partir daí são essencialmente três: viver sem filhos, adotar ou optar pela doação de gametas/embriões. Novamente, trata-se de decisões de foro íntimo, e o mais importante é que o casal seja adequadamente informado para tomar uma resolução coerente com seus valores e sentimentos.

Agora existe um ausente, garantido e não mais hipotético, que se faz presente. Agora não se responde mais "estamos tentando" quando indagados sobre quando os filhos virão, pois já não se está mais na vida de tentante, e isso muda tudo. Após todos os sentimentos gerados pelas dúvidas do processo, agora se está diante de todas as certezas do fim dele e de seu resultado. Rando (1997, p. 6) diz que, ao perder um filho, "não importa a idade do filho, os pais perdem a esperança, os sonhos, as expectativas, fantasias e desejos para a criança. Eles perdem parte de si mesmos, da sua família e do seu futuro".

Quando o filho sonhado não se torna real, isso gera consequências em todas as esferas da vida. Segundo Rando (1997), a existência de uma criança fala sobre os pais, comprovando sua atratividade e maturidade. Funciona, ainda, como elemento de negociação dentro das relações. Um filho é sempre carregado de significados, muitas vezes partilhados pelo olhar da comunidade e da cultura, como a representação de uma nova vida, de novos começos, reinvenções e ressignificados. O não nascimento do bebê convida, então, a esse lugar de repensar as expectativas futuras e onde elas serão depositadas e sobre o que se construirão. É um vazio literal no ventre, mas também um vazio simbólico sobre o esperado para o presente e para o futuro. Rando (1997) aponta que a sensação de perder um filho é de ter sido traído ou roubado; gera um sentimento de incompletude e conduz os sujeitos a renunciar a todos os planos e esperanças que eles haviam desejado viver com aquele filho.

O luto na infertilidade ocupa um não lugar, o lugar de um luto que não se reconhece, de um projeto que não se cumpriu. Para compreender a dimensão desse luto, é necessário olhar não apenas para a perda do bebê, mas para todas as implicações dela. Rando (1997) salienta que sobre os filhos recai a expectativa de que preencham sonhos e desejos dos seus pais; desse modo, a não maternidade/não paternidade está ligada ao luto dos sonhos sonhados que não se realizarão. Com a não vinda da criança, podemos pensar na morte de uma história escrita nos sonhos, nos planos, na forma como se pensava que se viveria toda uma vida.

A perda da fertilidade e da criança que não será concebida não é socialmente reconhecida como luto pela falta de clareza sobre o que foi perdido. Duvida-se, inclusive, de que seja uma perda, uma vez que ocorreu antes mesmo de a criança ser concebida. Ou seja, a perda não é reconhecida porque não ocorreu a existência física da criança, e à mulher, que já a amava antes mesmo de se descobrir infértil, é negado o direito de enlutar-se por não haver nenhum reconhecimento do seu senso de perda. Considerando que o luto – processo normal e esperado de elaboração de qualquer perda – é necessário para darmos sentido ao que nos aconteceu e para a própria restauração que viabiliza a continuidade, o tema fica mais complexo quando se trata de perdas ambíguas, que por sua vez geram o luto não reconhecido. Casellato (2005, p. 24) afirma:

> A vivência do luto pode se tornar ainda mais difícil quando se trata de uma perda que envolve ambivalência. Perdas ambíguas são aquelas que se caracterizam pela falta de clareza com relação ao que foi perdido, sobre quem perdeu, ou ainda se houve a perda ou não. Com a incerteza sobre como reagir nestas situações, as pessoas frequentemente não fazem nada, ou melhor, não expressam nenhum tipo de reação. Neste sentido, a perda que envolve ambivalência gera o luto não reconhecido uma vez que passa a ser considerada "pequena e superável", principalmente quando comparada às perdas por morte após determinada convivência e vinculação com a pessoa amada.

Kenneth Doka (*apud* Casellato, 2005, p. 24) afirma que o conceito de luto não reconhecido parte do princípio de que qualquer sociedade tem um conjunto de normas ou, ainda, "regras de luto" que estão a serviço de especificar quem, quando, onde, como, por quanto tempo e por quem devemos expressar sentimentos de luto ou pesar. Conforme o autor citado, isso pode acontecer em nossa sociedade quando: *o relacionamento não é reconhecido*, porque a relação não é baseada em laços afetivos (na infertilidade, a perda ocorre antes mesmo de a criança ser concebida); *a perda não é reconhecida*, ou seja, socialmente ela não é considerada significativa quando não ocorreu a existência física do objeto da perda; *o enlutado não é reconhecido* ou definido socialmente como capaz de enlutar-se pelo pouco ou nenhum reconhecimento do seu senso de perda ou da necessidade de enlutamento; *a morte não é reconhecida* quando representa uma das situações rechaçadas pela sociedade que resiste a enquadrá-la nas regras do luto; *o modo de enlutar-se e o estilo de expressão do pesar não são validados socialmente.* Portanto, sua perda não é significativa; não se enquadra nas regras sociais do luto que validam apenas as perdas por morte após determinada convivência e vinculação com a pessoa amada. E todo o amor que já existia pelo filho, que era possibilidade, que era sonho, não encontra um caminho nem chega ao seu destino. E o vazio, o fracasso, a tristeza, a inutilidade e a incompletude que a mulher infértil experimenta parecem desimportantes aos olhos alheios de uma sociedade prevalentemente fértil.

Em busca de justificar o que está acontecendo, Rando (1997) salienta que as pessoas podem se sentir responsáveis por não conceber uma criança saudável, que pudesse sobreviver, ou buscar respostas em comportamentos que tiveram, como assumir que "deve ser porque naquele dia eu tomei uma aspirina".

Na subjetividade do sujeito que está vivendo a infertilidade, sentimentos comuns a enlutados tendem a aparecer. Rando (1997) elucida que evitação de entrar em contato com a notícia e as emoções, raiva, ansiedade, medo, culpa, privação, angústia, humor deprimido, tristeza, abandono, inadequação, vergonha, sentimento de menos-valia e falta de confiança estão entre eles. Por isso, é muito importante que quem está passando por esse processo reconheça estar vivendo um luto e esteja ciente de que todos esses sentimentos são esperados e de que há possibilidades de existir paralelamente a eles.

A maternidade e a paternidade são repletas de significados, e ser privado de ocupar esse lugar simbólico e romper com toda a expectativa sobre a qual se havia construído uma noção de família, de futuro e de propósito é muito doloroso. Para Rando (1997, p. 8), "o nascimento de uma criança é uma realização pessoal que pode dar um senso de competência, distinção, produtividade e esperança para o futuro". Assim, seu não nascimento impacta diretamente todas essas esferas de percepção sobre si mesmo e sobre o próprio valor, atingindo a autoestima e a autopercepção.

A vivência silenciosa do luto não reconhecido pela própria mulher infértil é influenciada, segundo Jeffrey Kauffman (*apud* Casellato, 2015, p. 23), por um profundo senso de vergonha que atua psicologicamente sobre seu comportamento e inibe sua expressão de pesar, tornando-a agente e vítima da própria censura. O autor citado chama essa situação de "auto não reconhecimento do luto".

A escassez, na própria literatura, de referências ao luto não reconhecido ligado à infertilidade revela que as mulheres, nesse contexto, são negligenciadas não apenas socialmente, mas também por profissionais da saúde, que não identificam a necessidade de dedicar-se ao tema nem reconhecem a importância de ajudá-las. O restrito acesso a informações embasadas sobre o assunto, a falta de competência e de capacitação técnica e o entendimento de que essas mulheres não se enquadram nas regras que determinam quem está em sofrimento e quem deve ser ajudado inviabilizam uma intervenção profissional preventiva e suportiva que contribua para impedir a complicação desse luto.

E, num esforço intrapsíquico para não reconhecer abertamente seu sofrimento, que envolve perdas que vão de um grande sonho, que reforça sua identidade feminina, à possibilidade de perpetuação da própria existência, a mulher infértil encontra no próprio corpo e nos sintomas que produz um lugar para sentir o que ela tenta ocultar, mas acaba por desvelar.

No relacionamento conjugal, dados todos os rompimentos simbólicos já citados, tanto de cada cônjuge como na dinâmica do casal, podem surgir mágoas, frustrações e culpabilizações sobre a impossibilidade do nascimento. Na busca de atribuir significado à dor vivida, ela pode ser compartilhada, mas por vezes assume o caráter de culpabilização dobrada, quando um dos parceiros se sente culpado por não ter o filho e por não ter dado ao companheiro a possibilidade de tê-lo. O luto da infertilidade aparecerá dentro da conjugalidade e pode necessitar de cuidados.

As diferenças se agravam pelo fato de homens e mulheres viverem habitualmente de maneira diversa a dor do luto – as mulheres tendem a expressar mais seu sofrimento, ao passo que os homens não manifestam sua dor, o que pode ser entendido pela parceira como falta de empatia ou de cuidado.

Para a mulher, a infertilidade é vivenciada como o encerramento do grande projeto de sua vida: a maternidade. Aqui, ocorre o rompimento desse sonho e dos afetos colocados nos filhos desejados. E a mulher infértil, portanto, experimenta total ausência de aceitação, de cuidados e do apoio que lhe asseguraria o sentimento de pertença e conexão.

Culturalmente, os homens crescem sendo encorajados a não olhar para suas vulnerabilidades, tampouco a manifestá-las perante a sociedade, de modo que constituam o esteio da família. Ellen S. Zinner (*apud* Doka, 2002, p. 341, tradução do autor) afirma: "Quando os homens não demonstram o luto e não são vistos como enlutados, eles se veem não reconhecidos como enlutados, não tendo seu lugar de dor respondido e validado".

A autora reconhece o duplo vínculo cultural em que os homens geralmente se encontram quando sofrem uma perda. Por um lado, eles são socializados para ser fortes, manter as emoções controladas. Todavia, são criticados por não mostrar emoções abertamente quando experimentam uma perda. Diante dessa situação, as reações são variadas. Muitos deles sentem que precisam ser o suporte para suas parceiras, tentando mostrar força – alguns se isolam, outros ficam mais reativos ou agressivos e outros, ainda, se afastam por meio da separação. Toda a pressão envolvida no processo, eventuais diferenças entre o casal quanto à decisão de até onde persistir com o tratamento e de quanto gastar, o fato de ambos estarem emocionalmente fragilizados e, até por isso, surgirem discussões que seriam evitáveis em outros momentos contribuem para o desgaste da relação. Validar essa dor e colocar esse homem como protagonista em alguns momentos fortalecerá o relacionamento.

O luto não reconhecido começa com o olhar de quem vive essa experiência adversa e dolorosa. A infertilidade vai contra todas as expectativas sociais sobre um casal, que são poder gerar filhos e dar continuidade às próximas gerações, além de dar significado à própria feminilidade/masculinidade. A dor não é unilateral, em que um sente e outro ampara. Se isso for bem compreendido, ambos poderão apoiar melhor um ao outro.

COMO ELABORAR ESSE LUTO?

O direito de enlutar-se que é retirado pela sociedade das pessoas que não se enquadram nas normas explícitas e implícitas condena-as ao isolamento silencioso e à falta de amparo. Casellato (2015, p. 23) entende que,

> quando uma perda não é reconhecida, experimenta-se o fracasso do ambiente social em oferecer a aceitação e o suporte necessários aos enlutados, que lhes garantiriam a segurança de se sentirem pertencentes e conectados. Consequentemente, a experiência do luto será incrementada por um sentimento de alienação e solidão.

A própria inexistência de rituais que legitimem essa dor transforma a infertilidade em um luto silencioso, solitário e não reconhecido. Somos sujeitos de linguagem e, por isso, não apenas vivemos como precisamos construir um significado para nossa experiência. Enquanto escrevemos nossa história, vamos passando-a a limpo ao narrá-la para nós e para os outros.

O campo simbólico muitas vezes é acessado pela via dos rituais, que nos auxiliam a organizar nossos sentimentos e a partilhá-los. No luto não é diferente – organizamos vivências de religiosidade e ritos de despedida, por exemplo. É socialmente esperado e compreendido quando agimos assim diante de lutos reconhecidos como tais.

Como vimos, contudo, o luto na infertilidade, por não ser reconhecido como tal, não tem códigos sociais de conduta claramente preestabelecidos. Entretanto, o não reconhecimento não anula o luto ou a necessidade de um ritual que dê sentido à dor.

Cada um que esteja vivendo o luto de uma tentativa de gravidez que fracassou ou da desistência/impossibilidade de continuar tentando deve, sim, procurar criar seus rituais de despedida.

Manterfield (2015) escreve sobre formas de lidar com o processo de luto. Uma delas é entender que ele leva tempo e, então, permitir-se um período e um espaço para senti-lo, para entrar em contato com ele, mesmo que seja necessário o exercício ativo de separar brechas na rotina para estar com a sua dor, pensar nela, chorá-la etc.

Sobre rituais, a autora pontua alguns exercícios que podem ajudar, como escrever uma carta para o bebê que não veio ou para uma amiga, compartilhando as emoções que você está sentindo, seus receios, tristezas, raivas. Ela sugere também a criação de um espaço seguro em que você sinta que pode ficar a sós e sentir sua dor pelo tempo que precisar.

Outro ponto que Manterfield (2015) ressalta é que não existe um "jeito certo" de se enlutar; assim, devem-se criar rituais que façam sentido para você e sua perda. Rituais de outras culturas ou outras religiões podem aparecer como fonte de inspiração, assim como a leitura de um texto que seja tocante para você ou a inserção de elementos que simbolizem o seu momento, como broches, laços etc.

Os meios de ritualizar são diversos e subjetivos, mas o importante é compreender que você está vivendo um processo de luto, que este leva tempo e precisa ser vivido, e não adiado ou evitado, e que entrar em contato com ele é difícil, mas saudável. Reconhecer e nomear a dor é parte de senti-la. Processos terapêuticos são muito úteis nesse momento.

Ao romper com o mundo como se presumia que ele fosse ser é que se vive o luto. Com o filho que não vem, não vem a mãe que se sonhou ser, não vem o pai que se sonhou ser, não vem a família que se sonhou ter, não vem o roteiro que se planejou viver. O luto na infertilidade, portanto, engloba todos esses não nascimentos. O que morre no presente, no momento da decisão de não tentar mais ou da impossibilidade de continuar tentando, é também o futuro.

Reconhecer e validar essa dor é o primeiro passo em direção a um futuro diferente do imaginado, mas que ainda pode trazer muitas alegrias.

QUANDO A ÁRVORE NÃO DÁ FRUTO – APOIO À INFERTILIDADE

Nossos caminhos se cruzaram com esse tema por ocasião do trabalho de conclusão de curso (TCC) da especialização em luto pelo 4 Estações Instituto de Psicologia. O tema foi sugerido timidamente, pois era estranho pensar que, entre tantos lutos reconhecidos, escolheríamos trabalhar justamente com algo que de início nem é pensado como tal. Mas então percebemos a importância do tema e de dar voz e reconhecimento a uma população que cresce cada vez mais.

A sugestão era que o trabalho trouxesse uma proposta de intervenção, o que nos levou a refletir sobre qual seria a melhor estratégia para atingir o maior número de pessoas. O luto pela infertilidade é muito solitário, a pessoa nem sequer reconhece estar enlutada. E, por se tratar de uma parcela pequena da população, não é fácil encontrar alguém com uma vivência semelhante e que esteja próximo. Com o avanço da tecnologia, a internet acaba sendo uma ferramenta fundamental na busca de suporte. Entendendo que uma estratégia teria maior poder de alcance se estivesse vinculada à rede, fizemos uma pesquisa sobre o tema e encontramos pouco conteúdo. O pouco que existe geralmente está disponível apenas em inglês, o que o torna inacessível a grande parte da população brasileira. E aqui se iniciou a gestação do nosso projeto, o site www.quandoaarvorenaodafruto.com.br, que já está no ar e vem sendo aprimorado.

Nosso site tem o objetivo de oferecer suporte a mulheres que foram diagnosticadas com infertilidade, passaram por tratamento para engravidar e não obtiveram êxito. Elas vivem uma realidade diferente de outras que fazem tratamento para engravidar e têm sucesso após poucas tentativas, já que lidam com isolamento social expressivo e frustração pelo insucesso, além dos lutos secundários envolvidos. O foco é o público feminino, pois, como vimos, o impacto da infertilidade é diferente para homens e mulheres, bem como a maneira como lidam com a situação. Foi necessário definir uma população-alvo para que os temas pudessem ser aprofundados, o que nos levou a optar pelas mulheres inicialmente. De maneira geral, elas têm mais facilidade de falar sobre seus sentimentos e de procurar ajuda, aumentando nossa possibilidade de alcance.

A página fornece um material cientificamente preciso, com informações a respeito de infertilidade, desafios enfrentados e sentimentos experimentados, demonstrando compreensão e ajudando no enfrentamento e na elaboração desse luto não reconhecido. Possibilitamos a troca de experiências entre mulheres que se sintam próximas de desistir do sonho de gerar uma prole, a fim de reduzir a sensação de isolamento e incompreensão e trazer a constatação de que há outras pessoas passando por angústias similares e que compreendem a dor umas das outras.

O site tem um blogue, alimentado com textos de nossa autoria sobre temas diversos, como o luto pela infertilidade e os desafios enfrentados por essas mulheres, como saber quando desistir do tratamento, opções após a suspensão do tratamento, como lidar com situações sociais, possíveis diferenças na maneira de homens e mulheres lidarem com sua dor, como construir um significado e elaborar esse luto, entre outros. Convidados especialistas também contribuem com textos ligados ao tema, como particularidades do diagnóstico e tratamento da infertilidade e aspectos emocionais associados. As leitoras podem escrever sobre suas experiências, propiciando um ambiente de acolhimento mútuo, sempre mediado pelas criadoras da página. Um e-mail foi disponibilizado para propiciar um contato direto para esclarecimento de dúvidas e sugestões de temas.

O luto não reconhecido é silencioso, solitário e muitas vezes não validado pela sociedade e pelo próprio enlutado. Quando a Árvore Não Dá Fruto – Apoio à Infertilidade visa dar voz e trazer conforto a casais inférteis. Entende-se que esse caminho é longo e tortuoso, mas uma mão estendida pode tornar o trajeto menos doloroso.

REFERÊNCIAS

CASELLATO, G. *Dor silenciosa ou dor silenciada?* – Perdas e lutos não reconhecidos por enlutados e sociedade. Campinas: Livro Pleno, 2005.

_____. *O resgate da empatia: suporte psicológico ao luto não reconhecido.* São Paulo: Summus, 2015.

DOKA, K. J. *Disenfranchised grief: new directions, challenges, and strategies for practice.* Illinois: Research Press, 2002.

MANTERFIELD, L. *Life without baby: surviving and thriving when motherhood doesn't happen.* Redondo Beach: Steel Rose Press, 2015.

PARKES, C. *Luto: estudos sobre a perda na vida adulta.* São Paulo: Summus, 1998.

QUANDO A ÁRVORE NÃO DÁ FRUTO – Luto na Infertilidade. Disponível em: <quandoaarvorenaodafruto.com.br>. Acesso em: jan. 2020.

QUEVEDO, M. P. *Experiências, percepções e significados da maternidade para mulheres com gestação de alto risco.* Dissertação (doutorado em Saúde Pública), Faculdade de Saúde Pública da Universidade de São Paulo, São Paulo, 2010.

RANDO, T. *Parental loss of a child.* Nova York: Owl Book, 1997.

VOLGSTEN, H.; SVANBERG, A. S.; OLSSON, P. "Unresolved grief in women and men in Sweden three years after undergoing unsuccessful in vitro fertilization treatment". *Acta Obstetricia et Gynecologica*, v. 89, n. 10, out. 2010, p. 1290-97.

Posfácio –
Os lutos de uma pandemia

Gabriela Casellato

INÍCIO DE MAIS UM outono no Brasil. O ano, 2020. Assim como tantos projetos que desenvolvemos na vida até então, este livro seguia o seu curso e já estava pronto, mas, de forma rápida, um vírus denominado coronavírus 2 (SARS-CoV-2) desconstruiu um mundo conhecido. O surto teve início em Wuhan, na China, e deu lugar a uma quarentena em massa, uma vez que vários estrangeiros retornaram ao seu país de origem vindos da China e, mais tarde, da Europa e precisaram se manter isolados em casa. Contudo, em muitos locais o controle de entrada foi falho ou tardio, e uma pandemia se estabeleceu gradativamente. Em poucos meses, o vírus se espalhou por todo o mundo.

Uma pandemia é devastadora de várias formas, pois evidencia nossa impermanência e fragilidade e nos impõe transformações rápidas e complexas. A partir desse fato, poucos assuntos da humanidade poderão ser compreendidos sem que olhemos para os impactos em curto e longo prazo de um processo tomado de crises de toda ordem, de muitas perdas, mudanças e adaptações. Muitos lutos concretos e outra infinidade de lutos intangíveis serão vividos de forma privada e coletiva por um longo período.

Assim como tantos outros projetos, este livro também se modificou e teve este posfácio acrescentado durante o isolamento social. Localizados em São Paulo, epicentro do contágio no Brasil, e vivendo o início da queda do contágio pelo vírus nesta localidade, depois de um longo período de uma alta taxa de mortalidade, faremos uma reflexão sobre as tantas dimensões afetadas, sancionadas ou não, de um mundo transformado. Diante disso, alguns fatos já podem ser citados e analisados, embora ainda seja muito cedo para avaliar todas as consequências em longo prazo dessa tragédia sanitária mundial.

Vale lembrar que as variáveis de escala e alcance influem no impacto da pandemia e nos serviços necessários para lidar com ela. Além desses fatores, precisamos considerar a duração do fato e o tipo de prejuízo que ele traz (por exemplo, as inúmeras vidas perdidas, o impacto econômico, o incremento da demanda dos serviços de saúde mental, entre outros), bem como as expectativas e a cultura das populações afetadas (Parkes, 2015). Há certa singularidade nas condições do impacto da pandemia, mas a dimensão internacional inerente a ela inevitavelmente exige que organizações de apoio de todos os países envolvidos se articulem e se comuniquem visando mitigar os prejuízos humanos e socioeconômicos dentro e fora de suas fronteiras.

A PERDA DO MUNDO PRESUMIDO

Como vimos no primeiro capítulo, o mundo que organizamos internamente visando garantir o senso de previsibilidade e tranquilização necessários à nossa sobrevivência é um aspecto central do equilíbrio psicológico de todo indivíduo e também de cada organização social. Para a manutenção de um mundo presumido, buscamos, individual e coletivamente, estabelecer regras, leis, hierarquia, rotina, planejamento (em diferentes níveis e para diferentes demandas). Pautamo-nos em nossa história para antecipar um futuro desconhecido, por meio do que construímos expectativas e nos organizamos.

Do contexto individual ao coletivo, o mundo presumido foi afetado gravemente pela pandemia. Essa perda, apesar de intangível, é extremamente perturbadora para a mente humana. A quebra do mundo presumido nos coloca em estado de alerta e medo. Nesse contexto, o pânico coletivo diante da ameaça de um vírus perigoso e desconhecido fomenta a insegurança individual e vice-versa. O desafio está em vivenciar as perdas inerentes aos efeitos da pandemia e, ao mesmo tempo, buscar recursos internos e externos para enfrentar uma ameaça que semana a semana é incrementada pelo risco do contágio progressivo do vírus. Para tanto, o senso de pertencimento e o exercício empático tornam-se tarefas essenciais e urgentes ao enfrentamento dessa crise sem precedentes no século vigente.

A PERDA DA SEGURANÇA

> "Aqui as coisas vão chegando e indo numa coisa triste, mecânica e dolorosa. Já cedo, chegam duas pessoas com esse mal que ninguém sabe ao certo o que é. Acho que é vírus, né? O que impera mesmo é o silêncio. O medo é tão denso que dá a impressão que dá para pegar com a mão. Todo mundo se evita."
> (Depoimento de um coveiro – Appel, 2020)

De acordo com os etologistas, nossa sobrevivência como espécie é garantida essencialmente por três necessidades instintivas que regulam os comportamentos humanos mais básicos: a reprodução, a alimentação e a busca da proximidade com outro ser humano, visando a proteção contra predadores. Sem elas, nossa espécie já estaria extinta há séculos. Além disso, tais necessidades nos colocaram numa condição inexorável de socialização, pois, sem outro ser humano, um bebê não se alimentaria, não teríamos gerações futuras e o medo nos comprometeria no enfrentamento de perigos em nossa longa caminhada evolucionária.

Em uma pandemia, nossa necessidade de proteção e segurança se torna intensamente ativada, e o medo passa a influenciar de forma significativa os sentimentos, os pensamentos e comportamentos, tendo como metas fixadas a cessação do perigo e a busca do sentimento de conforto e proteção. Esse processo é chamado de hiperativação do sistema de apego, e o risco reside no fato de que um indivíduo com medo constante fica extremamente estressado e tende a perder o discernimento diante da realidade e do perigo – além de perder aos poucos a capacidade de avaliar os recursos internos e externos para enfrentar a ameaça. Portanto, a maior ameaça para a pessoa passa a ser o medo em demasia (Bowlby, 2002).

Diante disso, a primeira perda significativa numa pandemia é a do mundo presumido, enquanto a segunda compreende o senso de segurança. Com a perda do senso de segurança, a sociedade precisa lidar com a atitude "*me first*" (eu primeiro): instintivamente, muitas pessoas ou grupos sociais buscam garantir as próprias necessidades básicas visando à sobrevivência e à proteção, o que tende a provocar uma crise dentro da crise da pandemia. Tal fenômeno pode ser observado na atitude individual de não aderir ao isolamento físico (em geral porque há outra ameaça mais significativa para o indivíduo, como a manutenção da subsistência por meio do trabalho), na estocagem excessiva e preventiva de mantimentos ou até mesmo, em nível macro, no fechamento das fronteiras entre países, no não compartilhamento de solução dos problemas ou no não fornecimento de equipamentos e doações a países vizinhos. O primatólogo Frans de Waal (2009, p. 4) cita a expressão "o homem é o lobo do homem", utilizada por Thomas Hobbes, para apontar as consequências perigosas desse comportamento ante o medo excessivo.

O comportamento "*me first*" deveria estar a serviço de garantir nossa sobrevivência, mas coloca as pessoas em risco ainda maior do que o imposto pela pandemia. No entanto, outro instinto ganha força entre os membros dos agrupamentos sociais: a necessidade de cooperação, solidariedade e pertencimento.

Diante de um perigo que não pode ser enfrentado individualmente, buscamos outro ser humano e outras instâncias sociais que promovam a sensação de proteção. Eis o lugar essencial das figuras hierárquicas nas esferas familiar e, também, social. Além das figuras parentais, as representativas da sociedade e os especialistas no manejo do perigo tornam-se referências de segurança. Não contar com estas ou perdê-las para a pandemia nos deixa ainda mais vulneráveis.

Para ilustrar a função da hierarquia na tranquilização, vale destacar, no contexto dessa pandemia, o desamparo civil provocado pela falta de consenso, coesão e embasamento científico de muitas decisões acerca da prevenção e do tratamento da população doente pelas instituições que governam um país. Da mesma forma, é preciso que estas se manifestem publicamente em situações de luto coletivo, com homenagens aos mortos, mostrando empatia e compaixão por meio dessa relação hierárquica. Tais cuidados se fazem necessários porque a função social que os líderes de um país, de um estado ou de uma cidade têm diante da população que vive sob sua administração pode ser entendida do ponto de vista psicológico de forma análoga às figuras parentais, cuja função é a de proteger seus filhos.

As nações precisam sentir que seus líderes estão lá para protegê-las e mitigar perigos e ameaças de toda ordem, inclusive sanitária, visando preservar a vida e a segurança física e psicológica da população. Quando isso não acontece, surge um senso coletivo de desamparo, orfandade civil e desproteção. De forma secundária ao risco intrínseco à pandemia, tal situação incrementa significativamente o senso de ameaça, fomentando comportamentos de insegurança entre pessoas da mesma comunidade que divergem politicamente diante das atitudes tomadas pelos líderes. Isso se estende também ao espaço público – por exemplo, nas atitudes violentas direcionadas aos profissionais de saúde da linha de frente, no desrespeito massivo às regras de isolamento e distanciamento social, entre outras manifestações oriundas de um estresse intensificado e prolongado. Em consequência, a falta de proteção fomenta o medo – iatrogenia[1] administrativa de diversos líderes que lamentavelmente têm contribuído para o adoecimento psicológico de muitas pessoas.

No que tange à segurança, uma pandemia envolve três etapas:

1. A perda da segurança prévia prevista no mundo presumido.
2. O desenvolvimento de uma segurança possível dentro do contexto da calamidade, como planejamento de ações para o enfrentamento da crise, protocolos a serem seguidos, medidas de controle da contaminação.
3. A segurança a ser reconstruída após a superação da etapa mais crítica da crise, quando um senso de previsibilidade começa a ser restaurado – por exemplo, a queda da taxa de contágio e de óbitos, o fim da quarentena e a retomada gradual de uma nova rotina social, embora ainda afetada pelo medo e pelo trauma impostos pela pandemia.

Apesar da perda de segurança prévia diante de uma calamidade dessa proporção, o ser humano instintivamente procura resgatar rapidamente o senso de proteção, condição das mais poderosas para o nosso sucesso evolucionário até o momento. Os indivíduos se ajustam, adaptam-se e se reinventam, mas o fazem à custa de um processo doloroso do ponto de vista tanto social quanto psíquico.

---

[1]. Conceito utilizado na área médica referente a efeitos adversos ou complicações resultantes do tratamento médico. Considere-se, portanto, uma analogia com o erro de conduta no contexto político-administrativo.

A PERDA INERENTE AO DISTANCIAMENTO FÍSICO NA CONVIVÊNCIA SOCIAL

A quarentena demanda o isolamento social e consiste na separação e na restrição de movimentos de pessoas que foram potencialmente expostas a uma doença contagiosa, mesmo que estejam assintomáticas, visando reduzir o risco de transmissão para outras (Brooks *et al.*, 2020). Já o distanciamento social implica apenas a separação de pessoas, seja por decisão deliberada ou por imposição das instituições sociais, enfocando quem teve contato com a doença, a fim de prevenir o contágio. Entretanto, ambos os termos são frequentemente usados de forma intercambiável, sobretudo na comunicação com o público (*ibidem*).

De qualquer forma, o distanciamento físico imposto pelo isolamento ou pela quarentena visando à minimização da contaminação pela Covid-19 gera um grave risco à saúde mental dos indivíduos. Para entender o impacto dessa perda, precisamos voltar ao tema da biologia, em especial da etologia. O contato físico é uma das experiências sociais que regulam o nosso cérebro diante do medo, desde o berço até o túmulo. É a pele da mãe em contato com a do bebê que fornece a ele indícios de segurança. O cheiro, o calor, a textura e os movimentos da mãe são rapidamente memorizados pela criança, pois representam uma forma de discriminar o ambiente e direcionar os seus chamamentos quando se sentir ameaçada. Do aprendizado dessa primeira experiência, a nossa mente só se aquieta após uma experiência ameaçadora quando em contato físico com aquele ou aquilo que nos protege ao longo da vida. Na ausência da pessoa que elegemos como figura de apego, podemos acessar aquelas que a substituem ou algum objeto representativo. Apesar de não resultarem na mesma saciedade do medo, são associados à figura eleita e podem desativar parcialmente o senso de ameaça. Se o isolamento físico implicar a quebra desse tipo de relação, devemos entender que a pessoa privada desse contato estará mais vulnerável e estressada para manejar a crise da pandemia. Por outro lado, os relacionamentos sociais mais significativos também representam esse lugar secundário e importante de tranquilização, e a falta de contato "pele a pele" gera sensações de desamparo e desproteção relativos.

Hostilidade, educação, dependência e afiliação são algumas das mensagens sociais transmitidas pelo toque. Entre os efeitos, observa-se que as pessoas podem ser mais altruístas na medida em que o toque gera generosidade. Os efeitos dos toques interpessoais (como sinal de amizade) por uma pessoa de fora do grupo estão também associados com a maior inclusão em grupos sociais, o que pode favorecer a redução dos preconceitos étnicos. É evidente, entretanto, que a interpretação do toque varia em função do contexto social (Ravaja *et al.*, 2017). Por essa razão, os contatos sociais possíveis precisam ser incrementados no período de isolamento social imposto pela pandemia na tentativa de minimizar a falta gerada pelo contato físico. Mais contatos sociais (ainda que virtuais) com mais trocas de olhares e conversas têm resultado na minimização dessa perda transitória.

AS PERDAS NO ÂMBITO DA SAÚDE

A pandemia representa uma ameaça efetiva à saúde física e mental, seja pela contaminação pela Covid-19 ou pelo impacto psicológico do enfrentamento da crise relacionada com a doença e todas as dimensões afetadas, quais sejam: física, social, emocional, econômica e espiritual. Centenas de milhares de pessoas afetadas pela Covid-19 têm experimentado enfermidades graves ou a morte (Johns Hopkins Coronavirus Resource Center, 2020). Médicos, enfermeiros, técnicos de enfermagem, fisioterapeutas, psicólogos e outros profissionais de saúde, bem como os sistemas de saúde públicos e privados pelo mundo, vivem um desafio sem precedentes na história recente (Fontanarosa, 2020).

Já há diversas estatísticas acerca dos números da pandemia em termos de vítimas sobreviventes e fatais, mas pouco sabemos sobre seu desdobramento quando sairmos da quarentena e começarmos a voltar à "normalidade". Vale destacar que se espera uma nova "normalidade" (Fontanarosa, 2020), pois as atividades sociais deverão ficar comprometidas devido aos possíveis riscos de contágio – que perdurarão na ausência de vacinas e enquanto o vírus se mantiver forte e letal por sua incrível velocidade de transmissão e contágio. Sabemos que, em curto prazo, as doenças decorrentes do contágio pelo coronavírus sofrerão mudanças, mas algumas consequências poderão perdurar e outras serão permanentes.

Desafios como tratamentos eficazes para tais doenças, limitações de insumos, leitos e equipamentos, testes de sorologia suficientes, prevenção efetiva da transmissão, falta de recursos financeiros, descoberta de uma vacina segura, entre outros, ainda geram incerteza e insegurança para os profissionais e os sistemas de saúde públicos e privados em todo o mundo (Fontanarosa, 2020). Do ponto de vista da saúde mental, sintomas de transtorno de estresse pós-traumático (TEPT) e outros distúrbios de estresse se mostraram proeminentes logo nas primeiras semanas, assim como os níveis de ansiedade, de acordo com pesquisas científicas em andamento cujos resultados preliminares já foram publicados (Lima *et al.*, 2020; Jianbo Lai *et al.*, 2020; Rodriguez-Muñoz *et al.*, 2020; Brooks *et al.*, 2020; Silva *et al.*, 2020).

Cullin, Gulati e Kelly (2020) apontam que respostas psicológicas esperadas nesse processo incluem o aumento de comportamentos mal adaptados, estresse emocional e respostas defensivas; na população com mais inclinação para os problemas psicológicos, observou-se um risco mais elevado de agravamento de tais sintomas.

Em estudo oriundo de uma parceria entre Espanha e Inglaterra, Rodriguez-Muñoz *et al.* (2020) investigaram os efeitos psicológicos do confinamento em virtude da Covid-19. Duas mil pessoas residentes em 17 comunidades independentes da Espanha participaram, e os dados foram coletados na primeira semana de confinamento, entre os dias 15 e 22 de março de 2020. Os resultados preliminares apresentaram os seguintes níveis de risco:

1. TEPT: 23,3% apresentaram risco alto; 46,5% apresentaram risco médio; 30,2% apresentaram risco baixo.
2. Ansiedade: 14,2% apresentaram risco alto; 43,4% apresentaram risco médio; 42,4% apresentaram risco baixo.
3. Depressão: 8,2% apresentaram risco alto; 29,5% apresentaram risco médio; 62,3% apresentaram risco baixo.
4. Insônia: 9,4% apresentaram risco alto; 35,1% apresentaram risco médio; 55,5% apresentaram risco baixo.

Em pesquisa referente à revisão de artigos acadêmicos relacionados com os efeitos psicológicos da quarentena, Brooks *et al.* (2020, p. 915) levantaram os seguintes preditores para o impacto psicológico:

1. Fatores demográficos (ex.: estado civil).
2. Jovens (16 a 24 anos).
3. Baixo nível de qualificação educacional.
4. Ter filhos (em oposição a não ter filhos, embora ter três ou mais filhos pareça ser fator de proteção).

Todos os estudos analisados são consoantes em afirmar que os seguintes fatores representam risco para o enfrentamento da quarentena:

1. Gênero feminino.
2. Histórico de doenças psiquiátricas associadas a episódios de ansiedade e raiva de quatro a seis meses antes da quarentena.

3. Profissionais de saúde que ficaram isolados.
4. Profissionais de saúde que sentiram forte estigma.

O estudo assinala alguns estressores que podem ser experimentados durante a quarentena:

1. Medo de infecção.
2. Frustração e tédio.
3. Recursos inadequados (ex.: falta de comida, roupas ou acomodação).
4. Informações inadequadas (faltantes, excessivas ou erradas).

Após a quarentena, é possível observar os seguintes estressores (Brooks *et al.*, 2020):

1. Problemas financeiros.
2. Estigma.
3. Lutos experimentados de forma ambígua pela falta de rituais.
4. Sequelas na saúde física dos que foram infectados.

Como se pode observar, os estudos aqui elencados mostram que uma parcela significativa da população geral apresentará riscos de nível moderado a alto de manifestação das reações emocionais aludidas, representando um contingente significativo de pessoas que, em curto e médio prazo, necessitarão de apoio especializado de profissionais da saúde mental. Assim, urgem as intervenções de suporte no contexto da pandemia e após o surto. De modo geral, os estudos reportam que os profissionais de saúde mental que atuaram no cuidado direto de pessoas contaminadas foram avaliados como população de risco, pois sofrem um importante impacto na própria saúde mental.

Estudo produzido na China (Jianbo Lai *et al.*, 2020), entrevistou 1.257 adultos com idade entre 26 e 40 anos, em que 76,7% eram mulheres. Do total, 60,8% eram enfermeiros e 39,2% eram médicos que trabalharam em hospitais em Wuhan, tendo 41,5%

atuado na linha de frente no cuidado aos pacientes contaminados. Os resultados da pesquisa apontaram que:

1. 50,4% dos profissionais de saúde apresentaram sintomas de depressão.
2. 44,6% dos profissionais de saúde apresentaram sintomas de ansiedade.
3. 71,5% dos profissionais de saúde apresentaram sintomas de angústia.
4. Enfermeiros, mulheres e cuidadores da linha de frente apresentaram mais sintomas severos do que os outros cuidadores.
5. Transtorno de ansiedade generalizada entre homens e mulheres.
6. Insônia severa entre os profissionais da linha de frente e de suporte.
7. Profissionais da linha de frente que trabalharam engajados diretamente em diagnósticos, tratamento e cuidado dos pacientes com Covid-19 foram associados a alto risco de sintomas de depressão, ansiedade, insônia e angústia (Jianbo Lai *et al.*, 2020, p. 8).

Portanto, a pandemia tem provocado um grande impacto negativo na saúde física e mental da população mundial, e tais efeitos serão experimentados em curto, médio e longo prazo em diferentes países, culturas e contextos socioeconômicos. Tendo em vista tamanho incremento de demanda dos serviços de saúde e saúde mental, tornam-se urgentes ações de ordem emergencial e de tratamento nas redes pública e privada de saúde. Quanto mais demora houver no oferecimento de intervenções às populações descritas como mais vulneráveis, maior será o impacto de adoecimento destas. Perante uma crise dessa proporção, ações rápidas, efetivas e eficientes são absolutamente necessárias e exigem esforços governamentais e dos serviços comunitários como um todo.

A PERDA ECONÔMICA

O impacto financeiro pode ser um sério problema em consequência da quarentena imposta pela pandemia. Milhares de pessoas tornam-se impedidas de trabalhar, têm suas atividades profissionais interrompidas, sofrem demissões, e os efeitos rapidamente começam a se manifestar. Quanto mais baixo o nível socioeconômico, maior o risco de privações graves de necessidades básicas como alimentação, moradia e serviços básicos de saúde e higiene. Tais privações geram uma série de transtornos psicológicos, inclusive TEPT, depressão e o aumento do número de suicídios.

Segundo dados de 2016 da Organização Mundial da Saúde, quase 80% dos suicídios ocorrem em nações de rendas baixa e média, e parte significativa dos casos se deu em zonas distantes dos grandes centros. Vale ressaltar que não podemos associar o alto índice exclusivamente aos problemas financeiros enfrentados, mas também àqueles associados a outras questões ligadas à pobreza ou à perda substancial financeira; essa perda concreta é acompanhada de outras perdas simbólicas, como identidade, dignidade, estilo de vida, mudanças de rotina, de emprego, de casa, desistência de projetos com o intuito de mitigar os gastos financeiros etc. Além disso, outro aspecto que se torna fator de risco é o fato de que pessoas com dificuldades financeiras terão menos acesso a serviços de saúde especializados. Cumpre salientar que a falta de suporte formal se transforma em mais um fator de risco para o enfrentamento dessas perdas.

Sabe-se que tais consequências terão efeitos em médio e longo prazo, podendo durar anos, e faz-se necessário também refletir sobre o possível aumento das taxas de suicídio no país e no mundo em razão da Covid-19. Sher (2020) aponta as condições contextuais da pandemia que sugerem cuidado e prevenção no que se refere ao enfrentamento do aumento de comportamentos suicidas na população – em especial dos indivíduos com transtornos psicológicos preexistentes, com baixa resiliência, que residem em áreas de alto risco de prevalência da Covid-19 ou que perderam amigos ou familiares em decorrência do vírus.

Figura 1 – Comportamento suicida na população vulnerável durante a Covid-19

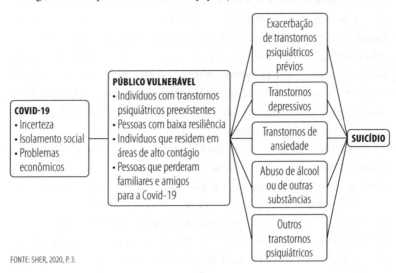

FONTE: SHER, 2020, P. 3.

AS INÚMERAS VIDAS PERDIDAS

Segundo o Johns Hopkins Coronavirus Resource Center (2020), a taxa de mortalidade mundial decorrente da Covid-19 gira em torno de 3%. Em 29 de agosto de 2020, havia 24,8 milhões de casos confirmados e 840 mil mortes. No Brasil, são 3,4 milhões de casos e 120 mil mortes (taxa de mortalidade de 3,5%), mas vale destacar que o próprio governo federal reconhece que os números são imprecisos devido às subnotificações por mortes em domicílio ou em estados e cidades que já apresentam uma sobrecarga de demanda nos serviços públicos de saúde.

Trata-se, portanto, de um complexo processo de perdas coletivas, súbitas, inesperadas, muitas delas precoces, e a maioria é estigmatizada. Além disso, em diversas famílias, aconteceram e acontecerão perdas múltiplas, pois vários membros são infectados e mais de um não sobrevive. Acrescente-se a perda de amigos, colegas, conhecidos e outras pessoas cujos vínculos tingem de luto muitas pessoas ligadas a quem faleceu.

Quando pensamos nas pessoas impactadas por uma morte, sabemos que, no senso comum, considera-se que os afetados são os que têm vínculos mais próximos, sobretudo ascendentes, descendentes diretos e cônjuges, mas nossa experiência de atuação clínica e em outros *settings* indica que muitos são os vínculos afetivos abalados intensamente numa perda – o número de pessoas atingidas de forma expressiva pode ultrapassar uma dezena a cada óbito. Ignorar o sofrimento dessas pessoas pode promover o isolamento social no período do luto, e isso pode favorecer o comprometimento do processo a ser vivido por esses enlutados.

A MORTE NA QUARENTENA: A AUSÊNCIA DOS FUNERAIS E O RISCO DE LUTOS AMBÍGUOS

As mortes no contexto da pandemia são experimentadas num cenário muito desafiador: o da ausência ou empobrecimento dos rituais de despedida. Em virtude da quarentena imposta visando ao controle de contágio, os familiares e demais enlutados precisam seguir as determinações das autoridades de vigilância sanitária. Assim, os velórios ficaram restritos à duração de até duas horas, com a presença de, no máximo, dez pessoas diante do caixão lacrado. Por outro lado, os velórios de falecidos por motivos diferentes também foram restringidos pelas mesmas regras, apenas sendo liberada a abertura do caixão, quando possível.

Outro problema associado ao contexto refere-se à demanda. Diante de tantos óbitos num pequeno intervalo (aproximadamente 881 mortes/dia no Brasil, sendo que algumas localidades foram mais afetadas do que outras), algumas cidades enfrentam a falta de locais, mão de obra e serviços para efetuar o sepultamento. Esse cenário exigiu a abertura de covas coletivas em determinadas cidades, incrementando o impacto no enfrentamento da realidade e impondo aos rituais de despedida um cenário indigno, impessoal e desconfortável do ponto de vista emocional.

Como apontamos em outras publicações (Casellato, 2013; 2015), a dor do luto é sempre desafiadora, sobretudo por seu caráter subjetivo e intangível. Nesse sentido, o luto pela Covid-19 é sobrecarregado pelo próprio contexto da morte. Em geral, a maioria dos pacientes morre isolada em UTIs hospitalares e em decorrência de insuficiência respiratória grave e outras complicações. Muito antes de os sintomas se agravarem, e em razão do isolamento, perderam o contato com os familiares ou, quando possível, mantiveram contato apenas por meio de ligações telefônicas e videochamadas. Nesse contexto, do ponto de vista de familiares e amigos, o contato com o médico intensivista, que pode ou não estar acompanhado de um profissional da psicologia, ocorre também por intermédio desses meios de comunicação. Da mesma forma se dá o comunicado do óbito, mas este oferece informação limitada e, às vezes, insuficiente e pouco eficaz. Assim, a narrativa da morte vem cercada de incertezas, insegurança, culpa, medo, raiva e angústia. As condições da morte descritas tornam-se fatores de risco para o luto imposto por uma narrativa traumática.

Diante das condições da morte e das precárias condições de ritualização da despedida, os enlutados pela Covid-19 poderão experimentar perdas "ambíguas", assim chamadas por serem indefinidas para aqueles que a vivenciam, o que torna esse tipo de experiência não "oficial" para os enlutados e para a sua comunidade. Tais situações não são ritualizadas nem recebem o suporte social necessário e, por isso, não favorecem o enfrentamento do luto. Desse modo, o processo pode ficar "congelado" e se manter não resolvido, gerando comprometimento físico e psicossocial ao enlutado.

Esse contexto ambíguo de uma despedida sem concretude nos leva a outro problema secundário, mas não menos impactante: o não reconhecimento desse tipo de ruptura de vínculo. A ausência de franqueamento de determinados lutos, incluindo as perdas ambíguas e simbólicas, favorece seu comprometimento, que poderá ser mais intenso e solitário. Tudo isso impede o enfrentamento saudável da perda e o bom ajustamento à vida que segue.

Portanto, são muitos os lutos simbólicos e concretos observados no contexto da pandemia que, por representarem uma realidade muito difícil de ser observada, pois todos estamos sujeitos aos mesmos riscos de morrer e perder pessoas queridas, correm o risco de serem estigmatizados não apenas pelo risco de contágio físico (pois muitos estiveram em contato com a pessoa infectada), mas também pelo contágio psicológico, ou seja, o medo de encarar o sofrimento como algo possível para todas as pessoas em volta. Nesse aspecto, muitos são os fatores somados ao isolamento social que fomentam a solidão e o desamparo nos enlutados pela Covid-19.

A RESILIÊNCIA DIANTE DAS PERDAS PELA COVID-19

De acordo com Rosenberg (2020), resiliência é a capacidade adaptativa diante do enfrentamento de adversidades, traumas, tragédias, ameaças ou fontes significativas de estresse. A autora destaca que resiliência se refere a se ajustar, o que não necessariamente implica sentir-se bem ao longo do processo – e sim se adaptar e ser capaz de continuar, olhar para trás e processar a experiência vivida. Ao nos distanciarmos da crise enfrentada, por vezes somos capazes de refletir e ponderar sobre como tal experiência nos afetou no que tange à nossa saúde, à nossa rotina, à nossa identidade, às nossas habilidades, às lições que aprendemos e às motivações que preservamos para continuar. Trata-se de um exercício ao mesmo tempo individual e de toda a comunidade, considerando suas características, necessidades e cultura. Em cada uma das instâncias, os fatores que favorecem a resiliência são variáveis, singulares e contextuais. No entanto, para Rosenberg (2020), pode-se organizar a resiliência em três categorias: individual, comunitária e existencial.

Tabela 1 – Categorias baseadas em evidências dos recursos de resiliência e aplicações possíveis na era da Covid-19

CATEGORIAS DE RECURSOS DE RESILIÊNCIA	INDIVIDUAL	COMUNITÁRIA	EXISTENCIAL
COMO CONSIDERAR A CATEGORIA DE RECURSOS DE RESILIÊNCIA	O que eu (ou nós) faço (fazemos) quando as coisas ficam difíceis?	Quem me ajuda (nos ajuda) quando as coisas ficam difíceis?	Quem eu (ou nós) quero (queremos) ser quando isso acabar? O que isso vai significar para mim (para nós)?
EXEMPLOS CLÁSSICOS DE CATEGORIAS DE RECURSOS DE RESILIÊNCIA	Confiança nas características pessoais ou grupais (resistência, otimismo); desenvolvimento de habilidades pessoais ou grupais (manejo de estresse, *mindfulness*, estabelecimento de metas).	Priorizar e alavancar relacionamentos existentes com empatia e pessoas compreensivas (amigos, família e pares de trabalho); desenvolvimento e cultivo de novos relacionamentos individuais e grupais com pessoas com quem se tem afinidade para validar sentimentos e identificar propósitos compartilhados (colegas, comunidades em geral, grupos de defesa de ideais).	Reformular a avaliação de adversidade com integração das lições aprendidas, reavaliação da identidade pessoal ou de grupo voltada para valores, significados e propósito, identificação da gratidão e do que realmente importa na visão de mundo pessoal e organizacional.

APLICAÇÕES POSSÍVEIS NO NÍVEL INDIVIDUAL	Prática de autocuidado (não podemos ser resilientes se estivermos doentes); priorizar o descanso e as técnicas de manejo de estresse, como meditação e exercícios; comemorar as conquistas; reconhecer impulsos para a frente; ser proativo; encarar desafios, como adaptar-se ao *home-office*; criar objetivos em curto prazo e dar um passo de cada vez.	Comunidade cultivada; dedicar alguns minutos a encontros virtuais para checagens rápidas e objetivas e conversas sobre experiências no hospital; sobre como as crianças estão enfrentando a quarentena; ou sobre os ajustes para trabalhar em casa (isso ajuda a manter o senso de conexão com colegas e amigos).	Reformular o distanciamento social como: a) ação deliberada para promover a segurança do indivíduo e da comunidade; b) oportunidade para identificar que reuniões são realmente necessárias em nossa rotina de trabalho; c) oportunidade para se tornar produtivo em videoconferências; d) construir um propósito pessoal para ajudar as outras pessoas (isso pode incluir cuidar de pacientes com Covid-19 ou se voluntariar para ajudar as comunidades mais prejudicadas pelas regras de isolamento social).
APLICAÇÕES POSSÍVEIS NO NÍVEL ORGANIZACIONAL	Prática de autocuidado; oferecer apoio à equipe por meio de comunicação clara de expectativas; assumir as incertezas; expressar gratidão; demonstrar abertura para perguntas frequentes e repetidas; celebrar o sucesso e reconhecer impulsos para a frente; ser proativo; antecipar os desafios do sistema, como moral baixa, estresse, escassez de força de trabalho e equipamentos, necessidades de cuidados infantis e licença médica; considerar abordagens adequadas para as reuniões compartilhadas e objetivos organizacionais.	Cultivo de oportunidades para compartilhar autodescobertas; organizações e equipes podem juntas explorar as lições aprendidas, novas perspectivas e estratégias para manejar o estresse da incerteza e/ou do medo da pandemia (isso ajuda a manter o senso de conexão com a cultura organizacional).	Deliberadamente considerar uma narrativa futura de nossa comunidade médica; começar a escrever a história que esperamos contar sobre como lidamos com a adversidade; compartilhar propósitos cultivados nas histórias de sucesso nos cuidados de saúde, oferecendo suporte aos pacientes, aos familiares ou às comunidades.

FONTE: ROSENBERG (2020).

OS SERVIÇOS DE SAÚDE MENTAL NO CUIDADO AOS ENLUTADOS PELA COVID-19

Diante do incremento da demanda e dos desafios de tantos fatores de risco inerentes ao luto pela perda de um ente querido no contexto da pandemia, os ajustamentos dos serviços de saúde mental tornam-se urgentes e necessários. Ações preventivas ao falecimento podem ser muito eficientes como fatores de proteção para o processo de luto iminente. Entre as mais eficientes, deve-se considerar:

1. Acesso a informações constantes oferecidas por um profissional responsável pelos cuidados do familiar infectado.
2. Oportunidade de esclarecer dúvidas sobre a doença e a evolução do quadro (os itens 1 e 2 favorecem uma antecipação do luto e a maior organização cognitiva e emocional ante a realidade da doença).
3. Viabilização do contato possível (mesmo que virtual) entre o doente e a família, possibilitando conversas sinceras e práticas e despedidas.
4. Oferta de apoio emocional durante o processo, seja por um psicólogo da equipe ou por um serviço comunitário especializado.
5. Comunicado de óbito realizado pelo mesmo profissional que acompanhou o caso, oferecendo as informações necessárias para viabilizar a narrativa do evento da morte.
6. Se houver crianças na família, cuidado para que estas entendam o que acontece e suporte emocional para que os adultos da família garantam a comunicação efetiva sobre a situação. Estimular que a criança também se despeça do ente querido, desde que entenda e deseje se despedir.

Ações preventivas e de apoio após o falecimento são muito eficientes e facilitadoras do processo de luto. Entre elas, sugere-se:

1. Estimular a realização de rituais de despedida simbólicos e concretos que façam sentido no contexto cultural e espiritual de cada família, visando concretizar a perda e facilitar o luto.
2. Oferecer suporte emocional por videoconferência ou telefonemas semanalmente nos primeiros três meses.
3. Na persistência de sintomas de trauma e luto intensos e disfuncionais, encaminhar para acompanhamento psicológico e avaliação psiquiátrica na rede pública ou privada.
4. Em casos de comorbidades físicas e psicológicas prévias ao luto, encaminhar o enlutado para acompanhamento psicológico e avaliação psiquiátrica na rede pública ou privada.
5. Fomentar a comunidade para seguir consistente e constante no apoio ao enlutado após a perda e nos meses consecutivos, mesmo que por meio de contatos virtuais. Vale destacar que o estigma pelo contágio da Covid-19, associado ao isolamento provocado pela quarentena, pode comprometer o suporte social desses enlutados.

Portanto, não devemos esperar o tempo passar e os sintomas se manifestarem para oferecer apoio aos enlutados pela Covid-19. Ações rápidas e efetivas favorecem a redução de riscos individuais e coletivos de famílias, comunidades e nações.

Ações efetivas e rápidas são o caminho mais assertivo para enfrentar a colateral epidemia de transtornos psicológicos que seguirão a passagem do vírus em nosso país e no mundo.

Se estamos vivendo uma nova realidade e uma nova condição de luto coletivo em razão dos milhares de óbitos em consequência da Covid-19, faz-se necessária uma nova forma de agir preventivamente e com agilidade para responder a essa tragédia coletiva que, com certeza, deixará seu legado de sofrimento, mas também de resiliência.

REFERÊNCIAS

APPEL, C. "Morte sem tabu". *Folha de S.Paulo*, 5 abr. 2020. Disponível em: <https://mortesemtabu.blogfolha.uol.com.br/2020/04/05/o-medo-e-tao-denso-que-da-para-pegar-com-a-mao-desabafa-coveiro-em-audios-diarios-ao-blog/?fbclid=IwAR2LhlRoDzQkaXSmurapYoVXaU3RRy0LB MMQRVSekqpCaSlUNfTUye2AY5w>. Acesso em: 5 abr. 2020.

BOWLBY, J. *Apego*. São Paulo: Martins Fontes, 2002.

BROOKS, S. *et al.* "The psychological impact of quarantine and how to reduce it: rapid review of the evidence". *Lancet*, v. 395, 2020, p. 912-20. Disponível em: <https://www.thelancet.com/journals/lancet/article/PIIS0140-6736(20)30460-8/fulltext>. Acesso em: 20 abr. 2020.

CASELLATO, G. (org.). *Dor silenciosa ou dor silenciada? – Perdas e lutos não reconhecidos por enlutados e sociedade*. 2. ed. São Paulo: Polo Book, 2013.

_____. (org.). *O resgate da empatia: suporte psicológico ao luto não reconhecido*. São Paulo: Summus, 2015.

CULLIN, E.; GULATI, G.; KELLY, B. "Mental health in the Covid-19 pandemic". *QJM: An International Journal of Medicine*, v. 113, n. 5, 30 mar. 2020, p. 311-12. Disponível em: https://academic.oup.com/qjmed/article-abstract/113/5/311/5813733. Acesso em: 31 jul. 2020.

FONTANAROSA, P. B.; BAUCHNER, H. "Covid-19 – Looking beyond tomorrow for health care and society". *JAMA Network*, 17 abr. 2020. Disponível em: <https://jamanetwork.com/journals/jama/fullarticle/2764952>. Acesso em: 20 abr. 2020.

JIANBO LAI, M. S. *et al.* "Factors associated with mental health outcomes among health care workers exposed to Coronavirus disease 2019". *Jama Network*, v. 3, n. 3, 23 mar. 2020. Disponível em: <https://jamanetwork.com/journals/jamanetworkopen/fullarticle/2763229?utm_campaign=articlePDF&utm_medium=articlePDFlink&utm_source=articlePDF&utm_content=jamanetworkopen.2020.3976>. Acesso em: 23 abr. 2020.

JOHNS HOPKINS CORONAVIRUS RESOURCE CENTER. Covid-19 dashboard by the Center for Systems Science and Engineering (CSSE) at Johns Hopkins University (JHU). 2020. Disponível em: <https://coronavirus.jhu.edu/map.html>. Acesso em: 29 ago. 2020.

LIMA, C. K. T. *et al.* "The emotional impact of coronavirus 2019-Ncov (new Coronavirus disease)". *Psychiatry Research*, n. 287, maio 2020. Disponível em: <https://www.sciencedirect.com/science/article/pii/S0165178120305163?via%3Dihub>. Acesso em: 23 ab. 2020.

PARKES, C. *The price of love: the selected works of Colin Murray Parkes*. Nova York: Routledge, 2015.

Ravaja, N. et al. "Feeling touched: emotional modulation of somatosensory potentials to interpersonal touch". *Scientific Reports*, n. 40.504, 2017. Disponível em: <https://www.nature.com/articles/srep40504>. Acesso em: 6 abr. 2020.

Rodriguez-Muñoz, A. et al. Los efectos psicológicos de la cuarentena por el Covid-19 – Um estúdio longitudinal. Universidad Complutense de Madrid, 26 mar. 2020. Disponível em: <https://www.ucm.es/depresion,-estres,-insomnio,-ansiedad…los-problemas-psicologicos-derivados-del-confinamiento-podrian-perduran-meses-o-anos>. Acesso em: 20 abr. 2020.

Rosenberg, A. R. "Cultivating deliberate resilience during the coronavirus disease 2019 pandemic". *JAMA Network*, 14 abr. 2020. Disponível em: <https://jamanetwork.com/journals/jamapediatrics/fullarticle/2764729>. Acesso em: 20 abr. 2020.

Silva, D. et al. "Covid-19 and the pandemic of fear: reflections on mental health". *Revista de Saúde Pública*, 28 abr. 2020. Disponível em: <http://www.rsp.fsp.usp.br/wp-content/plugins/xml-to-html/include/lens/index.php?xml=1518-8787-rsp-54-46.xml&lang=en>. Acesso em: 31 jul. 2020.

Sher, L. "The impact of the Covid-19 pandemic on suicide rates". *QJM: An International Journal of Medicine*, 2020, p. 1-6. Disponível em: <https://academic.oup.com/qjmed/article-abstract/doi/10.1093/qjmed/hcaa202/5857612>. Acesso em: 31 jul. 2020.

Waal, F. *The age of empathy*. Nova York: Harmony Books, 2009.

Os autores

ALESSANDRA OLIVEIRA CICCONE
Psicóloga pela Pontifícia Universidade Católica de São Paulo (PUC-SP) e especialista em teoria, pesquisa e intervenções em luto pelo 4 Estações Instituto de Psicologia e em psicologia analítica junguiana pela Faculdade de Ciências Médicas da Universidade de Campinas (FCM-Unicamp). Cursa especialização em Intervenção na Automutilação, na Prevenção e Posvenção do Suicídio pelo Instituto Vita Alere. Membro da equipe de coordenação do Phoenix – Centro de Estudos e Aconselhamento em Psicologia da Saúde e Tanatologia e da Rede API-Phoenix Campinas (Apoio a Perdas Irreparáveis). Atua como psicóloga clínica em consultório particular e em atendimento em psico-oncologia (Oncocamp, Campinas-SP).

APARECIDA NAZARÉ DE PAULA JACOBUCCI
Psicóloga especialista em psicologia hospitalar e em teoria, pesquisa e intervenção em luto. Mestranda em Cuidados Paliativos na Faculdade de Medicina da Universidade de Lisboa. Administradora do blogue Perdas e Luto: Educação para a Morte, as Perdas e o Luto. Membro da British Psychological Society (MBPsS/GBC).

CLAUDIA PETLIK FISCHER
Formada em Psicologia pela Pontifícia Universidade Católica de São Paulo (PUC-SP). Aprimoramento em luto pelo 4 Estações Instituto de Psicologia. Especialista em neurociências e comportamento pela Pontifícia Universidade Católica do Rio Grande do Sul (PUC-RS) com formação em gestão responsável

para a sustentabilidade pela Fundação Dom Cabral, além de formação em clínica analítico-comportamental e em EMDR (Eye Movement Desensitization and Reprocessing). Atualmente atua como psicóloga clínica.

CYNTHIA DE ALMEIDA
Jornalista e consultora para projetos ligados a questões de equidade de gênero e carreira de mulheres. Foi editora e diretora de redação de diversas publicações da Editora Abril, onde também atuou como *publisher* de revistas femininas. Na Editora Globo, foi diretora editorial de seu portfólio de revistas e criadora do projeto Habla de análise de tendências de comportamento das mulheres. É coautora do livro *Ganhar, gastar, investir: o livro do dinheiro para mulheres* (Sextante, 2016). É mãe do Pedro, do Gabriel e da Luisa e avó do Santiago e da Eva. É uma das criadoras do projeto Vamos Falar Sobre o Luto.

DANIELA ACHETTE
Mestre em Ciências da Saúde pela Faculdade de Ciências Médicas da Santa Casa de São Paulo. Especialista em educação na saúde pelo Instituto de Ensino e Pesquisa do Hospital Sírio-Libanês e em psicologia hospitalar pela Santa Casa de Misericórdia de São Paulo. Distinção de conhecimento em psico-oncologia pela Sociedade Brasileira de Psico-Oncologia. Coordenadora da Unidade de Psicologia Hospitalar do Hospital Sírio-Libanês, além de coordenadora da pós-graduação em Saúde Mental e coordenadora pedagógica e tutora da pós-graduação em Cuidados Paliativos do Instituto de Ensino e Pesquisa do mesmo hospital.

ELIANE SOUZA FERREIRA DA SILVA
Psicóloga especialista em psicoterapia breve operacionalizada pela Universidade Paulista (Unip). Especialista em intervenções em luto pelo 4 Estações Instituto de Psicologia. Atua como psicoterapeuta em consultório particular em Sorocaba (São Paulo) e realiza

atendimentos a adolescentes e adultos. Editora e moderadora do site Quando a Árvore Não Dá Fruto – Apoio à Infertilidade.

ELISA COSTA BARROS SILVA
Tem 26 anos, ensino médio completo. Trabalha há quatro anos em um restaurante. Adora cinema, mitologia grega, história, desenhar e pintar, comer bem e viajar. É muito independente, cuidadosa, vaidosa, bem informada e tem opiniões sobre tudo.

ELISA MARIA PERINA
Psicóloga do Centro Integrado de Pesquisas Onco-Hematológicas da Infância pela Faculdade de Ciências Médicas da Universidade de Campinas (Cipoi-FCM/Unicamp). Coordenou o Serviço de Psicologia e Saúde Mental do Centro Infantil Boldrini de 1982 a 2019. Coordenadora do Phoenix – Centro de Estudos e Aconselhamento em Psicologia da Saúde e Tanatologia. Mestre em Psicologia Clínica pela Universidade de São Paulo (USP) e doutora em Saúde da Criança e do Adolescente pela FCM-Unicamp. Coordenadora do Comitê de Psico-Oncologia Pediátrica da Sociedade Brasileira de Psico-Oncologia (SBPO) e do Comitê Psicossocial da Sociedade Latino-Americana de Oncologia Pediátrica (Slaop). Membro do Conselho Consultivo da SBPO. Representante do Brasil na Rede Latino-Americana de Psico-Oncologia (Relpo).

FRANCISCO DE ASSIS CARVALHO
Doutor em Linguística pela Universidade de São Paulo (USP) e em Psicologia Clínica pela Pontifícia Universidade Católica de São Paulo (PUC-SP). Professor do mestrado em Gestão, Planejamento e Ensino da Universidade Vale do Rio Verde (UninCor).

GABRIELA CASELLATO
Psicóloga formada pela Pontifícia Universidade Católica de São Paulo (PUC-SP), com mestrado e doutorado em Psicologia Clínica pela mesma universidade. Cofundadora, professora e

supervisora do 4 Estações Instituto de Psicologia. Cocoordenadora do curso de Especialização e Aprimoramento em Teoria, Pesquisa e Intervenção em Situações de Luto e do curso de Especialização e Aprimoramento em Intervenções Psicológicas Fundamentadas na Teoria do Apego no mesmo instituto. Organizadora do livro *Dor silenciosa ou dor silenciada? – Perdas e lutos não reconhecidos por enlutados e sociedade* (Polo Books, 2013). Organizadora do livro *O resgate da empatia: suporte psicológico ao luto não reconhecido* (Summus, 2015). Representante da International Attachment Network (IAN Brasil).

HÉLIA REGINA CAIXETA

Psicóloga clínica fenomenóloga-existencial. Especialista em intervenções em luto pelo 4 Estações Instituto de Psicologia. Atua como psicoterapeuta de adultos em consultório particular em Patos de Minas (MG). Editora e moderadora do site Quando a Árvore Não Dá Fruto – Apoio à Infertilidade.

INGRID MARIA (MIA) OLSÉN DE ALMEIDA

Psicóloga especialista em psicologia hospitalar pela Pontifícia Universidade Católica de São Paulo (PUC-SP) com aprimoramento pelo Instituto Sedes Sapientiae. Especialista em psico-oncologia pelo mesmo instituto. Implantou o serviço de psico-oncologia do Hospital Sírio-Libanês. Distinção de conhecimento em psico-oncologia pela Sociedade Brasileira de Psico-Oncologia. Responsável pela supervisão clínica da equipe multiprofissional de cuidados paliativos do Hospital Sírio-Libanês. Docente, coordenadora pedagógica e tutora da pós-graduação em Cuidados Paliativos do Instituto de Ensino e Pesquisa do Hospital Sírio-Libanês.

JOELMA AVRELA DE OLIVEIRA

Neuropsicopedagoga institucional. Graduada em Matemática e Física pela Universidade de Caxias do Sul (UCS) e pós-graduada em Administração Financeira pela mesma instituição. Pós-graduada em Neuropsicopedagogia Institucional pela Faculdade Censupeg, de Joinville (SC). Cursando pós-graduação em Neuropsicopedagogia Clínica pela mesma instituição.

JULIANA SALES CORREIA

Graduada em Psicologia pela Universidade Salvador (Unifacs). Especialista em intervenções psicológicas fundamentadas na teoria do apego pelo 4 Estações Instituto de Psicologia. Aprimorou-se em intervenções em luto pelo mesmo instituto. Atua como psicoterapeuta de adultos em consultório particular em São Paulo. Editora e moderadora do site Quando a Árvore Não Dá Fruto – Apoio à Infertilidade.

LUCIANA MAZORRA

Psicóloga, mestre e doutora pelo Programa de Psicologia Clínica da Pontifícia Universidade Católica de São Paulo (PUC-SP). Psicoterapeuta especialista em clínica e psicoterapia psicanalítica pela Universidad Pontificia Comillas (Madri). Cofundadora e Diretora do 4 Estações Instituto de Psicologia. Membro da International Working Group on Death, Dying and Bereavement (IWG). Coautora do livro *O dia em que o passarinho não cantou* (Zagodoni, 2018) e coorganizadora do livro *Luto na infância: intervenções psicológicas em diferentes contextos* (Livro Pleno, 2005) e outras publicações sobre formação e rompimento de vínculos. Representante da International Attachment Network (IAN Brasil).

MARCELO ROBERTO DE OLIVEIRA

Graduado em Direito pela Universidade de Caxias do Sul (UCS) e especialista em direito público pela Universidade de Brasília (UnB). Atualmente é juiz federal substituto no Tribunal Regional Federal da 4ª Região. Tem experiência na área de direito, com ênfase em direito público. Professor universitário e de cursos preparatórios para concursos públicos.

PAULA ABAURRE LEVERONE DE CARVALHO
Psicóloga com formação em Psicologia Familiar e Individual Sistêmica pelo Instituto de Terapia e Centro de Estudos da Família (Intercef-PR). Sócia-fundadora do Trilhar Instituto de Psicologia. Mestre em Migrações Internacionais, Saúde e Bem-Estar, com ênfase em Luto Migratório pela Faculdade de Psicologia da Universidade de Sevilla (Espanha).

PAULA DA SILVA KIOROGLO REINE
Mestranda em Ciências da Saúde pelo Instituto de Ensino e Pesquisa do Hospital Sírio-Libanês (IEP-HSL). Especialista em psicologia hospitalar pela Santa Casa de São Paulo. Aperfeiçoamento em cuidados paliativos pelo IEP-HSL. Aperfeiçoamento em processos educacionais na saúde pelo mesmo instituto. Distinção de conhecimento em psico-oncologia pela Sociedade Brasileira de Psico-Oncologia. Psicóloga da Unidade de Psicologia Hospitalar do Hospital Sírio-Libanês. Coordenadora pedagógica e tutora da pós-graduação em Cuidados Paliativos Pediátricos do IEP-HSL.

RAFAEL STEIN
Também conhecido como Stein ou Rafa. A perda da minha esposa mudou minha vida para sempre e, ao vivenciar o luto com meus filhos, fui me redescobrindo como pai e como homem. Desde então tenho escrito cartas e bilhetes e publicado no site Cartas para Maria (cartasparamaria.com.br). Lidar com o luto é algo muito pessoal, mas, entre altos e baixos, é possível encontrar um caminho. Sou um homem em construção e, hoje, de verdade, sou pai da Maria Clara e do Francisco.

SIMONE MARIA DE SANTA RITA SOARES
Médica pela Faculdade de Ciências Médicas da Santa Casa de São Paulo (FCMSC-SP). Psiquiatra pela Universidade de São Paulo (USP). *Clinical fellowship* em psico-oncologia pela McMaster

University (Canadá) em 2010. Psiquiatra do Instituto do Câncer do Hospital das Clínicas da Universidade de São Paulo (USP) de 2010 a 2018. Professora convidada do curso de pós-graduação em Cuidados Paliativos do Hospital Sírio-Libanês. Organizadora e autora do livro *Prática psiquiátrica em oncologia* (Artmed, 2019). Especialista em intervenções em luto pelo 4 Estações Instituto de Psicologia. Atua como psiquiatra e psicoterapeuta em consultório particular em São Paulo. Editora e moderadora do site Quando a Árvore Não Dá Fruto – Apoio à Infertilidade.

TOM ALMEIDA
Fundador do movimento inFINITO, diretor do Death over Dinner Brazil, criador do Guia de Rituais Virtuais, colunista do *podcast* Finitude e idealizador do Festival inFINITO, Cineclube da Morte, A Morte no Jantar, Death over Drinks e da Jornada Eduardo Alferes de Cuidados Paliativos. É empreendedor social, ativista do bem morrer, palestrante, facilitador de *workshops*, conector, comunicador e cozinheiro.

VALÉRIA TINOCO
Psicóloga e psicoterapeuta. Mestre e doutora em Psicologia Clínica pela Pontifícia Universidade Católica de São Paulo (PUC-SP). Cofundadora, professora e supervisora do 4 Estações Instituto de Psicologia. Coautora do livro *O dia em que o passarinho não cantou* (Zagodoni, 2018) e coorganizadora do livro *Luto na infância: intervenções psicológicas em diferentes contextos* (Livro Pleno, 2005). Representante da International Attachment Network (IAN Brasil).

VERA ANITA BIFULCO
Psicóloga clínica e psico-oncologista. Integrante da equipe de cuidados paliativos do Instituto do Câncer Dr. Arnaldo Vieira de Carvalho (ICAVC). Aperfeiçoamento em gerontologia social e em psico-oncologia pelo Instituto Sedes Sapientiae. Mestre em

Ciências pelo Centro de Desenvolvimento do Ensino Superior em Saúde da EPM-Unifesp. Coorganizadora do livro *Câncer: uma visão multiprofissional*, volumes I e II (Manole, 2009). Coautora do livro *Cuidados paliativos: conversas sobre a vida e a morte na saúde* (Manole, 2016). Coorganizadora do livro *Cuidados paliativos: um olhar sobre as práticas e as necessidades atuais* (Manole, 2018). Coordenadora do grupo de apoio a cuidadores de Alzheimer do Hospital 9 de Julho.

VERA LÚCIA CABRAL COSTA
Mãe da Elisa e da Helena. Mãe "de segundo grau" da Teresa e da Lucia e avó do Vicente. Economista e mestre em Teoria Econômica pela Faculdade de Economia, Administração, Contabilidade e Atuária da Universidade de São Paulo (FEA-USP). Há 25 anos trabalha, com paixão, na área de educação. Atualmente é diretora de educação na Microsoft Brasil.

VINICIUS SCHUMAHER DE ALMEIDA
Psicólogo com ênfase em psicologia da saúde e clínica psicanalítica pelo Centro Universitário de Votuporanga (SP). Especialista em teoria, pesquisa e intervenção em luto pelo 4 Estações Instituto de Psicologia. Terapeuta EMDR (Dessensibilização e Reprocessamento por meio dos Movimentos Oculares) com certificação pelo Institute EMDR dos EUA e EMDR Iberoamérica. É fundador e psicólogo clínico do Instituto Vinculare, localizado no município de Votuporanga, onde atua na coordenação e em atendimentos clínicos a enlutados e pessoas em situações de traumas psicológicos.

VIVIANE D'ANDRETTA E SILVA
Psicóloga graduada pela Universidade Presbiteriana Mackenzie. Aprimoramento em psicologia hospitalar pelo Centro de Referência da Saúde da Mulher do Hospital Pérola Byington. Aperfeiçoamento em cuidados paliativos pelo Instituto de Ensino e

Pesquisa do Hospital Sírio-Libanês. Especialista em teoria, pesquisa e intervenção em luto pelo 4 Estações Instituto de Psicologia. Autora de capítulos dos livros *Assistência ao paciente crítico: uma abordagem multidisciplinar* (Atheneu, 2018) e *Saúde e psicologia: dilemas e desafios da prática na atualidade* (Paco Editorial, 2019).

www.gruposummus.com.br